ltures and Languages Expert

그물망 공부법》 등 총 19권 의 책을 … 클리비즈〉에 ‘인문학으로 배우는 비즈니스 영어’와 〈동아 비즈니스 리뷰〉에 ‘문화 DNA’ 칼럼을 연재했으며, TV 프로그램인 OtvN 〈비밀독서단〉, JTBC 〈비정상회담〉, MBC 〈라디오스타〉〈마이 리틀 텔레비전〉 등에 출연했다.
영어, 불어, 이탈리아어에 능통하고 독일어, 라틴어는 독해가 가능하다. 지금은 한문과 중국어를 배우며 동양 언어 공부에 매진하고 있다. 영국계 컨설팅회사 UnfroZenMind에서 외부상임이사를 역임했으며 한국무역협회 등 국제 마케팅 리서치에 참여했다.

고교 시절 미국의 ‘전국라틴어경시대회’에서 우수상Magna Cum Laude을 받았으며, 미국 고등학생 문예지에 시와 단편소설이 실리는 등 다양한 어학 공부를 했다. 뉴욕대 경영학교NYU Stern School를 졸업했다. 불어 공부 2년 독학 후에 프랑스 최고 미술사 학교인 에꼴 드 루브르에 합격해 2년간 수학했다.

언어 천재
조승연의
이야기
인문학

언어천재 조승연의
이야기 인문학 특별한정판

1판 1쇄 발행 2016. 11. 14.
1판 11쇄 발행 2023. 3. 1.

지은이 조승연

발행인 고세규
편집 조혜영

발행처 김영사
등록 1979년 5월 17일 (제406-2003-036호)
주소 경기도 파주시 문발로 197(문발동) 우편번호 10881
전화 마케팅부 031)955-3100, 편집부 031)955-3200 | 팩스 031)955-3111

값은 뒤표지에 있습니다.
ISBN 978-89-349-7639-4 04100 | 978-89-349-7641-7 (세트)

홈페이지 www.gimmyoung.com 블로그 blog.naver.com/gybook
인스타그램 instagram.com/gimmyoung 이메일 bestbook@gimmyoung.com

좋은 독자가 좋은 책을 만듭니다.
김영사는 독자 여러분의 의견에 항상 귀 기울이고 있습니다.

언어천재 조승연의 이야기 인문학

조승연 지음

김영사

Prologue

"나는 언어 공부가 취미다." 이렇게 말하면 대부분의 사람들이 눈을 휘둥그레 뜨고 쳐다본다. 사람들은 대체로 외국어 배우기를 끔찍이 싫어하는데 '웬 괴물이야?'라는 것이다. 나도 어릴 때는 그랬다. 부모님은 적어도 영어와 한문은 잘할 수 있게 가르쳐보려고 동분서주하셨지만, 지루한 암기와 반복 학습에 질려 언어 공부를 엄청나게 싫어하는 아주 평범한 학생이었다. 하지만 영어와 싸우며 밤을 지새우던 유학생 시절, 아주 작은 깨달음을 얻은 덕분에 언어 공부가 재미있어졌고, 그 후로 어학 공부에 무서운 가속이 붙었다. 그 결과 대학을 졸업했을 때는 영어, 불어, 이탈리아어를 유창하게 할 수 있게 되었으며 미국과 프랑스의 명문대학에서 공부할 때도 언어를 사용하는 데 별 무리가 없었다. 또 원어로 쓴 시와 단편이 학교 문예지에 실리기도 했다. 그러다 점차 어학 공부 자체에 재미를 느껴 독일어, 라틴어 등으로 고전을 읽을 수 있는 독해 실력도 쌓을 수 있었다.

나를 이처럼 '언어 공부광'으로 만들어준 작은 깨달음은 바로 '언어는 사람 공부'라는 것이었다. 단어를 외우는 동안 단어 하나하나에 인간의 희로애락이 스며들어 있다는 재미있는 사실을 알게 되면서, 단어 배우는 것이 그림이나 음악 감상 이상으로 흥미진진해진 것이다. 우리가 무심코 쓰는 단어에 남녀와 가족 간의 사랑·배신·갈등, 전쟁의 잔인함과 영웅들의 발자취, 예술과 문학의 원천이 숨어 있기 때문에 단어 공부야말로 더없이 재미있는 사람 공부다. 그래서 우리가 아무 생각 없이 쓰는 영어 단어들의 유래를 풀어보니, 누구나 쉽게 다가갈 수 있는 인문학 책이 되었다.

우리는 흔히 '아는 만큼 보인다'고 말한다. 맞는 말이다. 매일 수많은 영어 단어를 마치 한글인 양 친근하게 접하며 살지만, 그런 단어도 내력을 제대로 알고 다시 만나면 눈이 나쁜데도 안경 없이 살다가 안경을 처음 낀 것처럼 세상이 환하게 보일 것이며, 소소한 말과 글을 읽는 것이 얼마나 소중한 문화 생활인지 느낄 수 있어 인생이 풍요로워질 것이라는 게 나의 생각이다.

옛날 유럽에 샤를마뉴라는 장군이 있었다. 그는 지금의 프랑스, 독일, 네덜란드, 이탈리아 등을 통일하고 서유럽 전체의 황제가 되었다. 그런데 백성들이 서로 다른 말을 사용하자, 황제 역시 여러 언어를 공부할 필요성이 생겼다. 그러나 샤를마뉴는 원래 공부보다는 말 타기와 칼싸움을 좋아하는 매우 활동적인 사람이었다. 황제라고 해서 일반인보다 언어 공부가 쉬울 리 없었다. 그는 언어 공부의 어려움으로 고생하다가 어느 순간, 단어가 얼마나 신기한 것인지를 깨닫고 이런 말을 했다고 한다. "두 개의 언어를 안다는 것은 두 개의 영혼을 갖는 것과 같다."

이후 샤를마뉴는 언어 공부에 푹 빠져들었고, 수많은 학교를 세워 유럽 문명의 기틀을 다진 사람으로 역사에 길이 남았다.

단어의 유래 속에서 우리는 맹수들로부터 가족을 보호하려던 원시인들의 고민부터, 기원전에 이미 문명의 꽃을 피웠던 고대 인도와 페르시아 학생들의 잡담, 대로마제국의 그늘에 가려진 허름한 뒷골목 할머니들의 눈물, 태평양을 누비던 고래잡이들의 모험담, 남태평양 외진 섬 왕들의 삶의 모습까지 만나볼 수 있다. 이렇게 하나의 단어를 따라가며 6,000년이 넘는 역사를 가로질러 여행하다가, 언어의 매력에 빠져 언어 공부가 저절로 즐거워지는 독자들이 많아지기를 바라는 마음으로 이 책을 썼다. 지금부터 시간과 공간을 가로지르는 단어 인문학 보물선에 오르는 기분으로 이 책의 첫 장을 열어보기 바란다.

2013년 서울에서

조승연

Contents

1장

'욕망'과 '유혹'으로 알아본 이야기 인문학

2장

'사랑'과 '가족'으로 알아본 이야기 인문학

3장

'인간사회'로 알아본 이야기 인문학

4장

'예술'과 '여가'로 알아본 이야기 인문학

5장

'전쟁'과 '계급'으로 알아본 이야기 인문학

6장

'인간심리'로 알아본 이야기 인문학

Humanities

1장

'욕망'과 '유혹'으로 알아본 이야기 인문학

Glamorous, Grammar

글래머러스한 여자는 원래 그래머에 통달한 여자

사람들은 몸매가 섹시한 여성을 일컬어 소위 '글래머glamour'라고 한다. 요즘에는 얼굴은 아기처럼 귀여운데 몸매는 섹시한 '반전'을 가진 여성을 '베이비페이스 글래머', 즉 '베이글녀'라고 부르기도 한다. 이처럼 글래머는 우리나라에서 종종 '볼륨 있는 몸매'란 뜻으로 사용되고 있는데, 여기서의 glamour는 콩글리시다. 이 단어는 미국에서 '고급스런 여자'로 통한다. 요즘에는 글래머러스Glamorous한 삶을 살려면 많은 돈이 필요하지만, 고대 로마시대에는 공부를 많이 해야 했다. 원래 글래머러스한 사람이란 'grammar그래머', 즉 '문법'을 마스터한 사람을 뜻했기 때문이다.

미국의 《글래머Glamour》라는 잡지가 현대 여성들에게 매력의 비법을 알려주기 훨씬 전인 고대 로마시대에 이미 '글래머'를 마스터한 여자가 문학에 자주 등장했다. 주인공은 고대 로마의 유명한 코미디 작가 호라티우스가 쓴 작품의 주인공 '카니디아'다. 호라티우스는 카니디아를 이렇게 묘사했다.

'나는 카니디아를 이 두 눈으로 직접 봤다. 머리를 풀어헤치고 검은 드레스는 엉거주춤 올리고 끔찍한 비명을 지르는 그녀의 언니 사가나와 함께 맨발로 걸어다니는 그 징그러운 모습을 내 눈으로 봤단 말이다. 그녀들은 마주 앉아서 손톱으로 땅을 파고 까만 양 한 마리를 맨 이빨로 물어뜯어 자기들이 판 구멍에 피를 부었다.'

_ Horace, Satire Book I, Episode VII

현재 우리가 생각하는 글래머의 이미지와는 딴판이다. 카니디아는 피부가 누렇게 뜨고 이빨이 시커멓게 변한 할머니임에도 남자를 너무나 좋아했다. 그녀에게는 남자를 유혹하는 비밀무기가 있었는데, 마음에 드는 남자의 눈을 삐게 만들어 자기가 예뻐 보이게 하는 사랑의 묘약이었다. 한번은 좋아하는 남자가 다른 여자에게 떠나자 카니디아는 사랑의 묘약을 만들기로 했다. 이 사랑의 묘약에는 미소년의 골수와 간이 들어가는데, 카니디아는 여기에 쓰려고 한 부유한 상원의원의 아들을 가둬놓고 굶겨죽였다.

남자에 눈이 뒤집힌 노년기 마녀들은 로마문학의 인기 캐릭터였다. 군중은 사랑의 묘약을 마시고 흉측한 마녀에게 홀려 그녀들을 예쁜 여자라고 착각하고 멋진 선물을 사주거나 세레나데를 부르며 사랑을 고백하는 남자배우들을 보며 배꼽이 빠져라 웃어댔다. 마녀들은 대체로 두꺼비 피, 탯줄 같은 징그러운 재료들을 모아 큰 가마솥에 넣고 부글부글 끓이면서 이상한 말로 중얼중얼 주문을 외웠다. 로마인들은 이 주문에 마법이 통하게 만드는 자기들만의 문법, 즉 글래머가 있다고 해서 남자의 눈을 삐게 하는 마법을 '글래머'라고 불렀다.

오늘날 늘씬하고 매력적인 몸매를 가진 여성은 대중의 찬사를 받는다. 그러나 고대 그리스와 로마에서는 정반대였다. 이 시대에는 잔근육이 쭉쭉 뻗은 젊은 남자의 몸매를 아름답게 여겼다. 반면에 여자들은 피부가 물컹물컹해서 추하다며 남자들이 벌인 파티나 축제에는 웬만하면 초대받지 못했다. 그저 남자들끼리 서로 옷을 벗고 상대방에게 몸매를 자랑하며 파티를 즐겼다. 고대 그리스에서 시작된 올림픽 경기도 초반에는 남자들만 참가해 누드로 경기를 치렀다. 또 대중목욕탕 같은 곳에는 꼭 근육질 남자의 누드 동상을 세워두었다. 고대 그리스 로마 남자들은 나이 든 여자는 더욱 싫어했다. 따라서 여자들은 동성끼리만 관심을 갖는 남편들의 눈에 띄기 위해 수단과 방법을 가리지 않았다. 남자들은 이런 극성스러운 아내의 모습에 싫증을 느껴 무리를 지어 코미디 극장으로 도망가 무대 위의 마녀를 보며 "아, 저건 딱 내 와이프 같아!"라면서 무릎을 치며 웃고 좋아했을 것이다.

시간이동을 해보자. 중세 스코틀랜드에 마가렛이라는 공주가 살았다고 한다. 마가렛 공주는 헨리 경이라는 용감한 기사와 깊은 사랑에 빠졌다. 하지만 헨리 경은 반역자로 몰려 마가렛 공주의 가문과 원수가 되었다. 어느 날 애인을 그리며 한숨짓던 마가렛 공주 앞에 헨리 경이 나타났다. 그 모습을 본 마가렛 공주는 순간 기쁨과 공포가 교차했다. 만약 그가 잡히면 즉시 사형을 당할 것이 뻔했기 때문이다. 하지만 헨리 경은 마가렛 공주를 만나러 오기 전 이미 마녀에게 '글래머' 마술을 받아 다른 사람의 모습으로 변해 있었다. 두 사람은 글래머 마술 덕분에 어떤 방해도 받지 않고 뜨거운 사랑을 나누었다. 이 이야기는 영국의 소설가 월터 스콧이 쓴 소설의 한 장면이다. 마가렛 공주가 마법의 베일을 뚫고 자기가 사랑하는 사람의 모습을 알아본 순간을 스콧은 이렇게 묘사했다.

'하지만 어떤 허술한 마술이, 마가렛의 하늘색 눈을 속일 수 있을 것이란 말인가!'

이 문장은 수많은 영국 문학소녀들의 가슴을 설레게 했다. 이 이야기에 쓰인 'glamour'라는 단어는 '눈속임'이라는 뜻으로 한동안 유행어가 되었다.

현대 사회는 실제로 glamour가 가능하다. 얼굴을 예뻐 보이게 하는 화장술, 키가 커 보이게 하는 하이힐, 몸매의 부족한 부분을 가려주는 패션 등을 이용해 실제 모습보다 훨씬 더 예뻐 보이도록 '눈속임'을 하는 것이다. 여자들에게 눈속임의 모든 것을 알려주는 《글래머》 잡지가 창간된 후로 'glamour'는 '패션' '화장' '화려함'과 관련된 단어가 되었다. 오늘날에도 글래머러스한 사람은 남들이 모르는 섹시함과 패션의 문법을 아는 사람이라고 말할 수 있겠다.

'문법'을 뜻하는 단어 'grammar'는 원래 '한 마디'를 뜻하는 'gram'을 이어붙이는 법칙을 의미했다. 우리나라 말에서 '한 마디'는 '말 한 마디'라는 의미로 쓰이지만 '아주 작은 길이나 무게'란 뜻으로도 쓰인다. 그리스에서도 'gram'은 오늘날 아주 작은 무게를 재는 단위로 쓰인다. 하지만 고대 그리스 시대에 'gram'의 기본 의미는 말 한 마디, 즉 '단어'였다. 노래를 녹음할 수 있는 기계인 축음기가 처음 나왔을 때 '소리를 단어처럼 한 마디 한 마디 적는 기계'라는 의미로 'gramophone'이라고 불렀다. 이후 음악계는 최고의 gramophone 음반을 뽑는 상에 'Gramophone Award', 줄여서 'Grammy Award그래미상'라는 이름을 붙였다.

옛날로 거슬러 올라갈수록 사회는 약간의 실수도 용서해주지 않았다. 그래서인지 고대 남자들은 못된 여자에게 빠져 한순간에 인생을 망치지 않을까 늘 노심초사했다. 오늘날에도 뛰어난 화장술과 패션으로 눈속임을 잘하는 글래머러스한 여배우나 그래미상을 수상한 여가수들이 남심을 쥐락펴락하고 있다. 또 그들은 과소비를 조장하는 광고 모델이 되어 소비자들을 유혹하기도 한다.

그런데 고대 유럽 남자들은 눈속임을 잘하는 여자보다 노래 잘 부르는 여자의 매력을 더 두려워했다. 그래서 '노래 부르는 여자'라는 뜻인 '카르멘'이 '매력'을 뜻하는 단어 'charming'이 되었다.

Carmen, Charming

노래 부르는 카르멘의 매력, 차밍을 조심하라

고대 로마인들은 칼로 세계를 정복했다. 하지만 무시무시한 칼로도 정복할 수 없는 것이 있으니, 바로 여자의 마음이었다. 로마 남자들은 여자들의 미모와 매력에 빠지면 칼 한번 뽑아보지 못하고 굴복했기에 매력있는 여자들을 상당히 무서워했다.

옛 로마인들은, 사랑에도 우정과 신의를 다하는 남자와 달리 여자는 남자에게 마음이 가면 앞뒤 가리지 않고 막무가내로 좋아하기 때문에 여자에게 상처받지 않도록 조심해야 한다고 믿었다. 오늘날의 남녀관계와는 조금 다르다.

고대 로마에 카툴루스라는 시인이 살았는데 레스비아라는 유부녀를 사랑했다고 한다. 하지만 레스비아에게 카툴루스는 자기를 좋아하는 여러 남자 중 한 명에 불과했다. 그래서 가끔 마음이 내킬 때만 만나주고, 다른 남자가 나타나면 연락을 끊는 식이었다. 카툴루스는 레스비아에게 수많은 시를 써서 바쳤는데 그중 '쇠사슬'이라는 제목의 시는 오늘날 우리도 눈물을 머금지 않고는 읽을 수 없을 만큼 그 내용이 처절하다.

'레스비아, 너 때문에 내 영혼은 이렇게 망가졌어. 너를 섬기다가 내 정신은 폐허가 되어버렸지. 이젠 네가 최고의 여자라 해도 너를 좋게 생각할 수가 없지만, 네가 무슨 짓을 하든 난 너를 사랑할 수밖에 없어.'

로마인들은 남자가 여자에게 끌리는 가장 중요한 요소를 목소리로 보았다. 노래를 부르는 듯한 감미로운 여자의 목소리는 남자의 마음을 꼼짝 못하게 만드는 쇠사슬과 같다고 생각했다. 라틴어로 '노래를 부르다'를 뜻하는 'carmen'이 프랑스를 거쳐 미국으로 들어오면서 'charming차밍', 즉 '매료시키는'이라는 뜻을 가진 단어가 되었다. 우리나라에서도 '차밍'을 '매력적인'이라는 의미의 외래어로 사용한다.

카툴루스와 비슷한 시기에 오비디우스라는 문학가가 살았다. 오비디우스는 카툴루스 같이 마음 약한 남자들을 위해 연애 매뉴얼을 쓰기로 했다. 〈사랑의 기술Ars Amatoria〉이라는 제목의 2권짜리 책인데 출간되자마자 어마어마한 인기를 끌었다. 요즘 젊은이들 사이에서 유행하는 연애 매뉴얼 책이 무려 2,000여 년 전에도 있었던 것이다. 오비디우스의 연애 매뉴얼은 워낙 인기가 좋아 '여자들을 위한 연애'를 주제로 3탄이 출간되었다. 오비디우스는 이 책에서 아래와 같이 여자들에게 마음에 드는 남자를 차지하려면 우선 노래 연습을 하라고 권했다.

'목소리는 우아함의 극치란다, 여자들아. 노래를 배워라. 미모로 얻을 수 없는 남자를 목소리로는 얻을 수 있단다. 오르페우스 하프는 동물과 돌도 감동시켰단다.'

이렇게 로마인들은 여자의 아름다운 노래의 마력을 믿었다. 다시 말하면 차밍한 사람은 '마법의 노래를 부를 줄 아는 여자'를 뜻하는 것이었다.

'Carmen카르멘'은 서양에서 흔한 여자 이름인데, 직역하면 '노래로 매혹하는 여자'를 뜻한다. 서양 사람들의 이름은 대부분 당시 유행하던 영화, 문학작품, 오페라 캐릭터에서 따오는 경우가 많다. 카르멘은 프랑스에서 한때 유행하던 오페라의 제목이자 주인공의 이름이었는데, 정말로 극중 캐릭터가 노래로 유혹하는 여자였다.

오페라 〈카르멘〉의 첫 막은 군인들이 술집에 잔뜩 모여 술을 마시는 장면에서 시작한다. 그때 카르멘이라는 여자가 들어와 노래를 부른다.

"사랑은 반항심 강한 새와 같아서, 절대로 잡을 수 없고…."

이 노래는 오페라 역사상 가장 유명한 노래 중 하나다. 이 노래를 듣고 반한 군인들이 카르멘에게 구애를 하며 자기들 중 한 명을 고르라고 아우성치자 카르멘은 돈 호세란 사람을 향해 꽃을 던진다. 로마인들이 경고한 것처럼 돈 호세는 여자의 노래, 즉 'carmen'에 빠져 사랑에 허우적거리고 결국엔 목숨까지 잃게 된다는 것이 이 오페라의 줄거리다.

'carmen'과 'charming'은 모두 '노래에서 나오는 매력'을 뜻하는 단어다. 커피 브랜드 이름인 'cantata칸타타'도 여기서 나온 말이다. 'carmen'은 시나 노래를 뜻하는 'canto칸토'와 어원이 같다. 프랑스 사람들은 'ㅋ' 발음을 습관적으로 뭉개버리기 때문에 canto의 한 형태인 cantionem을 프랑스식으로 발음한 것이 '샹송'이고, 이탈리아식으로 발음한 것이 '칸초네'다. 이 단어들은 노래의 특정 장르를 말하는 것이 아니라, 그냥 프랑스어, 이탈리어로 '노래'를 뜻한다. 잘난 척하는 친구가 "나는 샹송을 좋아해"라고 하면 사실 그건 그냥 "노래를 좋아해."라는 뜻이라고 따끔하게 상기시켜주자.

마찬가지로 교회에서는 성가 합창곡을 오케스트라나 오르간 음악과 구분하기 위해서 '칸타타'라고 불렀다. 원래 칸타타는 교회에서 성탄절처럼 특별한 명절에 온 동네 사람들이 모여서 화음을 맞춰 부르는 대성악곡을 말하는 단어였다. 주로 예수님이 십자가에 못박혀 죽는 등의 끔찍한 장면을 노래했다. 어두컴컴한 교회당 안에서 수백 명의 신도들이 예수의 죽음을 슬퍼하며 부르는 합창의 커다란 울림이 돌벽에 부딪혀 퍼지는 분위기에서 커피를 한 잔 마신다면 나는 개인적으로 체할 것 같지만, 인스턴트 커피 브랜드 이름을 칸타타로 지은 사람은 아마 이런 합창곡을 집에서 소박하게 스테레오의 낮은 볼륨으로 들으며 커피를 마시지 않았나 의심할 수밖에 없다.

여자는 남자라면 무조건 좋아하고, 남자는 여자에게 순수한 마음을 바쳤다가 상처를 받았다는 것이 오늘날 우리에게는 너무나 낯선 이야기지만, 로마시대부터 많은 남자들이 차밍한 여자나 글래머러스한 여자에 빠졌다가 상처받고 눈물을 흘린 슬픈 이야기는 지금의 우리에게까지 전해온다.

앞서 이야기했던 오비디우스가 남자들을 위한 연애 매뉴얼 책에 쓴 글을 보면 '암소는 숫소가 오면 무조건 몸을 숙이고, 암말은 숫말을 보면 무조건 운다. 그에 비해 남자의 사랑은 젠틀하고, 남자의 열정은 적절한 선을 넘지 않는다'라고 했다. 하지만 이 공식을 180도로 바꾸어 남자가 먼저 여자를 유혹하는 시대를 여는 인물이 나타났으니, 오늘날 '바람둥이'의 대명사가 되어버린 '자코모 카사노바'다.

Casanova

영원히 여자의 편이었던 남자, 카사노바

고대에서 중세까지의 유럽에서 '유혹'의 주체는 주로 남자가 아닌 여자였다. 중요한 국사인 전쟁, 돈벌이, 외교 등으로 바쁜 남자들을 사랑이라는 무기 앞에서 끝없이 무능하게 만드는 존재가 여자들이라는 것이 사회적 통념이었다. 바로 여기서 '유혹'을 뜻하는 'glamour' 'charming' 같은 단어들이 나왔다. 반면에 정조를 지키려고 애쓰는 여자를 남자가 달콤한 말과 선물로 유혹하는 구도는 겨우 300년 전에 시작되었다. 우리가 '바람둥이'의 대명사로 알고 있는 이탈리아 베네치아의 글쟁이 'Casanova카사노바'가 그 원조라고 할 수 있다.

현대 여성들은 카사노바 같은 바람둥이를 혐오나 두려움의 대상으로 여긴다. 하지만 자세히 알고 보면 카사노바만큼 여성의 행복에 크게 기여한 사람도 드물다. 카사노바 같은 남자가 많아지면 여자들의 삶은 더 행복해질 것이다.

카사노바가 살던 18세기에는 개방적이라던 유럽에서도 여자는 배우자나 애인을 스스로 선택할 권리가 없었다. 남자가 어떤 여자를 원하면 그녀의 아버지로부터 돈을 주고 샀으며, 돈이 없으면 납치하거나 강간을 했다. 이런 남자를 법적으로 고소해봤자 법은 대체로 남자 편이었다. 기껏해야 아버지나 오빠가 칼을 들고 나가 결투로 담판을 짓는 정도였는데, 납치범이나 강간범도 결투에서 이기면 그것으로 끝이었고, 주변 사람들 역시 결투로 여자를 차지하는 것은 지극히 신사다운 방법이라고 인정하는 분위기였다.

이런 시대에 매우 미천한 신분인 광대의 아들로 태어난 카사노바는 어느 날 우연히 베네치아 최고 부호의 목숨을 구하게 되었다. 그 부호로부터 어마어마한 사례금을 받은 후 카사노바의 인생은 바뀌었다. 매일같이 도박을 일삼고 술집 여자들과 방탕한 시간을 보낸 것이다. 나중에는 이 일로 베네치아에서 추방까지 당했다. 이웃 도시로 쫓겨나 귀양살이를 하게 된 카사노바는 그곳에서 앙리엣이란 프랑스 여성을 만나면서 또다시 새로운 인생을 열게 되었다. 당시 여자들은 대체로 학교에 다니지 않아서 무식했는데, 앙리엣은 책을 많이 읽고 머리도 좋아 지적 수준이 매우 높았다. 카사노바는 난생 처음으로 여자와 인간적 공감대를 형성해야만 진정한 연애를 할 수 있다는 중요한 사실을 깨달았다.

그러던 어느 날, 앙리엣은 금화 500냥과 함께 이런 편지를 남기고 카사노바를 떠나버렸다.

'우리가 함께 행복한 꿈을 꿨다는 것을 인정할 줄 아는 현명한 사람들이기를 원해. 운명에 대해 불평하지 말기로 하자. 행복한 꿈이 우리가 함께 있던 시간만큼 오래갔다는 것 자체가 기적이니까.'

편지 내용으로만 봐도 왜 카사노바가 앙리엣을 존경했는지 알 수 있다. 카사노바는 앙리엣과의 연애를 통해 새로운 사람으로 다시 태어났다. 사랑이란 여자와 싸우고 줄다리기하는 것이 아니라, 여자와 같은 편이 되는 것이라는 사실을 깨닫게 된 카사노바는 인생에 새로운 목표를 세웠다.

당시만 해도 대부분의 여자들은 아버지가 정해준 나이 많고 멋대가리 없는 남자와 결혼해 자기를 구속하는 가부장적 남자에게 복종하며 불행하게 살았다. 카사노바는 이런 여자들을 해방시켜주는 '여심의 홍길동'이 되기로 결심했다. 카사노바는 자기가 싫어하는 남자와 결혼한 여자들을 골라서 유혹했다. 그녀와 한패가 되어 그녀의 남편이나 아버지를 골려주며 뜨거운 연애를 즐기다가, 권태기가 오면 여자에게 새 애인을 찾아주고 멋지게 사라졌다. 광대 부모 밑에서 자란 카사노바는 연애를 할 때마다 박진감 넘치는 줄거리를 연출했다. 또 무대장식을 응용한 '이벤트'라는 개념도 발명해 활용했다. 카사노바는 멋진 연애법을 개발하기 위해 어마어마한 양의 그림, 시, 문학을 연구했고, 프랑스어, 이탈리아어, 독일어로 러브레터를 쓸 수 있을 정도의 어학 실력도 갖췄다. 한마디로 카사노바는 여자들의 삶에 있어서 에디슨 같은 '연애방법의 발명가'였던 셈이다. 카사노바가 여자들을 위해 좋은 일을 많이 했다는 증거는, 나중에 여자의 남편이나 아버지가 카사노바를 고소하면 여자들이 하나같이 목숨을 걸고 카사노바를 보호했다는 점이다.

그래서 서양 사람들은 아무 여자에게나 껄떡거리고 다니는 제비를 카사노바라고 부르지 않는다. 높은 문화 수준, 세련된 스타일, 여자의 심리와 문화에 대한 깊은 이해를 바탕으로 여자들의 존경과 사랑을 한몸에 받는 멋쟁이를 카사노바라고 한다. 카사노바는 사실 여자들의 적이 아니라 질투 많고 가부장적인 남자, 여자의 마음을 구속하려고 억지 부리는 남편들의 적인 것이다.

카사노바와 쌍벽을 이루는 또 하나의 바람둥이의 대명사로 'Don Juan돈 주앙'이 있다. 실존 인물이었던 카사노바와 달리 돈 주앙은 소설 속에 등장하는 가공인물이다. 그런데 대중에게 너무 인기가 많아 수많은 소설에 반복적으로 등장하면서 더욱 유명해졌다. 가공의 인물이다 보니 이름을 부르는 발음도 다양해서 '돈 주앙' '돈 후안', 또 이탈리아어로 '돈 조반니' 등으로 불렸다. 따라서 모차르트의 유명한 오페라극인 '돈 조반니' 역시 이탈리아어로 '돈 주앙'을 뜻한다. '주앙'은 사실 우리가 잘 아는 영어 이름 '존John'의 스페인식 발음이기도 하다. 그러니까 돈 주앙은 '존 경'이라는 뜻이다.

돈 주앙이라는 인물은 1600년대 스페인의 한 수도승이 쓴 희곡에 처음으로 등장했다. 돈 주앙은 신앙심 깊은 아버지에 대한 반발심으로 가출해서 아버지와 정반대의 인생을 살기로 했다. 그는 신앙심으로 혼전순결을 철석같이 지키려는 여자들을 빼도 박도 못하는 상황으로 몰아붙여 스스로 순결을 포기하게 만든 후 그녀들의 심리적 갈등을 즐기는 몹시 사악한 남자가 되었다. 물론 신부님이나 수도승이 쓴 초기 버전에는 아버지가 돌아가시자 눈물을 흘리며 후회하고 다시 바른길로 돌아간다고 되어 있다. 하지만 사람이란 늘 악당에게 끌리는 법. 돈 주앙은 오히려 아버지와 갈등을 겪는 청년들의 아이콘이 되었고, 하지 말라는 것은 더 하려고 하는 어두운 욕망의 상징이 되었다.

그래서 같은 바람둥이라도 여자와 동등한 위치에서 대화를 즐기고, 신사답게 대하며 쿨하게 만난 뒤 헤어지고, 가부장적인 질투나 유치한 백년가약도 모두 거부하는 카사노바와, 분노와 반항의 상징이자 어두운 욕망을 주체하지 못하고 여자와 자신을 파멸로 이끄는 돈 주앙은 절대 동의어로 사용되지 않는다. 하지만 charming, glamour, casanova의 매력처럼 사회의 그늘 속에서 이루어지는 매력과 반대로, 사회의 공인 속에서 만들어진 매력이 있으니, 바로 '참하다' '바르다'라는 뜻에서 나온 '뷰티'라는 개념이다.

Bene, Beautiful

가장 아름다운 카페,
카페 베네

세상에서 가장 아름다운 카페는 어디일까? 어원적으로만 보면 가장 뷰티풀한 카페는 'Caffe Bene카페 베네'다.

프랑스나 이탈리아의 경우 도시가 너무 낡고 지저분하며 시설도 불편하지만 매년 이곳에는 천만 명이 넘는 관광객들이 몰려온다. 파리나 로마 같은 유럽의 오래된 도시들은 한눈에 보아도 "Beautiful!"이라는 말이 절로 나온다. 이탈리아에서도 가장 아름다운 도시를 뽑으라고 하면 많은 사람들이 단연 다 빈치와 미켈란젤로의 도시 피렌체를 꼽는다.

지금으로부터 약 300년 전, 피렌체 사람들은 레오폴트라는 착한 공작님을 모셨다. 피렌체 사람들은 레오폴트 공작을 몹시 존경해 평생 그를 '우리 아빠il babbo'라고 불렀다고 한다. 레오폴트 공작은 피렌체 인근의 모든 농가에 고대 그리스와 로마 스타일의 아름다운 돌대문을 지으라는 황당한 지시를 내렸다. 당시 농민들은 하루하루 끼니 챙겨 먹기도 버거운 가난한 생활을 하고 있었다. 다른 나라 같으면 반란이 일어났겠지만, 이상하게도 피렌체의 농민들은 빚을 내가면서 공작의 명령에 따라 모두 돌대문을 지었다. 그 대신 정작 그들이 살고 있는 집은 보수를 할 수 없어 비가 새고 바람이 숭숭 들어왔으며 20명 정도씩 옹기종기 모여 돼지나 소와 함께 기거했다고 이탈리아 역사소설가 팔라치는 고증하고 있다. 오늘날 우리 정서로는 이런 명령을 내리는 공작놈이나, 시킨다고 따라 하는 우매한 농민들이나 둘 다 이해하기 힘들다.

레오폴트뿐 아니라 유럽의 여러 왕들은 가난한 백성들을 먹여살리는 일보다 거대한 신전이나 궁전, 화려한 도시를 짓는 일을 더 중요시했다. 덕분에 오늘날 그 후손들은 관광수입으로 잘 먹고 잘 살고 있긴 하지만, 당시 백성들은 왜 왕들의 그런 한심한 명령에 묵묵히 따라 결국 베르사유 궁전이나 노트르담 사원에 기댄 채 굶어죽어간 걸까? 옛날 서양 사람들은 마을이 아름다워야 선량한 사람들이 많아지고, 선량한 사람들이 많아야 잘 살게 된다는 굳건한 믿음을 가지고 있었기 때문이다. 'beauty'라는 단어의 어원만 봐도 알 수 있다.

'beauty'는 '똑바르다'를 뜻하는 라틴어 'bene'에 어원을 두고 있다. 로마인들은 똑바른 것을 정말 좋아했다. 그들은 신이 인간에게 옳고 그른 것을 판단할 수 있는 눈을 주었다고 믿었다. 그래서 똑바르고 보기 좋은 것은 '선', 삐딱삐딱 못생긴 것은 '악'으로 여겼다. '못생긴 게 죄냐?'라고 한탄하는 사람들은 로마시대에 태어나지 않은 것을 천만다행이라고 생각해야 한다. 실제 로마인들은 못생긴 사람을 보면 피해가야 한다고 믿었다. 그래서 사팔뜨기나 짝눈인 사람을 만나면 멀더라도 빙 돌아서 가고, 집에 기형아가 태어나면 멀리 성 밖으로 데리고 나가 죄책감 없이 생매장해버리던 무서운 사람들이었다. 이러한 믿음이 반영된 로마 건물들은 대부분 반듯하게 세워져 있는데, 이탈리아에 가면 여전히 논과 밭이 모두 직각으로 되어 있어 보기는 좋다.

'bene'는 '반듯해서 보기 좋다'라는 뜻에서 '선하다' '옳다'라는 뜻으로 발전했다. 따라서 'Caffe Bene'는 직역하면 '커피를 좋게'라는 뜻이 된다. '아주 좋다'라는 뜻의 브라질에서 온 유행어 '따봉'이나 프랑스의 인사말 '봉주르'에서 '봉'의 어원이기도 하고, 마음 좋은 윗사람이 아랫사람에게 주는 돈인 '보너스'와도 연관이 있다. 이렇게 로마인들에게는 반듯한 것이 좋은 것이고 좋은 것은 아름다운 것이었다. 그래서 'bene'의 발음이 프랑스어 'belle'로 바뀌면서 '반듯한 여자', 즉 '미녀'를 뜻하게 된다.

디즈니 만화영화 〈미녀와 야수〉의 여자 주인공 이름이 '벨'인데, 사실 그냥 '미녀'라는 뜻이다. 'belle'을 명사화시키면 'belle+ty', 즉 'beauty'가 된다. 이 만화영화의 여자 주인공은 한없이 선량하고 착하다. 반면에 야수는 흉측하게 생긴 만큼 성격도 거칠고 야만적이다. 그런 야수가 미녀, 즉 아름다움을 곁에 두더니 선량해진다는 이야기가 바로 〈미녀와 야수〉의 줄거리다. 아름다움에는 삶의 옳고 그름을 가르쳐주는 힘이 있다는 유럽인들의 깊은 믿음이 만화영화를 통해서 아이들에게도 대물림되고 있다.

이런 믿음 때문에 유럽인들은 예술을 중요시한다. 우리는 예술을 그저 열심히 일해서 쌓인 스트레스를 풀어주는 여가활동 정도로 여기지만, 유럽 사람들은 예술에 많은 시간과 에너지와 돈을 투자하고, 미술품 앞에서는 지나칠 정도로 경건하다. 심지어 '아름다움이란 무엇인가?'라는 문제만 평생 고민하는 '미학자'라는 직업도 있다. 영국의 시인 존 키츠는 박물관에서 우연히 그리스 물병을 보았는데, 이 물병의 아름다움에 심취하고 말았다. 그는 물병이 자기에게 이렇게 속삭였다고 말한다. "아름다움은 곧 진실이고, 진실은 곧 아름다움이니, 그것이 세상에 네가 아닌 것의 모두이고, 그것이 세상에서 네가 알아야 하는 것의 모두이니라." 원래 키츠라는 인물의 성격상 낡아빠진 진흙 물병 하나 보고 조금은 오버한 경향이 있기는 하지만, 유럽 사람들이 아름다움 앞에서 얼마나 진지해지는지 엿볼 수 있다.

우리 사회도 점점 서구화되어가면서 미남, 미녀, 아름다운 패션, 인테리어 같은 것들이 중요시되고 있다. 그런데 안타깝게도 뷰티풀한 것이 아니라 '예쁘고 귀여운 것', 즉 'pretty and cute'를 좋아하는 사회가 되어간다는 점이 아쉽다. 우리는 당연히 예쁜 것이 아름다운 것과 같다고 생각하지만, 어원적으로 보았을 때 beauty와 pretty는 반대되는 말이기 때문이다.

Pretty, Cute

프리티하고 큐트하다는 것은 원래 '속물'이라는 뜻?

아름다운 것과 예쁜 것은 어떻게 다를까? 정도나 분위기 차이 정도이지 사실 뜻은 같다고 생각할 수 있다. 눈에 들어오자마자 입이 떡 벌어지고 정신이 몽롱해질 만큼 아름다운 물건이나 사람은 그리 흔하지 않다. 그래서 패션 잡지들도 'beautiful'처럼 거창한 단어보다는 '큐트cute한 스타일', '프리티pretty한 스타일' 같은 소소한 표현을 더 많이 쓴다. 하지만 알고 보면 beautiful과 pretty는 정도의 차이가 아니라 완전히 반대말이다. 어원적으로 보면 뷰티풀한 여자는 '똑바른 여자'이지만 프리티하거나 큐트한 여자는 '커닝cunning을 잘하는 여자', 즉 '속임수에 능한 여자'를 뜻한다.

프랑스의 유명 패션 디자이너 샤넬은 웬만한 남자들도 그녀의 이름을 모르는 사람이 드물 정도로 역사상 가장 유명한 의상 디자이너 중 한 사람이다. 샤넬은 아름다운 것과 예쁜 것의 차이를 분명히 구분했다. 만약 샤넬이 디자인한 옷을 보고 '프리티하다'라고 평가한다면 그녀는 아마 무덤에서 벌떡 일어날 것이다. 샤넬이 세상에서 가장 싫어한 단어가 'pretty'와 'cute'였기 때문이다.

프랑스의 깊은 산골 마을에서 단순하고 실용적인 옷만 보고 자란 샤넬은 처음 파리에 도착했을 때 여자들의 요란한 옷차림을 보고 경악했다고 한다. 1920년, 처음 파리 시내의 한 오페라 극장에 가게 된 샤넬은 인형처럼 하늘색, 핑크색 같은 파스텔톤 천에 리본과 레이스를 단 요란한 옷을 입고 객석에 앉아 있는 파리 여자들을 보면서, 같은 여자로서 참기 어려운 역겨움을 느꼈다고 고백했다. 그녀는 옆자리에 앉아 있던 친구에게 "나는 저년들을 다 까만색으로 덮어버리겠어"라고 맹세했다고 한다. 실제로 샤넬은 '작은 검은 드레스'라는 애칭으로 불리는 검소한 드레스를 유행시켰다. 그 영향으로 파리지엔느들은 오늘날까지 리본이나 레이스 장식이 많은 밝은색 옷을 창피하게 생각하니, 샤넬은 자신의 목적을 달성한 셈이다.

샤넬은 프리티하고 큐트한 의상뿐 아니라, 프리티하고 큐트한 스타일의 여자에 대해서도 불만이 많았다. 한 언론 인터뷰에서 그녀는 이런 열변을 토해냈다.

"앙증맞음과 아름다움은 아무런 관계가 없어요. 왜 엄마들은 딸들에게 진정한 아름다움을 가르치지 않고 새끼 고양이가 우는 목소리로 징징대는 방법만 가르칠까요? … 아름다움은 영원하고 예쁜 것은 순간입니다. 그런데 이 세상에는 아름다워지고 싶어 하는 여자가 없어요. 다들 프리티, 그저 프리티해지고 싶어 하지요. 진정한 아름다움은 마음과 영혼을 관리하는 것으로 시작해야 해요. 그렇지 않으면 어떤 화장품으로도 내면의 추함을 가릴 수 없거든요."

이렇게 샤넬은 프리티한 것이 오히려 진정한 뷰티의 적이라고 공공연히 말하고 다녔다. 왜 샤넬 같은 위대한 패션 디자이너가 '프리티한' 것에 그토록 민감한 반응을 보였는지 어원적으로 알아보자. pretty는 '사기' '거짓말' '술수'를 뜻하던 고대 영어 'prat'의 형용사형이다. 오늘날 콩글리시로 '시험 볼 때 남의 답지를 보고 베끼는 일'로 해석되는 cunning과 동의어였다. 따라서 pretty는 눈속임이나 잔꾀를 부려 아기자기하게 잘 만들어진 옷이나 신발, 가구들을 보며 여자들이 "어머! 거짓말 같아!"라고 감탄하던 표현에서 '예쁘다'로 의미가 발전했다. 놀라운 사실은 영국에서는 'cunning'이라는 단어도 아주 최근까지 '예쁘다'는 의미로 쓰였다는 것이다.

cute 역시 원래 '날카롭다' '예리하다'를 뜻하는 'acute'에서 나온 말로 '머리가 예리해서 술수가 뛰어나고 거짓말도 잘한다', 즉 '잔꾀에 뛰어나다'를 뜻했다. 그러나 미국 고등학생들이 이 단어에서 'a'를 떼어내고 'cute'로 줄여 썼는데, pretty처럼 점차 '아기자기하다' '귀엽다'는 의미로 확장되었다. 즉, pretty와 cute에는 '내실이 없지만 아기자기한 눈속임으로 슬쩍 넘어간다'라는 의미가 내포되어 있다. 그래서 '아름다움은 곧 진리'라고 믿어온 서양 예술가들은 자기 작품을 보고 'beautiful하다'고 말하면 칭찬으로 듣지만, 'pretty하다'고 말하면 욕으로 해석할 가능성이 높다.

그레이스 켈리나 엘리자베스 테일러같이 100년에 한 명 나올까 말까 한 미녀나 역사에 남을 정도로 훌륭한 예술작품 혹은 건축물에 대해서 논할 땐 'pretty'나 'cute'란 단어를 쓰지 않는다. 이는 주로 아기들의 물건이나 중저가 액세서리, 십대 여자들을 묘사하는 은어로 사용

된다.

잘생긴 남자를 보면 'handsome핸섬'하다고 하는데, 이 단어는 '손'을 뜻하는 'hand핸드'에서 나왔다. 원래 handsome은 '손에 쏙 들어간다'라는 뜻으로 손수레나 도구 등이 제대로 잘 만들어져 손에 잘 잡힌다는 뉘앙스의 단어였다. 잘생긴 남자도 손에 꼭 맞게 잘 만들어진 도구처럼 똑바르게 생겼다라는 의미로 이 단어를 사용한 것이다.

예전에 완전히 부정적 의미로 쓰이다가 오늘날 긍정적 의미로 바뀐 단어 중 'pretty'보다 더 놀라운 것이 있다. 바로 '럭셔리luxury하다'란 단어다. 원래 '바람났다'를 뜻하던 luxury가 어떻게 '고급스럽다'라는 뜻으로 바뀌었는지 이제부터 소개하겠다.

오늘날 '럭셔리하다'는 주로 '있어 보인다'라는 뜻으로 사용된다. 하지만 이 단어는 원래 욕이었다. '럭셔리한 여자'의 어원적 의미는 엉뚱하게도 '바람난 여자'다. 명품 브랜드들은 'luxury'가 라틴어로 '빛'을 뜻하는 'lux'에서 나왔다고 주장한다. 이것은 럭셔리 상품을 팔아 벌어먹고 사는 사람들의 입장이고, 역사가들의 입장은 이와 정반대다. luxury의 어원인 'luxus'는 원래 '뼈가 삐었다'는 뜻으로 사회가 용납할 수 없는 일탈행위를 비난하는 말이었다.

Luxury

럭셔리한 사람은 바람둥이

영화나 명화에서 고대 로마인들이 목욕탕에서 노예에게 마사지를 받거나, 비스듬히 드러누워 와인을 마시면서 포도를 뜯어먹는 장면을 종종 볼 수 있다. 하지만 이것은 말 그대로 영화나 그림일 뿐, 현실은 정반대였다. 고대 로마인들의 자기 절제는 무시무시했다. 그들은 아무리 배가 고파도 굶어죽지 않을 정도의 밥만 먹고 만약의 경우를 대비해서 항상 남겨두는 사람들이었다. 또 추워도 절대로 옷을 껴입거나 덜덜 떠는 모습을 남에게 보이지 않았고, 살림이 넉넉해도 푹신한 고급 가구를 들여놓는 것을 수치로 여겼다. 이런 로마인들의 생활태도를 지켜본 외국인들은 정말로 독한 사람들이라며 고개를 절레절레 내저었다고 한다. 그래서 고대 로마인들은 춥다고 따뜻한 옷이나 이불을 찾거나 배부르게 밥을 먹으려는 사람들을 가리켜 '뼈가 삐듯이 가치관이 삐딱한 놈'이라고 했다. 'luxus'는 라틴어로 '뼈가 삐었다'는 뜻이었는데, 이런 사람들을 'luxus한 놈'이라고 불렀다.

하지만 아무리 잘나가는 사람이라도 영원할 수는 없는 법이다. 로마도 마찬가지, 세계를 정복한 후 점차 쇠락하기 시작했다. 길거리에는 거지들이 들끓었고, 사이비 종교집단끼리 무서운 패싸움을 벌이기도 했다. 야만족들이 국경을 넘어 쳐들어와 농촌을 함부로 약탈해도, 로마 군대는 자기들끼리의 기득권 싸움에만 바빴다. 이때 로마의 영토였던 이집트에 에바그리우스라는 괴팍한 수도승이 나타나서 '고통의 원인'이라는 설교로 유명세를 탔다. 민심이 흉흉한 로마에서 에바그리우스의 설교는 인기였다. 에바그리우스는 사람들의 가치관이 잘못되어 '럭셔리luxury'가 판을 치니 세상이 흉흉해졌다고 주장했는데, 그중에서도 젊은 사람들이 정조를 지키지 않고 아무하고나 성관계를 맺는 것이 가장 큰 문제라고 했다. 그때부터 luxury는 '무절제한 성생활'을 뜻하는 단어가 되어 천주교의 7대 죄악 중 하나로 꼽히게 되었다. 따라서 어원적으로 보았을 때 '럭셔리한 여자'는 '바람난 여자'인 것이다.

지금으로부터 약 400년 전 프랑스의 베르사유 궁전에는 아르젠송 백작이라는 외교관이 살았다고 한다. 아르젠송 백작은 늘 백성을 걱정하는 인품 좋은 양반이었다. 그런 그에게 주변 귀족들의 삶은 한숨 그 자체였다. 그들은 나라를 걱정하는 마음은 전혀 없이 비싼 옷, 신발, 마차 구입에만 집착했다. 아르젠송 백작은 친구들에게 보낸 편지에 '귀족들이 절제 없는 인생Vie de luxe을 사니, 나라가 위태롭다'고 썼다. 하지만 사람들은 오히려 럭셔리한 인생을 부러워했고, 화려한 옷과 신발, 마차를 파는 상인들은 자기들의 상품에 '절제 없는 인생'의 마지막 부분을 따서 'deluxe디럭스 상품'이라는 문구를 붙여 손님을 끌었다. 이때부터 delux, 또는 luxury라는 단어가 '고급'이라는 뜻으로 바뀌게 된 것이다.

역사를 보면 전 세대의 욕이 다음 세대에 칭찬으로 변하는 경우는 이 외에도 아주 많다. 미국 십대들은 정말 좋은 것을 보면 "Wicked!"라는 감탄사를 연발하는데, 이는 원래 '사악하다'라는 뜻의 표현이었다. 그리고 'I am bad!'는 말 그대로 '나는 나쁘다'는 표현이지만, 오늘날에는 '나 터프하다'라는 자신감 넘치는 말로 쓰이고 있다.

우리가 미술 시간에 어렵게 외우는 '~주의'라는 이름이 붙는 예술양식 명칭들도 처음에는 욕이었던 경우가 많다. 정리해보면 다음과 같다. 시험에 나오는 것은 아니니 편하게 짚어보고 지나쳐버리길. '바로크baroque'는 원래 '찌글찌글한 여드름 같다'를 뜻하는 포르투갈어였는데 포르투갈 해녀들이 도저히 팔 수 없는 징그럽게 생긴 진주를 이렇게 불렀다. 이후 1600년대는 징그럽고 못생긴 진주 같은 그림이 유행하던 시대라는 뜻으로 이 시대의 예술양식을 '찌그러진 진주 모양'을 뜻하는 '바로크'라고 불렀다. 바로크에 이어서 등장한 '로코코rococo' 시대에서 'rococo'라는 단어는 'rocaille', 즉 '조개껍질'에서 왔다. 이 말은 '당대의 미술이 조개껍질 같다'며 경멸한 데서 붙여진 이름이다. 심지어는 게랑이라는 미술 애호가가 당시의 화풍을 보고 "저놈의 그림은 바로코 하다 못해, 바로코코냐?"라고 비난한 데서 로코코라는 명칭이 생겼다는 일화도 있다.

모네가 〈인상 · 일출〉이라는 제목의 그림을 그린 후, 많은 젊은 화가들이 모네처럼 흐릿한 색체의 그림을 많이 그렸다. 젊은 화가들이 모네의 그림만 따라 그리는 것을 비난하기 위해 "모네의 '인상'만 따라 그리는 학교가 있나?"라고 욕한 데서 '인상주의 학파'라는 이름이 생겼다. 또 피카소와 그의 동료인 브라크의 그림을 본 어떤 미술 애호가가, "이놈들은 무슨 사각형, 그러니까 아이스큐브 같은 것밖에 안 그리나?"라고 비난한 데서 이들의 화풍에 '큐비즘cubism'이라는 이름이 붙었다. 세월이 흐르면서 아름다움의 기준은 계속 바뀌고 윗세대는 아랫사람들이 멋있어하는 옷차림, 말투, 태도를 모조리 못마땅하게 생각해왔다는 증거다.

고대 로마의 유명한 웅변가 키케로는 '럭셔리, 광기 그리고 사악함'을 척결해야 한다며 '오, 우리의 시대! 오, 우리의 가치관!'이라고 한탄했다. 고대 로마의 어른들도 "요즘 애들은 버릇도 없고 돈이나 펑펑 쓰며 연애에만 관심이 있으니 말세다 말세."라고 한탄한 것이다. 키케로보다 500여 년 전 사람인 고대 그리스의 소크라테스도 "요즘 아이들은 럭셔리만 좋아한다. 예의는 안 지키고 윗사람을 우습게 본다. 잡담만 하고 진리 탐구에는 게으르며 운동도 하지 않고 어른들과 맞먹으려고 들며 노인을 보아도 자리에서 일어서지 않는다. 부모님에게 꼬박꼬박 말대답하고, 남을 전혀 배려하지 않으며 음식도 자기 혼자 다 먹고 스승을 골탕 먹여도 요즘 아이들은 마음 놓고 때리지도 못한다."라고 한탄했다고 한다. 이렇게 수천 년 동안 어른들은 젊은 사람들을 못마땅하게 여겼지만, 결국 이 못된 젊은 사람들은 욕을 먹든 말든 바로크도, 로코코도, 큐비즘도 만들어냈다. 그리고 그들 역시 다음 세대의 젊은이들을 욕하는 노인이 되었다. 그러니 세대 갈등은 당연한 것이라 여기면 인생이 편안해질 것이다.

Mistress, Adore

매너의 원조는 여신 숭배다

우리나라가 가부장적 사회였던 1970년대, 당시로서는 매우 드물었지만 간혹 해외파견 나가는 남편을 따라 미국이나 유럽에 다녀온 여자들이 있었다. 이 여자들은 서양 여자들을 무척 부러워하며 신세한탄을 하곤 했다. 당시만 해도 서양 남자가 여자를 대하는 방법이 한국과는 너무 달랐기 때문이다. 서양 남자들은 여자와 자동차를 탈 때도 얼른 달려가 문을 열어 여자가 먼저 타도록 했고, 무거운 짐은 무조건 남자가 들어야 한다고 여겼으며, 여자가 지나갈 때까지 현관이나 대문을 열고 서 있었다. 한국 여자들이 이 모습을 보고 서양 남자들은 여자를 '여신'처럼 대한다고 느꼈다면 정확히 짚은 것이다.

오늘날에는 결혼한 남자의 혼외 애인을 '미스트레스mistress'라고 하는데, 옛날에는 그냥 '애인'을 뜻하는 말이었다. mistress는 master마스터, 즉 주인님의 여성형이다. 중세 프랑스 기사들이 '사랑하는 여자에게 모든 것을 바치고 주인님으로 섬기겠다'고 맹세한 데서 나온 단어다.

실제로 약 천 년 전, 프랑스에 기 샤틀랜 드 뀌시라는 폼나는 이름의 기사가 살았다고 한다. 그에 관한 이야기는 전설이 되어 오늘날까지 전해지고 있다. 꿔시는 유부녀인 파옐 부인과 깊은 사랑에 빠졌다. 두 사람의 러브스토리가 얼마나 애절했던지 전 프랑스에 소문이 났고, 나중에는 소설로도 편찬되었다.

때는 바야흐로 1100년대, 유럽의 기사들이 예루살렘에 가서 이슬람교도들과 싸워야 했던 십자군 전쟁 시대였다. 꿔시 역시 사랑하는 파옐 부인을 남겨둔 채 말을 타고 예루살렘으로 떠나야 했다. 꿔시는 떠나기 전 파옐 부인에게 '내 가슴의 영원한 주인님', 즉 '미스트레스'로 모시겠다고 맹세를 했고, 파옐 부인은 꿔시에게 사랑의 증표로 머리카락을 잘라주었다. 꿔시는 그녀의 머리카락을 금과 보석으로 장식된 작은 상자에 넣어가지고 전쟁터로 떠났다. 어느 날 전투에 나간 꿔시는 적의 화살에 맞고 말았다. 자신이 곧 죽을 것임을 깨달은 꿔시는 파옐 부인과의 마지막 약속을 지키고 싶어 했다. 그녀에게 자신의 가슴을 주기로 했던 그는 하인에게 자신이 죽으면 심장을 도려내 파옐 부인에게 전해달라는 유언을 남기고 숨졌다. 하인은 주인의 유언에 따라 그의 심장을 들고 파옐 부인을 찾아가던 중 그만 그녀의 남편에게 들키고 말았다. 파옐 부인의 남편은 질투와 분노를 이기지 못해 부인에게 복수할 결심을 했다. 그는 몰래 요리사를 시켜 꿔시의 심장으로 요리를 해 부인에게 저녁식사로 내라는 지시를 내렸다. 자신이 사랑하는 꿔시의 심장을 먹었다는 끔찍한 사실을 알게 된 파옐 부인은 충격에 빠져 죽고 말았다. 지금 우리의 정서로는 엽기적인 공포영화 줄거리 같지만, 당시 유럽 사람들은 그 무엇보다 아름답고 낭만적인 스토리라 극찬하면서 눈물을 뚝뚝 흘리며 읽었다고 한다.

꿔시가 파옐 부인에게 쓴 시에서 '성스럽게 숭배한다'를 뜻하던

'j'adore자도르'라는 단어가 처음 사용되었는데, 그녀를 너무 사랑하다못해 여신처럼 모신다는 의미였다. 여성들은 j'adore를 프랑스 명품 회사 중 하나인 디오르 사의 향수 이름쯤으로 알고 있을 것이다. '지극히 아끼고 사랑한다'를 의미하는 이 단어의 원래 의미는 '여신상 앞에 납작 엎드려서 기도한다'였고, love보다 더 극진한 사랑을 뜻하는 영어 adore의 어원이기도 하다.

프랑스에서 여성을 신처럼 숭배하는 문화가 처음 생긴 것은 결코 우연한 일이 아니다. 프랑스를 포함한 지중해 근처 국가의 사람들은 아주 오랫동안 여신을 섬겨왔다. 그들은 남녀가 사랑에 빠지고 정을 나눈 뒤 아기를 낳는 일을 가장 성스러운 일로 보았다. 땅에서 곡식과 과일이 나고, 벌판에서 동물이 자라 풍성하게 먹고살 수 있는 것도 보이지 않는 큰 엄마가 아기를 낳는 것이라고 믿었는데, 이런 믿음이 여러 여신을 탄생시켰다. 지중해 사람들에게는 여신들을 돌로 깎아 모셔두고 옷을 갈아입히고 우유로 목욕도 시키면서 조심스럽게 다루는 것이 매우 중요한 기도였다. 이렇게 여신상을 소중하게 다루는 것을, '그녀를 향해ad 입을 열어, 즉 오럴로 기도한다orare'라고 해서 'adore' 한다고 했다. 또한 그들은 비너스 같은 여신으로 대표되는 '여자의 혼'이 화가 나서 아기를 낳지 않으면 가정마다 부부의 관계가 깨지거나 아이가 유산되어 인간의 수는 차츰 줄어들 것이고, 더 나아가 결국 지구에는 아무것도 자라지 않아 남은 사람들도 모두 굶어죽을 것이라며 겁을 냈다.

실제로 고대 그리스 사람들은 겨울이 오는 이유를 대지의 여신이 화가 나 곡식과 가축을 낳아주지 않아서라고 믿었다. 그리스 전설에 의하면 대지의 여신에게는 페르세포네라는 이름의 딸이 한 명 있었다고 한다. 얼마나 예쁜지 지옥의 신까지 그녀에게 홀딱 반해버리고 말았다. 그런데 그녀의 엄마가 딸을 너무 사랑해서 시집보내지 않을 것으로 생각한 제우스 신은 동생인 지옥의 신에게 페르세포네를 몰래 납치해 같이 살라고 조언한다. 딸을 잃은 대지의 여신이 상심하자 지구에는 어떤 곡식도 자라지 않고 모든 가축이 새끼를 배지 못했다고 한다. 문제가 심각해지자 제우스는 중재에 나섰고, 그 결과 페르세포네는 1년 중 9개월은 엄마와 함께, 나머지 3개월은 지옥의 신과 함께 보내게 되었다. 그리스 로마인들은 대지의 여신이 딸이 보고 싶어 우울해하는 3개월이 바로 겨울이라고 생각했다.

그들에게 '여자 혼'의 비위를 맞추는 것은 인류의 생사와 우주의 운명이 달린 중요한 임무였다. 물론 오늘날 지중해 사람들은 사랑의 여신 비너스나 대지의 여신 데메테르를 섬기지 않는다. 그리고 그들 대부분은 기독교인들이다. 그러나 선사시대부터 수만 년 동안 여신을 섬겨왔던 그들은 기독교를 받아들인 후에도 예수보다 예수의 엄마가 화나면 큰일이라고 믿어 성모 마리아에게 기도를 드렸고, 이후 천주교에서는 성모 마리아의 신성성Divinity of the Virgin을 인정했다. 지금도 이탈리아나 스페인, 남부 프랑스 사람들은 성모 마리아상을 동네 골목 어귀에 모셔두고 목걸이나 보석으로 치장하여 그 앞에 촛불을 켜놓는다. 주민들은 마을을 드나들 때마다 성모상의 발과 이마에 정성껏 키스하며 다산과 가정의 화목을 빌며 기도를 드린다. 대상만 바뀌었을 뿐 남자보다 여자를 섬기는 전통은 변하지 않은 것이다.

'미친 듯이 사랑한다'라는 뜻의 또 다른 단어인 'admire'는 '~를ad 넋

이 나가 쳐다본다mire'라는 뜻으로 '기적'을 뜻하는 'miracle'이나 '신기루'를 뜻하는 'mirage'와 관련된 단어다. 자기가 사랑하는 사람을 바라볼 때 신이 내린 기적을 보는 것 같아야 그 사람을 진짜로 사랑하는 것이라는 뜻이다. 이처럼 지중해 사람들에게 태초부터 남녀간의 사랑은 신성하고 신비로운 것이었다.

우리나라의 많은 남자들이 여자친구의 성화에 못 이겨 '매너남'이 되려고 어쩔 수 없이 서양 남자 흉내를 낸다. 그러나 마음 깊은 곳에서 우러나와 진심으로 그렇게 행동하기는 어렵다. 왜냐하면 예쁜 여자가 편하게 지나가도록 얼른 자동차나 현관의 문을 열어주고, 재빨리 담뱃불을 붙여주는 신사도가 프랑스와 이탈리아에서 가장 먼저 나타난 이유는 수천 년 동안 여신의 비위를 맞추던 문화적 전통에서 나온 것이기 때문이다. 그런데 우리가 멋지다고 생각하는 이런 남자의 행동도 양날의 칼이어서, 여자들은 여신 대접을 받는 대신 실제로 여신처럼 항상 품위 있고 절제하는 모습을 보여줘야 했는데, 오늘날 이탈리아 여성운동가들은 그냥 편한 대로 트레이닝복 입고 다니면서 웃고 울 테니 문은 안 열어줘도 된다고 외치는 것을 보면 남녀관계에 정답은 없는 것 같다.

Amateur

진짜 자기 일을 사랑하는 사람, 아마추어

향수 이름이기도 한 'j'adore'는 신에게 성스러운 마음을 담은 재물을 바치듯 사랑하는 여인에게 자기의 모든 것을 바치겠다는 맹세에서 나온 말이다. 그러나 중년쯤 되면 부인과 함께 있는 시간보다 산악자전거나 스쿠버 같은 취미생활에 자신을 바치는 형님들도 계신다. 부인들은 이런 형님들을 향해 혀를 끌끌 차며 "자전거가 애인이야, 애인!" 하며 고개를 절레절레 흔든다. 그들이 무심결에 내뱉은 이 말은 말 그대로 진리다. 프로가 아니면서 운동이나 예술활동에 푹 빠진 사람을 뜻하는 'amateur아마추어'라는 단어가 원래 '애인'을 뜻했기 때문이다.

amateur는 라틴어로 '사랑'을 뜻하는 'amor아모르'에서 나왔다. 로마 시인 오비디우스에 의하면 아모르는 금화살과 납화살을 가진 어린 궁수였다. 그가 쏜 금화살에 맞으면 눈앞에 있는 사람과 무조건 사랑에 빠지고, 납화살을 맞으면 눈앞의 사람에게서 무조건 도망치게 된다. 당시 로마인들은 세상의 모든 짝사랑과 삼각 관계는 모두 아모르가 장난 삼아 쏜 화살 때문에 생긴 것으로 보았다.

어느 날 태양신 아폴로는 자기보다 한참 나이가 어린 사랑의 신 아모르를 찾아가 자기가 그보다 활을 잘 쏜다고 우쭐댔다. 화가 난 아모르는 아폴로를 금화살로 쏘고 곧바로 아폴로의 눈앞에 있던 다프네라는 선녀를 납화살로 쐈다. 납화살에 맞은 다프네는 아폴로에게서 부리나케 도망쳤고, 금화살에 맞은 아폴로는 다프네와 사랑에 빠져 미친 듯이 그녀의 뒤를 쫓았다. 숨이 차고 다리가 아파 더 이상 도망칠 수 없게 된 다프네는 강과 대지의 여신에게 도움을 청했다. 강과 대지의 여신은 다프네를 월계수로 변신시켰는데, 아폴로는 사랑하는 여자가 자신의 손끝에 닿는 순간 월계수로 변해버리자 절망에 빠졌다. 고대 그리스 사람들은 아폴로가 이 월계수를 평생 아꼈다고 믿었다. 그래서 올림픽이나 전쟁에서 승리하고 돌아오는 영웅에게 다프네의 영혼이 깃든 월계수를 머리에 얹어 아폴로의 축복을 이끌어내도록 월계관을 씌우는 전통이 생겼다고 한다.

어쨌든 amor는 라틴어로 '사랑'을 뜻하고, 여기서 나온 amateur는 '애인'을 뜻하는 단어였다. 그러다 나중에 미술작품을 애인처럼 사랑한다고 해서 미술이나 음악 애호가를 아마추어라고 부르다가 이것이 스포츠나 취미생활에까지 확장돼 쓰이게 되었다. 그런데 오늘날 아마추어는 부정적인 의미로도 종종 쓰인다. 그래서 실력이 모자라거나 말귀를 얼른 못 알아듣는 사람에게 "왜 이래, 아마추어처럼."이라고 비아냥거리기도 한다. 실제로 아마추어는 프로에 비해 실력이 모자란 것이 사실이다.

테니스에서 점수를 계산할 때 15-0, 30-0 같은 점수를 'fifteen-love', 'thirty-love'라고 한다. 0점을 'love'라고 말하는 이유는 0점으로 지고 있는 사람은 이기든 지든 상관하지 않고 단지 테니스를 사랑하는 마음 자체만으로 경기에 임하고 있다고 믿었기 때문이다. 또 아마추어는 0점을 받아도 된다는 의미가 담겨있기도 하다.

공자는 "노는 사람은 열심히 하는 사람 못 이기고, 열심히 하는 사람은 즐기는 사람 못 이긴다."고 말했다. 하지만 영어를 만든 민족은 '즐기는 사람도 돈 받는 사람은 못 이긴다'는 진리를 알고 있었던 것 같다.

아마추어의 어원이기도 한 사랑의 신 아모르는 여러 이름을 가지고 있는데 우리에게 가장 익숙한 이름은 바로 큐피드다. 중이 제 머리 못 깎는다고 큐피드 역시 자기의 사랑은 통제하지 못했다. 그러면 지금부터 큐피드가 '사이코'라는 이름의 여자와 사랑에 빠진 러브스토리를 한번 들어보자.

Psycho

큐피드가 사이코에게 미치게 된 사연

로마 신화에 등장하는 사랑의 신 큐피드는 왜 날개 달린 어린 아기의 모습을 하고 있을까? 영국의 문호 셰익스피어는 〈한여름밤의 꿈〉이라는 작품을 통해 이렇게 설명한다.

'사랑은 관찰하지 않고 마음으로 느껴요.
그림에서 보면 날개 달린 큐피드는 장님이지요.
사랑하는 마음은 분별력도 절제도 모르죠.
날개는 있지만 눈이 가려져 좌충우돌하죠.
큐피드는 어린 아이이기 때문에,
사랑은 항상 잘못된 선택을 하지요.'

하지만 철부지 큐피드도 결국 철이 들어 사랑에 빠지고 결혼도 하게 된다. 큐피드의 아내 이름은 그리스어로 Psyche프시케, 영어는 'psycho사이코'다. 사랑의 신 큐피드가 어쩌다 '사이코'와 결혼하게 되었을까?

프시케는 지중해 근처 한 작은 나라의 공주님이었다고 한다. 그녀의 미모는 사랑의 여신 비너스가 질투할 정도로 빼어났다. 미의 여신 비너스는 프시케가 빨리 시집가기를 원했다. 프시케에게 임자가 생기면 그녀에게 쏠린 남자들의 관심이 자기에게 돌아올 거라고 생각했던 것이다. 하지만 해가 몇 번이 지나도록 프시케는 전혀 결혼할 기미가 없었다. 안달이 난 비너스는 특단의 조치를 취하려고 사랑의 신인 아들 큐피드를 불러들였다. 큐피드는 쏘기만 하면 눈앞의 사람이 누구든 바로 사랑에 빠지게 하는 금화살을 가지고 다녔다. 비너스는 큐피드에게 프시케가 자고 있을 때 금화살을 쏘라는 심부름을 시켰다. 프시케가 일어나자마자 처음 보는 남자와 사랑에 빠져 얼른 시집가게 만들 속셈이었다. 큐피드는 어머니가 시킨 대로 프시케가 잠든 침실로 몰래 숨어들었다. 프시케의 자는 모습을 본 큐피드는 그녀의 아름다운 모습에 놀라 그만 금화살을 놓쳤는데 엉뚱하게도 그 금화살이 자기 발에 꽂혀버리고 말았다. 금화살을 맞은 큐피드는 결국 프시케를 열렬히 사랑하게 되었다.

한편, 프시케의 부모는 딸이 시집갈 생각이 없자 딸의 앞날을 걱정했다. 그들은 신전을 찾아가 딸이 빨리 시집가게 해달라고 열심히 기도드렸다. 그런데 프시케의 부모는 신들로부터 그녀가 제우스도 두려워할 만큼 무시무시한 괴물과 결혼할 운명이라는 불길한 계시를 받았다. 신들은 프시케의 부모에게 날짜를 정해주고 그날 딸에게 검은 수의를 입혀 절벽 위로 데리고 가서 괴물에게 바치라고 했다. 운명의 날에 프시케가 절벽 꼭대기에 도착하자 거센 바람이 그녀를 하늘로 들어올려 아름다운 숲속에 숨어있는 금은보화로 가득한 궁전으로 데려갔다. 밤이 되고 불이 꺼진 후 그녀의 남편이 나타났지만, 너무 어두워서 얼굴을 볼 수가 없었다. 결국 프시케는 얼굴도 모르는 남편과 첫날밤을 보냈다. 그런데 해가 뜨자 남편은 온데간데없었다. 그날 이후 프시케의 정체 모를 남편은 매일 밤에만 나타났다가 해 뜨기 전에 사라졌다.

프시케가 살게 된 궁전을 찾아온 그녀의 언니들은 몹시 샘이 났다. 그래서 프시케에게 남편이 괴물이라는 계시를 잊었느냐며 밤에 남편이 나타나 옆에서 잠들었을 때 불을 켜고, 진짜 괴물이면 단도로 해치운 뒤 도망 나오라고 부추겼다. 그날 밤 프시케는 남편이 잠들 때를 기다렸다 갑자기 불을 켰다. 하지만 침대에는 괴물이 아닌 너무나 잘생긴 어린 신랑이 누워 있었다. 신랑의 아름다운 모습에 반해버린 프시케는 자기도 모르게 뒷걸음치다가 남편이 바닥에 내려놓은 화살에 발을 찔리고 말았다. 그 순간 프시케는 누워 있던 남편과 깊은 사랑에 빠졌다. 사실 프시케의 남편은 큐피드였고, 프시케는 그가 바닥에 아무렇게나 던져놓은 문제의 금화살에 발이 찔린 것이었다. 순간 잠에서 깬 큐피드는 자기의 정체를 들킬까 봐 얼른 궁전 밖으로 날아가버렸다.

남편의 정체를 알지 못한 채 홀로 남겨진 프시케는 사랑의 여신 비너스에게 달려가 남편을 찾아달라고 애원했다. 오랫동안 프시케의 미모를 질투해온 비너스는 큐피드가 있는 곳은 알려주지 않고 대신 지독한 시집살이를 시켰다. 심지어 지옥에 다녀오라는 심부름도 시켰는데 프시케는 지옥에 다녀오다가 실수를 해서 그만 목숨을 잃게 되었다. 이 사실을 알게 된 큐피드가 죽은 아내를 찾아가 입을 맞추고 그녀의 몸 안으로 생명을 불어넣어 주었다. 프시케는 큐피드가 불어넣어준 생명의 숨을 마시고 되살아났는데, 고대 그리스 사람들은 이렇게 해서 키스가 생겼다고 믿었다.

두 사람의 사랑에 감동을 받은 비너스는 큐피드와 프시케의 결혼을 공식적으로 허락했고, 둘은 예쁜 딸을 낳고 잘 살았다고 로마 문필가 아풀레이우스가 전한다. 사실 큐피드는 '욕망', 즉 '육제적 사랑'을 뜻하는 라틴어다. Psyche, 즉 psycho는 원래 정신병자가 아니라 '정신' 또는 '영혼'을 뜻하는 라틴어로 'psychology정신학'의 어원이기도 하다. 큐피드와 프시케의 키스 장면은 세계 인문학에서 가장 유명한 키스신 중 하나이며 수많은 미술작품을 통해서 재현되었다. 이 이야기에는 사랑을 할 줄 모르는 사람의 정신은 메말라 죽어가지만, 사랑의 숨결을 느끼면 정신이 되살아난다는 아름다운 교훈이 담겨있다.

Psyche가 '정신'을 뜻하기 때문에 '정신psyche'이 '아픈pathos' 사람을 'psychopath사이코패스'라고 한다. 한마디로 '정신병자'라는 말이다. 'psychopath'를 줄여서 'psycho'라고 부르게 된 것은 1960년대에 히트한 영화 〈사이코〉가 시리얼킬러 이야기였기 때문이다. 하지만 'psycho'라는 단어 자체는 '정신과 관련된'이라는 단순한 형용사일 뿐이다.

마침내 사랑의 신 큐피드는 아내 프시케와의 사이에서 예쁜 딸아이를 낳았다. 그녀가 바로 쾌락의 여신이다. 육체적 사랑과 정신적 교감이 만나 최고의 즐거움이 탄생된 것이니, 큐피드와 프시케라는 두 단어 속에 사랑의 모든 비밀이 숨겨져있다고 해도 과언이 아니다.

하지만 육체적 사랑과 정식적 교감이 만나 완벽한 사랑이 이루어지는 것은 어쩌면 신화 속에서나 가능한 이야기일는지 모른다. “사랑 이야기는 대부분 엔딩이 슬프죠.”라는 영화 대사처럼 사실 대부분의 유명한 러브스토리는 여자 때문에 남자가 죽는 것으로 끝난다. 이제부터는 남자를 죽음으로 이끄는 여자를 뜻하는 사이렌과 팜므파탈을 만나보자.

Siren

구급차의 사이렌 소리는 원래 물귀신의 울음소리

이 책을 읽고 난 후부터는 길거리에서 들려오는 구급차나 경찰차의 사이렌 소리가 다르게 들릴 것이다. 사이렌siren은 그리스 로마 신화에 나오는 전설적 악녀들의 울음소리를 따서 붙였다는 것을 알게 될 테니 말이다.

제대로 된 지도나 나침반 같은 것 없이 별이나 해를 보면서 망망대해를 항해하던 옛 유럽의 뱃사공들은 '사이렌'이라 불리는 물귀신들을 몹시 무서워했다. 여러 뱃사공들이 이 물귀신을 봤다고 주장하면서 허황된 묘사들을 했는데, 그 모습은 저마다 달랐다. 재미있는 주장 몇 가지만 살펴보자.

'아라비아에는 사이렌이라고 하는 뱀이 사는데, 독이 얼마나 강한지 미처 깨물기도 전에 사람이 죽는다.' 1398년 프랑스 학자 바톨레뮤 드 그랑빌이라는 사람이 일종의 백과사전에 쓴 설명이다. 또 다른 학자는 '아라비아에는 사이렌이라는 뱀이 사는데, 말보다 걸음이 빠르고 어디든지 날아다닐 수 있는 날개가 있다고 한다.'고 묘사했다. 그나마 가장 신빙성 있는 주장이 1366년 프랑스 책을 영어로 번역한 한 영국

인의 주석에서 발견된다. '우리 영국인이 인어라고 부르는 것을 프랑스에서는 사이렌이라고 부른다.'

사이렌은 원래 그리스 로마 신화에 나오는 괴물로 호메로스의 서사시 〈오디세이〉에 처음 등장한다. 사이렌들은 암초 위에서 노래를 부르는데, 노랫소리가 어찌나 아름다운지 들은 사람은 자기도 모르게 바다에 뛰어들어 죽게 된다. 트로이 전쟁의 영웅 오디세우스도 전쟁을 마치고 집으로 돌아가려면 배를 타고 사이렌들이 사는 바다를 통과해야 했다. 호기심 많은 오디세우스는 사이렌들의 노래가 얼마나 아름다운지 직접 들어보고 싶었다. 그래서 그들의 노래를 듣고도 살아남을 묘안들을 찾아보았다. 그는 사이렌들의 노랫소리에 홀려 바다에 뛰어들지 못하도록 배에 함께 탄 선원들에게 자기 몸을 배의 돛대에 단단히 묶어달라고 부탁했다. 그리고 선원들의 귀에는 왁스를 집어넣어 노랫소리를 들을 수 없도록 했다. 이 방법으로 오디세우스는 아름다운 사이렌의 노래를 듣고도 살아남을 수 있었다.

또 다른 그리스 전설은, 사이렌의 노래를 듣고도 살아남은 첫 인물이 오디세우스가 아니라 전설 속 영웅 이아손이라고 말한다. 이아손은 황금털로 뒤덮이고 날개가 달린 신기한 양을 찾으려고 평생 동안 배를 타고 지중해를 누볐다고 한다. 그는 어느 날 사이렌들이 사는 섬 근처를 지나게 되었다. 다행히 그 배에는 아름다운 하프소리로 지옥의 옥사장까지 감동시켜 문을 열게 만든 오르페우스라는 음악가가 타고 있었다. 오르페우스는 사이렌들의 노래가 들리려는 순간 하프를 연주했는데, 그 소리가 어찌나 아름다운지 사이렌들의 목소리는 들리지도 않아 이아손은 무사히 바다를 건널 수 있었다고 한다. 이아손의 전설은 약 2,000년 전에 쓰여진 소설에서 볼 수 있는데, 이를 쓴 소설가가 '사이렌의 모습은 젊은 여자와 새를 섞어놓은 것 같았다'라고 애매하게 설명해놓았으니 글을 읽은 후대 사람들이 헷갈릴 만도 하다.

19세기에 과학이 발달하면서 사이렌 목격담은 점점 줄었다. 하지만 바다에는 여전히 많은 죽음의 요소들이 도사리고 있었다. 뉴욕이나 런던 같은 복잡한 부둣가에 짙은 안개가 끼면, 거대한 여객선들끼리 충돌해 수천 명씩 물에 빠져 죽는 사고가 몇 번씩이나 발생했던 것이다. 심지어 고대의 거인 타이탄이 만든 것처럼 큰 배라고 해 '타이타닉'이라고 불리던 역대 최대의 여객선이 북해의 안개 속에 감춰진 빙하와 충돌해, 수천 명의 승객들이 바닷물에 빠져 얼어죽는 끔찍한 사건도 일어났다. 그래서 여객선 회사들은 이런 사고를 막아보려고 배에 '안개호른foghorn'이라는 이름의 거대한 나팔을 달고 다니도록 했다. 안개 낀 날 바다에서 들려오는 이 나팔소리가 마치 사이렌의 노랫소리처럼 섬뜩하게 들린다고 해서 이 나팔소리 역시 '사이렌'이라고 했다. 이후 위험을 알리는 신호장치는 모두 '사이렌'이라고 불리게 되었다.

그래서 오늘날 우리는 거의 하루도 빠짐없이 도로나 바다 여기저기서 들려오는 물귀신의 노래를 듣고 살게 되었다. 그러나 사이렌의 전설이 그토록 오랫동안 인기를 얻을 수 있었던 이유는 악녀들의 매력이 항상 남자들의 환상을 자극했기 때문 아닐까? 19세기에는 이런 환상이 극에 달하면서 심지어는 자신을 죽음으로 몰아가는 여자가 로망이 되기까지 했다. 오늘날까지 도도한 매력의 악녀를 상징하는 '팜므파탈'이 탄생한 이야기를 기대해보자.

Femme Fatale

죽음의 여자, 팜므파탈

요즘은 도도한 매력을 가진 여자를 '팜므파탈femme fatale'이라고 부른다. 우리나라 패션 잡지에서는 이 단어를 패셔너블한 검은 의상, 도도한 눈빛과 차가운 표정을 가진 '차도녀'를 지칭하는 정도로 쓰인다. 하지만 실제 팜므파탈은 그보다 훨씬 더 무서운 여자들이다. 말 그대로 번역하면 '죽음을 부르는 여자'로, 이 말은 원래 남자 주인공을 자살하거나 죽게 만드는 소설 속 주인공을 뜻했다.

지금으로부터 150년 전, 세계의 4분의 1을 정복한 영국은 '대영제국에 해질 날 없다'는 말을 탄생시켰을 정도로 대단한 국력을 자랑했다. 전 세계의 돈과 권력을 독차지한 영국 귀족들은 사치와 쾌락에 젖어 살고 있었다. 그 시대에 '빅토리아', 즉 '승리한 여자'라는 이름을 가진 어린 공주가 왕위에 올랐다. 빅토리아는 알베르트 공과 사랑에 빠져 결혼을 했다. 공주가 연애 결혼에 골인한 드문 경우인데, 신혼의 단꿈을 그저 꿈으로 남긴 채 불행하게도 알베르트는 장티푸스에 걸려 죽고 말았다. 그 이후 빅토리아 여왕은 웃지도 않고, 다른 남자를 만나지도 않은 채 항상 검은 옷을 입고 열심히 교회만 다녔다고 한다. 그 영향으로 영국의 사회 분위기 역시 180도 바뀌었다. 이전 시대와 달리 사치와 쾌락을 즐기는 귀족은 손가락질당하고, 칙칙한 검은 옷만 입고 다녀야 '신사답다'라는 말을 들을 수 있었다. 밝고 화려한 색상이나 장식 많은 옷을 입고 다니는 여자를 보면 눈살을 찌푸렸고, 여자가 마차에 올라탈 때 실수로 치마가 슬쩍 올라가 발목만 보여도 남자 홀리는 값싼 여자라며 수군거리기 일쑤였다. '다리'라는 단어조차 입에 올리면 야하다며 금기시했다. 이때 음식점들은 하얀 테이블보를 씌우는 전통을 만들었는데 테이블 다리가 외설적인 생각을 부추긴다는 것이 그 이유였다고 한다. 또 공개된 장소에서 해수욕을 하려면 수영복 입은 모습이 노출되지 않아야 하므로 밑부분이 뚫린 커다란 나무상자를 준비해 말이 그것을 바다로 끌고 나가 그 상자 안에서 해수욕을 해야 했다. 그래서 서양인들은 오늘날까지도 꽉 막힌 사람을 가리켜 '빅토리아 시대 사람 같다'라고 말한다.

하지만 사람이란 너무 통제하면 오히려 비뚤어지는 법. 빅토리아 시대 영국인들은 외설적이고 기이하고 폭력적인 소설이나 연극을 광적으로 좋아했다. 이들이 생각하는 훌륭한 소설이나 연극의 엔딩은 마음 착한 주인공이 잔인한 방법으로 죽는 것이었는데, 특히 몹시도 사악한 여자가 교묘하게 남자를 꼬드겨 죽게 만드는 변태적인 러브스토리에 가장 열띤 반응을 보였다고 한다.

빅토리아 시대의 영국인들은 심지어 성경 속에서도 예수님 말씀보다는 잔인하고 야한 스토리에 관심을 더 가졌다. 당시 가장 인기 있던 성경 내용은 '살로메'에 관한 이야기였다.

예수님이 살던 시절, 이스라엘에는 세례 요한이라는 예언가를 존경한 헤롯이라는 왕이 살았다. 헤롯왕은 동생의 아내인 헤로디아를 사랑했는데, 동생이 죽자 헤로디아를 차지했다. 세례 요한이 이를 두고 도덕적으로 옳지 않다고 비난하자 헤롯왕은 세례 요한을 감옥에 가두고 잘 달래보려고 했다. 한편, 헤로디아는 여왕 자리를 위협하는 세례 요한을 끔찍하게 싫어했다. 어느 날 헤롯왕이 궁전에서 화려한 향연을 열었다. 그러자 헤로디아는 딸 살로메를 시켜 중동 여자들 사이에 비밀스럽게 전수되는, 남자의 혼을 쏙 빼놓을 정도로 야한 춤인 '7 베일의 춤'을 선보였다고 한다. 살로메의 춤에 홀딱 빠진 헤롯왕이 그녀에게 원하는 것은 뭐든지 다 들어주겠다고 하자 살로메는 '세례 요한의 머리를 가져다달라'고 했다. 헤롯왕은 잠시 후 자기가 한 약속을 후회했지만, 왕이 되어 한 번 입 밖에 낸 약속을 어길 수 없다고 생각해 결국 존경하던 세례 요한의 머리를 잘라 은쟁반 위에 올려 살로메에게 바쳤다고 한다.

빅토리아 시대의 영국 희곡 작가 오스카 와일드는 이 이야기를 연극 무대에 올리면 크게 히트할 것이라 예상했다. 하지만 성경 내용만으로는 수위가 약해 당시 관객들의 괴팍한 욕구를 제대로 충족시킬 수 없다는 것을 알고 훨씬 자극적인 내용으로 바꾸었다. 오스카 와일드의 연극 버전에서는 살로메가 세례 요한을 짝사랑하는데 아무리 유혹해도 세례 요한이 자신의 마음을 받아주지 않자 복수심에 가득 찬 살로메는 헤롯왕을 꼬드겨 세례 요한의 목을 잘라달라고 한다. 연극의 마지막 장면은 살로메가 은쟁반에 놓인 세례 요한의 머리를 들어 올려 피가 줄줄 흐르는 머리를 붙들고 진한 키스를 나누며 눈물을 흘린다. 살로메의 마지막 대사는 다음과 같다. "너와 마침내 키스를 했어, 요한! 너의 입술에 입맞춤을 했다고! 왜 네 입술에서 쓴맛이 날까? 피비린내일까? 아니, 사랑의 향일 거야. 사랑은 쓰다고 사람들이 그랬거든."

이 광경을 보고 분노한 헤롯왕은 더 이상 참지 못하고 경호원들을 불러 당장 살로메를 죽이라고 한다. 살로메가 요한의 머리를 끌어안은 채 경호원들에게 짓밟히며 연극의 막이 내린다. 오스카 와일드의 예상대로 빅토리아 시대의 영국인들은 줄을 이어 연극 〈살로메〉를 보러 극장으로 몰려들었다.

이처럼 빅토리아 시대 문학의 주인공은 주로 자기의 욕망을 주체하지 못해 남자를 파멸로 이끄는 여자들이었다. 문학 비평가들은 이런 여자 주인공에게 'femme fatale', 프랑스어로 '죽음의 여성'이라는 이름을 붙여주었다. femme는 프랑스어로 '여자'라는 뜻이고 fatale은 fate의 형용사 형이다. 원래 fate는 고대 로마인들이 믿던 3명의 운명의 여신이었다. 세 명은 자매인데, 한 명은 사람의 목숨을 실타래에서 풀고, 또 한 명은 자로 그 사람의 수명을 재며, 마지막 한 명은 죽음이 오도록 가위로 생명의 실을 싹둑 자른다. 그래서 fate는 운명 중에서도 수명, 즉 죽을 날짜와 죽는 방법을 말한다.

'femme fatale'을 검색하면 '운명의 여인'으로 나오는 경우가 많다. 하지만 fate는 운명 중에서도 죽음의 운명을 말하기 때문에 영어로 fatal은 '죽음의' '최후의'를 뜻한다. 따라서 femme fatale은 '죽음의 여인', 또는 '최후의 순간을 불러들이는 여자'로 푸는 것이 맞다.

순종적이고 꽉 막힌 빅토리아 여성들에게 싫증 난 당시 영국의 젊은 남자들은 소설에 나오는 팜므파탈에 대해 큰 로망을 갖고 있었다. 그 때문에 '시체 패션'이란 것이 유행했다. 당시의 여자들은 남자들의 팜므파탈 로망에 맞춰 눈이 움푹 파이고 뼈가 드러날 정도로 심하게 굶었고, 절대로 햇빛을 보지 않아 시체처럼 창백한 피부를 유지했으며, 시커먼 눈 화장이나 검은 액세서리로 시체 분위기를 냈다. 남자들은 그런 여자들을 보며 꼭 시체 같은 매력이 느껴진다며 좋아했다고 한다. 클림트, 모로 같은 19세기 화가들이 주로 이런 여자의 모습을 그리면서 '팜므파탈 룩'이 탄생했다. 따라서 팜므파탈 룩의 완성은 영화 〈여고괴담〉 시리즈에 나오는 귀신 패션이라고 할 수 있겠다.

팜므파탈이란 단어는 19세기에 갑자기 생긴 것 같지만, 그리스 신화에 의하면 역사상 최초의 여자가 바로 팜므파탈이었다. 인간에게 재앙과 고통이 들어있는 '판도라의 상자'를 선물한 그녀의 이야기가 이어진다.

Pandora

판도라의 상자

오늘날에도 가장 인기 있는 드라마, 영화, 소설, 노래의 테마는 남녀간의 사랑이다. 동서고금 할 것 없이 사랑은 인류 최대의 고민거리였고, 그래서 가장 재미있는 이야깃거리였다. 월트 디즈니의 만화영화 〈미녀와 야수〉에서 야수에게 인간미를 가르쳐주는 아름답고 고결한 미녀의 사랑부터, 팜므파탈의 위험하고 광기 어린 사랑에 이르기까지 모든 러브스토리는 사람들을 매료시키고, 흥분시키고, 실망시키며, 사는 맛을 안겨주었다.

그리스 로마 신화에 의하면 '사랑'은 인류 최고의 골칫거리일 뿐 아니라 최초의 골칫거리이기도 하다. 오늘날에도 '모든 문제의 근원'을 뜻하는 '판도라의 상자'의 주인공인 판도라Pandora가 바로 인류 최초의 여성이니 말이다. 판도라의 상자 안에는 인류가 겪는 모든 재앙이 담겨 있었지만, 판도라의 이름에는 '모든 선물'이라는 뜻이 담겨 있으니 고대로부터 유럽인들 역시 남녀간의 사랑이 모든 재앙의 시작과 끝이면서 동시에 인생의 가장 소중한 선물이었음을 인정해왔던 것이다.

글을 쓰고 읽을 줄 아는 사람이 드물던 아주 먼 옛날, 그리스에 헤시오도스라는 시인이 살았다. 헤시오도스는 기원을 알 수 없는 까마득한 옛날부터 조상들에게서 전해지는 전설을 외워 자기 부족들에게 이야기로 알려주는 임무를 띠고 있었다. 사람들은 이런 임무를 가진 사람을 '이스토르'라고 불렀는데, '역사'를 뜻하는 단어 'history히스토리'의 기원이 여기에 있으니, 당시에는 전설이 곧 역사이고, 역사가 곧 전설이었던 것이다.

헤시오도스에 의하면 인간이 나타나기 이전 세상에는 신과 거인들만 있었다. 어느 날 갑자기 인간이 신과 거인들의 세상에 나타나 그들의 삶의 노하우들을 빠르게 배워나갔다. 신 중의 신인 제우스는 배움이 빠른 인간들에게 신들의 핵심 노하우만큼은 절대 비밀로 해서 그들의 권력을 오래도록 유지하고 싶었다. 특히 불을 다루는 방법은 너무나 중요해서 절대로 가르쳐주지 않을 생각이었다. 그런데 거인 중 한 명인 프로메세우스는 인간을 좋아해 제우스가 숨겨놓은 불씨를 인간에게 옮겨다주며 불에 대해 알려주었다고 한다. 인간은 야생동물들을 쫓아내고 불로 대장간을 만들어 여러 도구를 만들 수 있게 돼 문명이라는 것을 탄생시켰다. 인간이 신의 영역을 침해하는 것 같아 못마땅한 제우스는 더 이상 참을 수 없었다. 그래서 '인간이 자폭당하면서도 그것이 행복인 줄 착각하게 만들고 말 거야'라고 맹세한다.

제우스는 지하에 사는 대장장이 신 헤파이스토스를 지상으로 불러내 진흙에 물을 섞어 여신의 몸을 가진 인간을 만들도록 명령한다. 올림푸스의 12신들은 남자들이 절대로 그녀의 요청을 거절할 수 없도록 그녀에게 남자를 쉽게 괴롭힐 수 있는 무기를 하나씩 선물한다. 사랑의 여신 아프로디테는 '남자의 팔 다리에서 힘이 빠지고 마음이 불안

하고 아프게 하는 힘'을, 상인의 신 에르메스는 '권모술수와 거짓말의 기술'을, 지혜의 여신 아테네는 '온갖 옷과 장신구 만드는 비밀'을 선물로 주었다. 헤시오도스는 자신의 저서 〈날과 일〉에 빵을 먹고 사는 인간을 괴롭힐 목적으로 올림푸스의 모든 신들이 새로 빚은 여자에게 선물을 안겨주었기 때문에 새로 빚은 여자를 '모든 선물, 즉 판도라라고 불렀다'라고 기록했다.

'pan'은 '모든', 'ora'는 '선물'을 뜻하는 그리스어로 이 둘을 합한 'Pandora'는 '모든 것을 선물받은 자'라는 뜻의 사람 이름이 되었다. 이렇게 해서 최초의 여성 Pandora는 세상의 모든 죄악과 고통이 담긴 물병 하나에 선물들을 넣고 인간 세계로 내려갔다. 판도라가 인간 세상에 내려와 이 물병을 열자 거짓말, 질병, 모순, 공포 같은 인간을 괴롭히는 모든 나쁜 것들이 튀어나왔다고 한다. 그래서 한번 뚜껑을 열면 돌이킬 수 없는 복잡한 상황을 오늘날까지 '판도라의 상자'라고 부른다.

우리가 흔히 사용하는 사랑에 관한 단어에는, 사랑이 가진 어떤 신비감이 담겨있다. 'glamour' 'charming'같은 단어에는 인간이 통제할 수 없는 감정에 대한 공포가, 향수 이름으로 쓰일 정도로 치명적으로 아름다운 사랑을 뜻하는 'j'adore'에는 남녀간의 사랑과 탄생의 비밀에 대한 경이로움이 담겨있다. 남자들만 살던 세상에 처음으로 여자가 나타나자 인간들이 여자를 차지하려고 서로 죽이고, 싸우고, 질투하고, 사랑하면서 역사가 만들어졌다는 것이 바로 그리스 사람들의 믿음이었다.

판도라의 상자에서 튀어나온 질투, 미움, 분노, 질병, 모순 등 인간을 괴롭히는 모든 문제들은 이제 우리 주변에서 흔히 쓰이는 단어들이 되었다. 그래서 모든 사람들이 사랑은 고통스럽다고 말하지만, 프랑스의 가수 세르쥬 갱스부르가 말했듯 '사랑 없이 존재할 수 있는 사람이 있을까?'라는 질문을 던진다면, 어원적 대답은 'No'다.

H u m a n i t i e s

2장

'사랑'과 '가족'으로 알아본 이야기 인문학

Dutch Pay

더치페이를 만든 징그러운 네덜란드인

한때 친구들 몇몇과 어울려 "한국 사람들이 세계에서 가장 깡다구가 세다니까!"라고 우쭐거린 적이 있다. 세계 최고의 군사 강국이자 경제 강국인 미국 사람을 '양키'라며 얕보고, 세계 3대 경제 강국인 일본 사람을 '쪽바리'라고 비웃으며, 10억 인구를 자랑하는 중국 사람을 '짱꾸어'라고 무시하는 나라는 우리나라밖에 없지 않냐며 우스갯소리를 즐겼다. 하지만 인접국가 간에 서로를 우습게 여기고 놀려왔던 역사는 호랑이 담배 피우던 시절부터 수많은 민족이 해온 일이다. 이 점은 영국도 예외가 아니어서 영어에는 지금까지도 이런 표현들이 많이 남아 있다. 그중 하나가 바로 'Dutch pay더치페이'다.

'Dutch더치'는 영국 바다 건너에 위치한 풍차와 튤립으로 상징되는 나라 '네덜란드'의 속칭이다. 재미있는 것은 Dutch가 원래는 독일을 뜻하는 'Deutschland도이칠란드'의 'Deutsch도이치'와 같은 단어라는 점이다. 어쩌다 영국 사람들은 바로 옆 나라의 이름까지 자기들 마음대로 바꿔치기할 수 있었을까? 간단히 말하자면 'Dutch더치'라는 단어가 생겼을 당시 유럽에 독일이라는 나라가 없어서 헷갈린 것이다. 먼 옛날 영국에서 바다를 건너 유럽대륙으로 넘어가면 이상한 언어를 쓰는 수백 개의 민족이 각각 마을을 이루어 자치 형태로 살고 있었다. 그들에게 '당신들은 누구냐?'라고 물어보면 스스로를 손가락으로 가리키며 '튜이드' 혹은 '도이즈'라고 대답했다. 이 말은 고대 독일어로 그냥 '우리 사람들'이라는 뜻이었다. 영국 사람들은 이를 그들 민족의 이름으로 착각해서 바다 건너 민족을 'Deutsch 민족' 또는 'Dutch 민족'이라고 불렀다. 나중에 그 마을들 중 일부가 서로 합쳐져 네덜란드라는 나라가 되었다. 영국인들이 네덜란드 사람들을 막연하게 '저 도이즈 쪽 마을 사람들'이라고 부르면서 나중에는 그냥 'Dutch'라고 부른 것이다.

그런데 나중에 나머지 독일 부락들이 합쳐 나라의 형태를 갖추고 독일이라는 나라를 세운 후 스스로를 '도이칠란트'라고 부르자 사람들은 Dutch와 Deutsch를 헷갈려하기 시작했다. 그래서 네덜란드 남쪽에 새로 생긴 나라는 옛날 로마시대 이름을 따서 '야만적인 게르만족이 사는 땅'이라는 뜻의 게르마니아, 즉 'Germany저머니'라고 불렀다.

네덜란드는 국토는 작지만 장사 수완이 탁월한 나라다. 오랫동안 스페인의 지배를 받았는데, 스페인 왕이 네덜란드에 신대륙 멕시코와 페루에서 무적함대 아르마다가 들여오는 금과 은으로 동전을 찍는, 우리로 치면 조폐공사를 세워 금융 인프라가 탄탄했다. 덕분에 네덜란드는 17세기 초에 스페인으로부터 독립하자마자 현대식 은행은 물론이고, 증권, 선물권, 채권, 옵션 등이 대규모로 거래되는 금융허브로 성장했다. 이렇게 일찍부터 자본의 효율적 운영방법을 터득하고 있었던 네덜란드는 유럽 최고의 대기업들도 보유하고 있었다. 네덜란드의 자랑은 'VOC'라는 유럽 최강의 무역상사였다. VOC 한 회사가 보유한 함선의 수가 영국, 프랑스, 스페인의 모든 기업이 가진 무역선을 전부 합친 것보다 많았다고 한다.

네덜란드인들은 예로부터 피도 눈물도 없는 타고난 장사꾼들이었다는 평판이 자자했다. 네덜란드인들은 대부분이 기독교인이었는데, 1630년대 일본에서 기독교인들의 반란이 일어나자 일본 정부를 도와 자기들과 같은 신앙을 가진 기독교인 탄압에 앞장서서 일본으로부터 무역 독점권을 따냈다. 그들은 이처럼 철저히 상업 논리에 따라 움직였다.

한편, 영국은 네덜란드보다 한발 늦게 신세계와의 무역 사업에 뛰어들었다. 따라서 이미 신세계와 활발한 무역을 전개하고 있던 네덜란드와 영국은 수시로 부딪힐 수밖에 없었다. 예를 들면 미국 개척 시대에 영국인들은 지금의 미국 땅에 보스턴 항구를 세웠는데, 이들은 조금 남쪽에 있는 네덜란드인들의 도시였던 뉴암스테르담의 세련된 거래 스타일에 매번 밀렸다. 도저히 비즈니스로는 네덜란드와 경쟁할 수 없음을 깨달은 영국은 총포를 앞세워 뉴암스테르담으로 쳐들어갔다. 그리고 이곳의 지명을 영국 도시인 'York요크'의 이름을 따아예 뉴욕으로 바꿔버렸다. 결국 여기서도 영국과 네덜란드는 한판 전쟁을 치르게 되었던 것이다. 이런 역사 때문에 오늘날까지 영어에 'Dutch-'가 붙은 단어는 모두 나쁜 의미다.

영국인들은 네덜란드인이란 자고로 타고난 구두쇠 장사꾼들이어서 밥 먹자고 불러놓고 손님이 먹은 음식 값은 안 내고 자기 밥 값만 내고 나가는 사람들이라고 비꼬았다. 이렇게 함께 밥을 먹고 자기

밥값만 내는 인색함을 '네덜란드식 접대Dutch treat'라고 하는데 이것이 발전해서 Dutch pay가 되었다. 또 한 가지 예로 영어권 사람들은 호텔을 이용하다가 불편함을 느끼면 "편하다더니 네덜란드식 편리Dutch comfort야?" 하면서 비꼬아 말하곤 한다. 네덜란드 사람들은 구두쇠라서 호텔에 푹신한 침대나 깔끔한 세면시설 같은 것을 절대로 설치할 리 없다는 편견에서 나온 말이다.

영국인들은 또 네덜란드인들을 '의리라고는 눈곱만큼도 없는 사기꾼'으로 여겼다. 그래서 진짜 금으로 보이지만 사실은 도금을 한 것을 '네덜란드식 금Dutch gold'이라 말하고, 죄를 저지른 범인들이 잡혔는데 공범자를 배신해서 자기 형량을 줄이는 행위를 '네덜란드식 변호Dutch defense'라고 한다. 게다가 영국인들은 네덜란드인들의 술버릇이 아주 고약하다고 믿었다. 그래서 '네덜란드식 협의Dutch agreement'는 술을 진탕 마시고 정신 없는 상태에서 동의한 것이니 믿을 수 없는 약속이라는 말이고, '네덜란드식 용기Dutch courage'는 술 마시고 괜한 사람에게 시비 거는 것을 말한다. 또 '네덜란드식으로 튀기Dutch leave'는 탈영을 뜻하고, '네덜란드 말 두 번 하는 것 같다double Dutch'는 '도저히 알아들을 수 없는 말'이란 뜻이며, 'In Dutch'는 도저히 빠져나갈 수 없는 어려움에 처했다는 말이다. 영국이 네덜란드를 좀 심하게 대하는 건 아닐까란 생각이 들 수 있지만, 역사를 되짚어보면 영국의 입장도 이해는 된다.

영국 상선들이 돈 좀 벌어보려고 신대륙 등의 새로운 항구에 도착하면 이미 네덜란드 상인들이 싹쓸이해서 돈 벌 거리가 남아있지 않았고, 새로운 무역항을 개척하려고 하면 그 옆에 이미 네덜란드 항구가 서 있었으며, 나아가 원주민들과 독점계약까지 마쳤을 테니 말이다. 결국 영국은 네덜란드와 '사업'으로 이기지 못한 부분을 군사력으로 이겨 마침내 대영제국을 세웠다. 그래서 현재 상황만을 놓고 본다면 영국처럼 큰 나라가 이상하게 네덜란드처럼 작은 나라 하나를 왕따시키고 괴롭히는 것처럼 보인다. 하지만 영국이 옛날에는 열등감으로 가득 찬 언더독이었음을 알면 이해하기 쉽다.

그런데 영어가 국제 공용어가 되자 이런 표현들은 네덜란드의 국가 이미지에 심각한 손상을 미쳤다. 1934년 네덜란드 정부는 전 세계에 있는 네덜란드 외교관들에게 네덜란드 상품이나 사람을 가리킬 때 'Dutch'라는 단어를 일체 사용하지 말고 반드시 '네덜란드'라는 공식 명칭만 사용하라는 명령을 내렸다고 한다.

이 외에도 영국은 이웃 나라인 프랑스인들을 아주 야하고 저질적인 사람이라고 생각했다. 그래서 'French disease'는 지독한 성병인 매독, 'French kiss'는 혀를 집어넣어서 하는 키스 'French letter'는 피임도구를 의미하는데, 이와 관련된 행위들은 옛날 영국 기준으로 보면 더럽기 짝이 없는 행동이었을 것이다. 재미있는 것은 프랑스인들은 매독을 거꾸로 '영국병'이라고 부른다는 것인데, 이렇게 이웃 나라 비웃기는 모든 민족들이 즐긴 일이니, 피는 물보다 진하고 팔은 안으로 굽는다는 옛말은 다 맞는 것 같다.

Client

클라이언트가 굽실대던 시대

대부분의 사람들은 전문직을 선망한다. 모든 전문직 종사자는 멋진 사무실에서 존경받으면서 일하고 돈도 잘 벌 것이라고 생각한다. 하지만 실제로 전문직 종사자들의 행복지수는 겨우 평균 수준에 불과한 것으로 나타났다. 2012년 영국의 한 직업 만족도 설문조사 결과를 보면 꽃집 사장, 정원사의 직업 만족도가 87%로 가장 높았다. 의사, 변호사, 건축가 같은 전문직의 만족도는 60% 수준으로 평균이었다. 억대 연봉을 받으며 최고의 전문직으로 선망받는 금융가들의 만족도는 44%로 나타났으니, 바로 이것이 행복은 돈으로 살 수 없다는 증거다.

전문직 종사자들은 옛날부터 고객을 '손님'이라고 부르지 않고 '클라이언트client'라는 폼 나는 단어로 불러왔다. 하지만 고객은 고객인지라 어찌 되었든 클라이언트의 비위를 맞춰야 한다. 특히 전문직 종사자들은 고객을 1:1로 대하기 때문에 스트레스를 많이 받는 것으로 나타났다. 클라이언트에게 굽실거리고 사는 것이 전문직 종사자들의 행복지수가 높지 않은 가장 큰 이유라고 한다.

그런데 흥미롭게도 클라이언트는 원래 '허리를 굽히는 사람', 즉 '아랫사람'을 뜻하는 단어였다. 그런데 어쩌다가 '허리를 굽히는 사람'이 콧대 높은 전문직 종사자의 사무실에 와서 오히려 그들이 허리를 굽히도록 하는 사람으로 변했을까?

고대 역사가들은 처음으로 클라이언트 제도를 만든 사람은 늑대 젖을 먹고 자란 전설의 쌍둥이 로물루스와 레무스라고 주장한다.

역사 기록에 의하면 이탈리아 남부의 한 작은 마을에 누미토르와 아물리우스라는 두 명의 아들을 가진 왕이 있었다. 왕은 자기가 죽으면 두 아들이 서로 유산을 차지하려고 싸우다가 집안이 몰락하고 말 것이라 생각했다. 그래서 죽기 전에 두 아들을 불러놓고 한 명에게는 왕좌를 물려주고, 한 명에게는 많은 현금을 물려줄 테니 고르라고 했다. 그러자 누미토르는 왕좌를 선택해 왕이 되었고 아물리우스는 현금을 택했다. 이후 아물리우스는 돈으로 세력을 모아 결국 누미토르의 왕좌까지 차지해 그 옛날 3,000년 전에도 현찰이 최고라는 사실을 입증했다. 그런데 아물리우스는 왕좌에 오르고도 마음이 놓이지 않았다. 누미토르왕은 슬하에 실비아라는 딸을 두고 있었다. 실비아가 결혼해서 아이를 낳으면, 그 아이가 자라서 자신에게 할아버지의 복수를 하려 들까 두려웠던 것이다. 그래서 이를 미리 막기 위한 계략을 꾸몄다.

당시 이탈리아의 마을들은 모닥불을 신성시하여 마을 중심에 모셔두었는데, 모닥불이 꺼지면 나라도 망한다고 믿었다. 모닥불을 지키는 막중한 임무는 평생 남자와 몸을 섞지 않기로 맹세한 '베스타의 처녀'라고 불리는 여자들이 맡았다. 아물리우스는 실비아가 결혼해서 아이를 낳지 못하도록 억지로 모닥불을 지키는 베스타의 처녀가 되게

했다. 그러나 어느 날 실비아가 임신을 했다. 원래 베스타의 처녀가 임신을 하면 사형에 처해야 했으나, 아물리우스는 마음이 약해져 일단 실비아를 가둬놓고 나중에 아이를 낳으면 반란을 일으킬 수 없도록 멀리 내다버리라고 지시했다. 실비아는 얼마 후 건강한 쌍둥이를 낳았다. 아물리우스는 계획대로 이 쌍둥이를 먼 강가에 내다버렸는데, 늑대 한 마리가 두 아이를 데려가서 젖을 먹여 키웠다. 늑대는 전쟁의 신 마르스의 애완동물이었으므로, 사람들은 훗날 두 아이의 아버지가 마르스라고 믿었다.

이 쌍둥이가 바로 로물루스와 레무스인데, 레무스는 죽고 로물루스는 훗날 자기의 이름을 딴 '로마'라는 도시를 세웠다. 이것이 바로 로마의 건국 신화다. 이는 물론 후대 로마인들이 자신의 선조가 전쟁의 신의 자식이며 늑대 젖을 먹고 자란 남자 중의 남자라는 자부심을 키우기 위해 지어낸 이야기임에 틀림이 없다.

어쨌든 로마가 예상보다 빨리 발전하고 인구 수도 기하급수적으로 늘어, 혼자 남은 로물루스의 힘만으로는 제대로 된 통치를 할 수 없었다. 그래서 주민들 중 가장 유능한 사람 100명을 뽑아 나라를 다스리는 일을 맡겼다. 당시에는 정치라는 개념이 없었기 때문에 로물루스는 이 100명에게 그들이 맡게 될 역할을 어떻게 알아듣기 쉽게 설명할까 고심하다가 '로마의 모든 시민들을 친아들로 여기고 아버지처럼 다스리라'는 의미로 그들의 명칭을 '아버지들'로 정했다. 영어 'father'와 같은 어원에서 나온 라틴어 'pater'에서 이들의 칭호인 patron이 나왔다. patron이 영어로 들어오면서 오늘날에는 예술가나 자선단체, 정치세력을 후원하는 재벌을 뜻하는 단어로 쓰인다.

로물루스가 선택한 100명의 '아버지들'은 오전 시간이면 자기 집 대문을 활짝 열어놓았다. 국가에 건의사항이 있거나 집에 위급환자가 생겼는데 너무 가난해서 의료비 같은 목돈을 빌려야 할 사람, 이웃과의 갈등으로 공정한 판결이 필요한 사람들이 언제든지 찾아와 딱한 사정을 아뢰고 해결할 수 있도록 한 것이었다. 이 국가 공인 '아버지들'에게 로마의 모든 시민들은 선사시대부터 아들이 아버지를 대하는 것처럼 예우를 갖추어 머리를 숙였기 때문에, 민원을 들고 찾아온 시민들을 '절하는 사람', 즉 '클라이언트client'라고 불렀다. 이 100개 가문의 자손들은 훗날 유럽 귀족사회의 발판이 되었다. 귀족은 아버지로서 평민을 챙겨주고, 평민은 귀족을 아버지로서의 충성과 예우로 대하는 'patron–client' 관계는 로마사회의 기초 윤리이자 사회의 골격이었다.

'아버지들'이 주민들에게 해준 일 중 가장 중요한 것은 클라이언트가 누군가와 갈등을 빚었거나 손해를 보게 되었을 때 대신 법정에 서주는 일이었다. 당시의 로마에선 평민이나 노예, 이방인들은 피해를 입어도 직접 법에 호소할 수가 없었다. 나중에 돈 받고 대신 법정에 서주는 변호사라는 전문직업이 생기면서 클라이언트는 '변호사의 의뢰인'으로 의미가 변했다. 그런데 이 단어가 일반인들에게는 꽤나 있어 보였는지 점차 보험설계사, 일반 컨설턴트 등도 고객을 클라이언트라고 부르더니 아예 모든 전문직 종사자들이 고객을 클라이언트라 부르게 되었다, 그래서 원래 '허리를 굽히던 사람들'이 '허리를 굽히게 만드는 사람'으로 변한 것이다. 하지만 서양의 경우 음식점 같은 비전문직 종사자들의 사업체에서는 고객을 여전히 'patron'이라고 한다.

아마도 고객이 그 비즈니스가 필요로 하는 돈을 지속적으로 지급해서 사업을 계속 유지할 수 있도록 해주기 때문에 고객을 아버지처럼 생각한다는 의미가 아닌가 싶다. 지금도 미국 음식점에서 계산서를 받아 보면 많은 계산서에 'Thank you for your patronage'라고 쓰여 있다.

공자가 국가와 국민의 관계를 아버지와 아들에 비교한 것은 로물루스가 'patron-client' 제도를 만들고 약 200년 후의 일이다. 하지만 아버지는 아들을 챙겨주고 아들은 아버지에게 복종하는 것을 모든 권력 체제의 토대로 삼은 것은 동양이나 서양이나 마찬가지였다고 하겠다.

Mother, Metro

엄마와 지하철

출퇴근 시간에 지하철 타는 일은 썩 유쾌하지 않다. 하지만 어원적으로만 보면 매일 지하철을 타는 사람은 매일 어머니의 품에 안기는 것이 된다. 지하철 시스템을 흔히 'metro메트로'라고 부르는데, 이는 어머니란 뜻의 'mother마더'와 뿌리가 같기 때문이다.

고대 터키에는 포카이아라는 그리스 민족의 도시가 있었다. 고대 그리스에는 세계지도가 없었기 때문에, 가끔 용감한 젊은이들을 뽑아 배를 태워 무작정 망망대해로 내보냈다. 그리하여 이 젊은이들에게 멀리 나가 새 땅을 찾아 새로운 나라를 세우도록 했다. 이들이 미지의 땅에서 새로운 동물이나 과일, 광석을 발견하면 그리스의 든든한 무역 파트너가 되었기 때문이다.

어느 날, 프로티스라는 젊은이가 바다로 나갈 시민으로 뽑혔다. 프로티스는 배를 타고 지중해를 돌아다니며 이곳저곳에 잠시 닻을 내리고 새 도시를 세우기 적합한 장소를 물색했다. 그러던 중 두 개의 거대한 절벽 사이로 강과 바다가 만나는 명소를 발견했다.

프로티스는 얼른 닻을 내리고 육지로 올라갔다. 그곳에는 이미 원주민들이 살고 있었다. 원주민 추장이 프로티스를 환영하며 큰 향연을 베풀어주었다. 그런데 이 추장에게는 집티스라는 혼기가 꽉 찬 딸이 있었다. 향연에 나온 프로티스를 보고 마음을 빼앗긴 집티스는 그에게 와인으로 가득 채운 큰 술잔을 바쳐 프로포즈했다. 프로티스는 집티스와 결혼했고, 원주민들과 좋은 관계를 맺으며 두 절벽이 이루는 명소에 새로운 도시를 세웠다. 이곳을 일 년 내내 봄 같은 날씨를 가졌다는 뜻으로 원주민들의 말로 '봄mas의 땅'이라 해 '말실리아'라고 불렀다. 기원전 600년대에 세워진 이 도시에는 지금도 많은 사람들이 살고 있는데, 바로 프랑스의 두 번째 대도시인 마르세유Marseille다.

이렇게 새로운 도시가 세워지면 젊은이들을 바다로 내보낸 부모의 도시에서는 새 도시가 홀로 설 수 있을 때까지 무기, 건축자재, 식량 같은 것을 보내주었다. 대신 새 도시는 그곳에서 나오는 진귀한 물건들을 부모 도시에 싼 가격으로 팔고, 부모 도시가 위기에 처하면 군대를 보내 도와줬다. 이렇게 해서 새로운 도시의 사람들은 떠나온 조상들의 도시를 '어머니가 계시는 도시'라고 불렀는데, 이 이름이 'mother'가 계시는 'police'라고 해서 'metropolis메트로폴리스'가 되었다. 'polis'는 그리스어로 '도시'라는 뜻으로, 경찰은 도시의 질서를 지키는 사람이라고 생각하면 쉽게 기억날 것이다.

많은 새끼 도시를 갖게 된 부모 도시는 지중해 연안에서 커다란 군사적, 경제적 네트워크를 구축하면서 어마어마한 대도시로 발전했다. 그래서 메트로폴리스는 국제적인 경제와 정치적 위력을 지닌 런던, 파리, 뉴욕 같은 대도시를 가리키는 단어로 발전했다.

19세기 중반 세계 최고의 메트로폴리스는 단연 파리와 런던이었다.

파리 시청 관계자들은 사람들이 파리로 너무 많이 몰려들어 골머리를 앓을 정도였다. 이전의 도시들은 15~20분이면 도시 안의 어디든 걸어 다닐 수 있었다. 하지만 파리는 면적이 너무 넓어진 나머지 걸어다니려면 너무 힘들었다. 게다가 길이 너무나 혼잡해서 끔찍한 교통체증에 시달렸다. 오늘날에도 서울에서 차가 막히면 몹시 힘든 상황이 벌어지지만, 차가 아닌 마차가 길에 꽉 들어차 있다고 상상해보시라. 말은 살아있는 동물이기 때문에 마차가 막히면 말들도 짜증을 내게 마련이다. 말들이 지루해서 빙빙 돌다가 끈으로 된 고삐나 마구가 엉키기라도 하면 마부가 내려서 일일이 풀어야 한다. 혹 말들끼리 서로 다투기라도 하면 마차가 엉키면서 도로 전체가 엉망이 된다.

이런 문제를 해결하기 위해 파리 시청은 프랑스 최고의 기술자들을 모아놓고 해결방안을 마련하기로 했다. 기술자들은 지하로 굴을 파 전철을 운행한다는 획기적인 아이디어를 내놓았다. 그런데 그 이후 서로 자기 의견이 옳다고 얼마나 싸워댔는지, 시청에서는 1871년에 지하철 9개 노선을 동시에 개설한다는 계획을 발표하고도 1900년이 돼서야 단 한 개 노선만 개통시킬 수 있었다. 당시에 '아! 얼마 안 있어 마차가 아닌 지하철 타고 출퇴근 할 수 있겠구나'라고 기대했던 30대의 젊은 직장인이 환갑이 넘어서야 처음 지하철을 타게 되었다면 그 기분을 이해할 수 있을까?

파리시는 처음으로 대도시에 철도를 지었다고 해서 지하철 공사를 '대도시 철로공사Chemin de fer metropolitain'라고 불렀다. 이것을 그냥 'Le métropolitain'이라고 줄여 불렀는데, 나중에 이 말이 더 줄어들면서 세계의 모든 지하철을 'metro'라고 부르게 되었다. 파리보다 먼저 지하철을 설치한 영국만 지하철을 metro가 아닌 말 그대로 '지하철', 즉 'The Underground'라고 부른다.

이처럼 '어머니'라는 단어는 여러 가지로 응용되었다. 미국 사람들은 모교를 'Alma Mater'라고 부르는데, 라틴어로 '부드럽고 달콤한 엄마'를 뜻한다. '혼인'을 뜻하는 'matrimony'는 'mater(mother)+monium', 즉 '엄마의 신분'을 말한다. 어린 신부가 결혼을 하면 아이를 낳고 엄마가 된다는 뜻이다.

하지만 엄마가 되기 전에 결혼부터 골인하려면 여러 가지 장애를 넘어야 했다. 옛날에는 결혼하기가 얼마나 힘들었는지 '약혼'을 뜻하는 'engage'가 '전쟁에서 무기를 뽑고 전투에 임한다'는 뜻이기도 하다.

Engagement

첫 번째 교전, 약혼

'사랑과 전쟁'. 부연설명 없이 들어도 금세 느낌이 오는, 서로 반대의 의미지만 한편으론 잘 어울리는 한 쌍의 단어다. 부부 문제를 다룬 TV쇼를 보면 두 개가 합쳐진 것이 바로 결혼이 아닌가 싶다. '사랑과 전쟁'이라는 두 개의 단어를 처음 쌍으로 사용한 사람은 지금으로부터 500년 전에 살았던 존 라일리라는 사람이었다. 존 라일리는 1500년대 영국에서 최고로 잘나가는 소설가였는데, 특히 사랑에 대한 시니컬한 멘트를 잘 날리는 것으로 유명했다. 라일리는 아무리 신사적인 사람이라도 좋아하는 여자 앞에서는 마치 전쟁에서 살아남으려는 악바리처럼 치사해진다고 비꼬며 '사랑과 전쟁에서 반칙이란 없다All is fair in love and war'라고 말했다. 이 말을 줄인 'In love and war'는 관용적 표현으로 '결정적인 순간에는 믿을 놈이 없다'라는 뜻으로 쓰인다. 그리고 '사랑과 전쟁'이라는 단어는 쌍을 이루어 수많은 드라마, 소설, 영화의 제목이 되었다.

어원적으로 봐도 그렇다. '약혼'을 뜻하는 단어 'engagement'는 전쟁의 '교전'을 뜻하기도 한다. 이 단어는 '보증금'이나 '임금'을 뜻하는 프랑스어 'gage'에 어원을 두고 있다. 영어로 '고용된 사람에게 지불하는 임금'을 뜻하는 'wage'와 사촌벌이다. '사랑과 전쟁'을 한 쌍으로 사용하기 시작한 존 라일리는 '결혼식은 천국에서 하지만, 결혼 생활은 지상에서 해야 한다'는 말을 남기기도 했는데, 그 옛날에도 연애는 꿈이었지만 결혼은 현실이었던 것 같다.

중세 초 북유럽 사람들의 삶을 생생하게 묘사한 책 중 《냘의 사가》라는 아주 두껍고 오래된 책이 있다. 수백 명의 등장인물이 나오는 복잡한 이야기지만 간략하게 요약하면 이렇다. 두 친구가 술을 마시던 중 한 명이 "당신 아들은 수염이 잘 안 자란다."라고 말한다. 수염은 남자의 상징이기 때문에 이 말은 대단한 모욕이었다. 모욕의 대가는 복수였다. 두 집안 사이의 복수극은 전쟁으로까지 이어졌고 결국 아이슬란드 주민이 전멸하고 만다는, 현대인들의 기준으로 볼 때는 좀 우스꽝스런 이야기다.

《냘의 사가》는 결혼 이야기로 막을 연다. 그런데 이 부분에서 달콤한 연애 이야기는 눈 씻고 찾아봐도 없고 마치 경제 신문의 한 면을 읽는 듯 돈에 관한 이야기만 오간다. 그도 그럴 것이 옛 유럽인들에게 결혼이란 살벌한 비즈니스였다. 당시 북유럽 사람들은 혼기가 찬 아들을 둔 집안이 딸이 있는 어떤 집안과 혼사를 맺고 싶으면 남자 쪽 집안 친인척 남자들이 모여 도끼와 방패로 무장을 하고, 집안에서 가장 존경받는 어르신을 모시고 여자 집으로 우르르 말발굽을 달렸다. 그들은 여자 집에 도착하면 무조건 딸을 달라며 그 집을 둘러싸고 횡포를 부리는데, 이것은 그냥 '협상하자'는 뜻이다. 딸의 아버지가 못 이기는 척하며 찾아온 남자 쪽 집안의 친척들을 집 안에 들이면 그때부터 살벌한 비즈니스 협상이 시작된다. 전통적으로 아버지는 딸이 결혼하게 되면 지참금과 혼수금, 그리고 나중에 아버지가 죽을 때 딸에게 물려줄 유산에 대한 선금을 남자 집안에 보내야 한다. 또 남자 집안에서는 여자 쪽 집안에서 딸을 키우며 관리하고 보호한데 든 권리금, 며느리의 몸을 통해서 아기가 태어나므로 아기 낳는 신체 임대료, 그리고 아들이 전쟁에서 죽을 경우에 대비해 혼사에서 태어날 아이의 양육비 3분의 2 가량을 선급금으로 넘겨야 했는데, 이 모든 액수에 대해 합의가 이루어지지 않으면 결혼은 성사되지 않았다. 만약 합의가 이루어지면 일부 계약금을 서로 교환하고 돌아왔는데, 이 계약금이 프랑스어로 'gage'였기 때문에 '서로 계약금을 지불했으니 약속된 사이다'라고 해서 약혼, 즉 약속된 사이를 'engaged'라 했다고 한다.

하지만 이런 결혼이 비극으로 끝나는 경우도 많았다. 《냘의 사가》를 보면 힐게르다라는 여자가 나오는데, 그녀는 남편을 끔찍이 싫어했다. 그녀는 더 이상 남편이 보기 싫다며 친척 오빠에게 남편을 죽여 달라고 부탁하였고, 친척 오빠는 남편을 도끼로 찍어 죽였다. 지금 같으면 남편의 친지들이 경찰서나 관공서로 달려가 고발하겠지만, 당시의 해결책은 달랐다. 남편 집안의 남자들은 다시 함께 도끼를 둘러메고 힐게르다의 아버지와 삼촌이 살고 있는 마을로 쳐들어갔다. 놀라운 것은 남편의 친척들은 힐게르다를 죽이거나 사죄를 받으러 온 것이 아니라, 결혼 지참금에 대한 환불과 결혼 계약 위약금, 자신의 친척이 죽었으므로 상실된 노동력에 대한 몸값으로 은화 200냥을 받고 유유히 떠났다는 사실이다. 《냘의 사가》를 기록한 사사는 '은화 200냥이면 당시에 사람 한 명 죽은 것치고는 잘 받은 것이다'라고 토를 달아 놓았다.

계약금을 지불한 뒤에는 절대로 계약을 무를 수 없으므로 반드시 이행해야 한다. 전쟁도 마찬가지여서 한번 칼을 뽑거나 총이 발사되면 사람의 의지와 상관 없이 계속되기 때문에 'engage'는 '전쟁이나 전투에 임한다'라는 뜻도 포함하고 있다. 또 사람을 고용하는 경우도 임금, 즉 'wage'를 주는 대신 그 사람에게 계속 일을 시키겠다고 약속한다는 의미에서 '고용'이라고 해석할 수도 있다.

약혼을 하는 것과 노동자를 고용하는 것과 전쟁을 시작하는 것이 모두 같은 단어라니, 기혼자들은 자신의 결혼 생활에 대해서 뭔가 큰 수수께끼가 풀리는 기분일 것이다. 여전히 결혼에 대한 환상이 남았다면 다음 스토리가 확실히 정리해줄 것이다. '남편'과 '부인'이라는 단어가 집에 묶여 있는 일꾼과 빵 굽는 여자를 뜻하는 것이니 말이다.

Lady, Husband

빵 굽는 귀부인과 집에 묶인 남편

우리나라 근대 소설 〈양반전〉은 재미있는 사회 풍자물이다. 다 아시겠지만 그 줄거리는 부자가 된 상인이 양반이 되고 싶어 돈 주고 족보를 샀다가, 양반으로 살려면 지켜야 할 매너가 너무 많고 복잡해서 양반 되겠다는 꿈을 내팽개친다는 이야기다.

그렇다면 과거 유럽의 귀족들은 우리나라 양반들보다 편하게 살았을까? 유럽 귀부인을 뜻하는 'lady레이디'의 어원을 알면 우리가 품고 있는 그 어떤 환상도 단번에 깨질 것이다. lady의 어원은 'loaf', 즉 '빵'에서 나온다. lady의 본뜻은 'loaf+di'로 '빵 빚는 여자'였다. 유럽은 중세 시대까지 한 동네의 주민들이 열심히 농사지어 얻은 수확물은 모두 땅 주인인 영주에게 바쳤다. 농민들이 농사를 짓는 동안 영주의 부인은 일일이 빵을 구워 농민들을 먹였다. 그래서 빵 굽는 여자는 곧 귀족 부인을 뜻했다. 이렇게 중세 귀족집 안주인은 하루 종일 절구와 화덕 앞에서 땀을 뻘뻘 흘리며 살아야 했던 것이다. 그나마 평민 여자들처럼 하루 종일 땡볕이 내리쬐는 들판에 나가 밭일 하는 것보다는 나은 인생이었지만 말이다.

유럽 귀부인들이 가장 럭셔리하게 살았던 것으로 알려진 19세기에는 어땠을까? 우리는 잡지나 TV 등에 비친 명품 광고를 보고 이들의 삶을 동경했지만 현실은 매우 달랐다. 사료를 찾아보면 역시 21세기 한국에서 태어난 당신이 최고로 편하게 살고 있는 승자라는 것을 깨닫게 될 것이다. 당시 유럽 숙녀들이 지켜야 할 기본 매너들을 모은 〈플로랜스 하틀리의 숙녀를 위한 매너 교범〉에서 몇 가지만 소개해 본다.

- 숙녀가 기침을 하려면 얼른 앉은 자리에서 일어나 입을 막고 남자가 안 보이는 옆방으로 건너가 해야 한다.
- 말을 하는 동안 절대로 표정을 변화시키거나 손짓 같은 것도 하면 안 된다.
- 길거리를 걸을 때는 치마가 땅에 질질 끌리더라도 절대로 들어올려서는 안 된다. 차라리 흙이 잔뜩 묻은 채로 집에 가서 빨아 입어야 한다.
- 숙녀는 절대로 윈도우 쇼핑을 하지 말아야 한다.
- 길 건너편에 아는 사람이 지나가도 아는 척해서는 안 되고, 길거리에서 큰 소리로 웃는 것은 천박하니 삼가야 한다.
- 길거리를 돌아다닐 때는 항상 정면을 향해야 한다. 뒤돌아보아서는 안 되고 손가락으로 무엇인가를 가리켜도 안 된다.
- 절대로 '우아!' '진짜?' 와 같은 감탄사를 쓰면 안 된다.

오늘날처럼 친구가 웃긴 이야기를 했다고 활짝 웃으며 "어머!

진짜?" 하고 소리치면서 박수를 쳤다가는 사회적 매장을 각오해야 했다.

이 책에는 이런 식으로 '숙녀'가 하면 안 되는 행동방침이 수백 페이지에 걸쳐 적혀 있었으니, 신데렐라의 꿈을 이뤄 왕자님과 결혼해 행복하게 살았을 것 같았던 여자들은 이런 수칙에 갇혀 평생 피눈물 흘리며 후회했을 것이다.

그렇다면 결혼한 남자의 삶은 좀 나았을까? '남편'을 뜻하는 단어 'husband'를 보자. 'house'는 잘 알다시피 '집'을 뜻하고, 'band'는 우리가 흔히 말하는 대일밴드나 고무밴드와 같은 어원으로 '묶는다'라는 의미다. 따라서 남편이란 '집에 꽁꽁 묶여 있는 남자'를 의미했다. 지금 쓴웃음 짓고 있는 남성 독자는 당시에는 이게 상당히 괜찮은 뜻이었다는 것을 명심해야 한다. 왜냐하면 집에 묶여 있다는 것은 최소한 자기 집이 있다는 뜻이기 때문이다. 과거 영국에선 집이 없는 남자에게는 결혼할 자격이 주어지지 않았기 때문에 이 말이 남편이란 뜻이 되었다.

그렇다면 옛날 남편들의 삶은 어땠을까? 남자는 결혼을 하면 하루 종일 땅을 파고 가축을 길러야 했고, 심지어 가족이 사용할 가구나 식기 같은 것도 나무를 잘라다가 일일이 손으로 깎아서 만들어야 했다. 또 텃밭에서 수확한 채소나 곡식 중 남는 것들은 지게에 지고 시장에 나가 팔아서 생활비로 써야 했다. 오늘날까지 '남편일'을 뜻하는 'husbandry'를 사전에서 찾아보면 '땅을 가는 것' '가축을 돌보고 오리 닭, 누에고치, 꿀벌 등에 먹이를 주는 것' '농사와 집을 유지하는 데 관련된 모든 허드렛일'이라고 나와 있다.

이런 전통이 몸에 밴 미국 남자들은 요즘도 직장에서 6시에 칼퇴근해서 집 마당에 쌓인 낙엽을 쓸거나 잔디를 깎고, 집 안 여기저기 망가진 곳을 찾아내 스스로 손보고 관리한다. 심지어 많은 미국 남자들이 집에 수많은 공구를 사다가 쌓아놓는 것을 남자로서의 자존심으로 여긴다. 'husband'가 되었으니 'husbandry'를 하겠다는 생각은 기특하지만 오늘날 남편들은 옛날 남자들처럼 손재주가 뛰어나지 못하므로 부인들은 그냥 기술자를 불러 해결했으면 하는 마음으로 조마조마하게 지켜본다. 요즘 대부분의 남편들은 오히려 문제를 더 키워서 부부싸움을 하는 경우가 많다. 여자들과 마찬가지로 남자들도 옛날에는 떵떵거리면서 살았을 것 같지만 지금의 우리가 가장 편하게 잘 살고 있는 셈이다.

여자들은 커플링 끼는 것을 좋아하지만 남자들은 여자친구의 성화에 못 이겨 어쩔 수 없이 끼고 다니는 경우가 많다. 또 여자는 남자친구에게 멋진 다이아몬드가 박힌 결혼반지와 함께 프러포즈 받는 것이 하나의 로망일 것이다. 하지만 결혼반지의 유래를 알면 오히려 커플링 같은 것은 평생 끼기 싫어질지도 모른다.

결혼반지의 유래에는 여러 가지 설이 있다. 하지만 가장 확실한 것은 로마시대의 기록에서 찾아볼 수 있다. 로마시대에는 노예에게 팔찌나 발찌를 채웠는데, 이는 밤에 몰래 도망가지 못하도록 쇠사슬을 걸기 위함이었다. 결혼반지도 같은 원리였다. 로마인들은 네 번째 손가락에 '마음의 핏줄'이라는 것이 있다고 믿었다. 여기다가 조그마한 무쇠로 된 일종의 반지를 채워 놓으면 여자의 마음을 평생 구속할 수 있다고 믿었다. 그래서 결혼반지는 4번째 손가락에 끼우는데, 로마시대의 결혼반지는 심지어 조그마한 열쇠로 열었다 닫았다 할 수 있도록 만들어진 영락없는 족쇄였다. '결혼반지'라는 뜻의 'wedding band'의 'band'가 '집에 묶였다'라는 뜻의 'husband'의 'band'와 같다는 것을 눈여겨보기 바란다. 참고로 'band'와 같은 어원을 가진 'bondsman'은 '노예'라는 뜻이다.

더 심한 것은 'wife와이프'가 독일어로 그냥 '여자'를 뜻하는 'Weib'과 같은 어원이라는 것이다. 여기서 'wife'는 여자가 남자의 소유물이던 시대에 그야말로 '내 소유의 여자'를 의미하던 단어였다. 결혼을 하는 순간 남자는 묶인 노예가 되고 와이프는 손가락에 마음의 족쇄를 차고 사는 '내 소유의 여자'가 되는 것이 결혼의 유래다. 그래서 서양 선진국 중에는 결혼을 야만적인 제도라며 함께 살면서 아이까지 낳아도 혼인신고는 안 하는 경우가 늘고 있다. 〈결혼은 미친 짓이다〉라는 영화 제목처럼, 옛날에는 '결혼은 노예짓'이었다.

Anglo-Saxon

세상에서 가장 섹시한 앵글로 색슨 민족

어원적으로 볼 때 세상에서 가장 섹시한 민족은 영국 민족이다. 물론 주변 나라 사람들이 이 말을 들으면 고개를 가로저을 것이다. 영국인의 이미지가 섹시와는 거리가 아주 멀기 때문이다. 보통 영국 남자는 소심한 모범생, 영국 여자는 차갑고 꽉 막힌 노처녀 기숙사 사감선생을 연상시킨다. 그러나 어원만큼은 영국인들 편이다. 영국은 영어로 'England잉글랜드'인데 이것을 풀어보면 '앵글로-색슨족Anglo-Saxon이 사는 땅'이라는 말이 된다. 영국 민족의 이름인 Anglo-Saxon은 남녀 성별 구분을 뜻하는 'sex섹스'와 연관이 있다. 둘 다 '칼로 베다' '죽이다'라는 뜻에서 나왔으니 부부관계는 예전부터 그토록 살벌했나 보다.

영국의 대표적인 전설은 '아더왕과 원탁 기사들'의 이야기다. 영국은 유럽 천하를 호령하던 대 로마제국의 최북단에 위치했다. 그보다 더 북쪽으로 가면 얼굴에 파란 칠을 하고 다니며 죽은 사람의 머리에 석고를 발라 던지는 무기로 사용하는 무시무시한 픽트족이 살았다. 또 바다 건너에는 한겨울에도 웃통을 벗고 전쟁터를 누비는 게르만족이, 살기 좋은 영국 남쪽 땅을 호시탐탐 노렸다. 다행히도 영국에는 로마군 기지가 있어서 영국은 이들의 보호를 받으며 비교적 평화롭게 살 수 있었다. 하지만 로마 본토가 계속 침략을 당하고 망해가자 영국에 주둔 중이던 로마군대는 본국으로 철수해야만 했다. 갑자기 든든한 보호막을 잃게 된 영국은 여러 부족의 추장들이 서로 자기가 왕이 되겠다며 다투기 시작했는데, 이중 한 명이 우리도 잘 알고 있는 아더왕이다. 아더왕은 최소한 자기가 다스리는 부족국가인 카멜롯 안에서는 백성들이 로마시대의 법도대로 편안하게 살 수 있도록 노력했다. 하지만 아더왕에게는 넘을 수 없는 숙적이 있었다. 바다 건너의 야만인들인 게르만족과 손을 잡고 그의 왕국을 빼앗으려 호시탐탐 노리던 볼티게른 추장이다. 두 사람의 이야기는 당시 한 역사가가 쓴 도저히 진실인지 소설인지 알 수 없는 사록에 남아 우리에게까지 전해진다.

아더왕의 숙적 볼티게른은 매우 큰 야망을 품고 있었다. 영국을 하나의 국가로 통일해 다스리겠다는 것이었다. 하지만 그러기엔 훈련된 군인들의 수가 턱없이 부족했다. 그래서 바다 건너의 용맹한 게르만족을 용병으로 기용했다.

하지만 이것은 볼티게른이 호랑이를 키운 격이 되고 말았다. 게르만족 용병들은 전쟁이 끝났음에도 어둡고 습하고 추운 독일 땅으로 돌아갈 생각을 하지 않았던 것이다. 오히려 볼티게른에게 월급을 올려달라고 큰소리 땅땅 치면서 영국 땅에 눌러앉으려 했다. 심지어 볼티게른이 죽은 후에도 영국 땅을 떠나지 않고 오히려 고향의 가족 친지들까지 영국 땅으로 불러들여 마을을 세우고 자기 나라인 양 버젓이 살기 시작했다고 한다.

볼티게른의 뒤를 이은 그의 아들들이 아버지의 왕위를 이은 다음 게르만 추장들에게 노골적으로 화를 내며 돌아가라고 하자, 게르만 추장들은 웃는 얼굴로 "우리 다 같이 밥 먹으면서 이야기하자."라고 하며 볼티게른의 아들들을 달랬다. 그들은 아무래도 밥을 먹으면서 이야기하면 뭔가 해결책이 나올 것이라는 기대를 안고 영국 본토의 추장들과 함께 게르만족이 준비한 장소로 갔다. 게르만족은 성대한 파티를 열어 왕들과 영국 본토 추장들을 극진하게 대접했다. 술과 밥이 오가면서 분위기가 무르익을 무렵, 게르만 추장 한 명이 신호를 내자 게르만 전사들은 일제히 옷 속에 숨겨둔 단도를 꺼내 그 자리에서 같이 식사를 하던 460명의 영국 왕족과 추장들 그리고 그들의 측근을 완전히 몰살시켰다. 그리하여 영국 땅은 단숨에 그들의 손으로 넘어갔다. 이들은 단도로 사람을 해치우는 것이 특기였는데, 사람을 쓱싹 쓱싹 베어버린다고 해서 '색슨족'이라고 불렸다.

이 색슨족은 자기들끼리 나라를 동, 서, 남으로 나누어 가졌다. 오늘날에도 영국에는 웨섹스Wessex, 에섹스 Essex, 수섹스Sussex가 있는데 이것은 각각 색슨족들의 서쪽나라West Saxon, 색슨족들의 동쪽나라East Saxon, 색슨족들의 남쪽나라South Saxon라는 뜻이다. 이들 중 서쪽나라인 웨섹스의 추장이었던 케르딕의 자손들이 통일 영국의 첫 왕족이 되었다. 그래서 아예 이 나라를 'Anglo-Saxon의 나라'라고 해서 '잉글랜드'라고 부르게 되었다.

칼이나 가위로 '스윽' 하고 베는 소리를 묘사한 단어는 많다. 가위는 싹둑싹둑 자른다고 해서 '시저scissor'라 하고, 낫은 벼를 쓱쓱 벤다고 해서 '사이스scythe'라고 한다. 또 신문에서는 주제에 따라 정치, 사회

등 여러 파트로 '잘라놨다'고 해서 '섹션section'이라는 단어를 사용한다. 그리고 사람은 남녀 두 종류로 싹둑 잘려있으므로 남녀 성별을 '섹스sex'라고 했다. 옛날 사람들도 남자와 여자는 칼로 자르듯 서로 통하지 않는 존재라고 생각했으니, 이성친구나 부부관계가 종종 너무나 답답해서 Anglo-Saxon처럼 쓱싹 베어버리고 싶은 충동이 자주 나타나도 그냥 참고 사는 것이 우리의 숙명인가보다. 18세기 독일 코미디언 장 폴 리히터는 "남자 여자를 서로 다르게 만들어놓은 이유는 '남자 없는 여자는 몸 없는 머리고, 여자 없는 남자는 머리 없는 몸'이기 때문이다."라고 유머러스하게 정리했다.

Margherita

마르게리타 피자가 사실은 왕비 이름이라고?

몇 년 전 우리나라에서는 전통 이탈리아 스타일의 피자가 큰 인기를 모았다. 이탈리아의 전통 피자 중 세계적으로 많은 사람들의 사랑을 받고 있으며 가장 가볍게 먹을 수 있는 피자는 역시 '마르게리타 Margherita'다. 이 피자는 얇고 바삭바삭한 크러스트 위에 토마토 소스를 펴 바르고 치즈를 듬성듬성 얹는 것이 특징이다. 그런데 150년 전만 해도 전 이탈리아에서 마르게리타라는 이름은 함부로 입에 담을 수 없었다. 그 이유는 바로 여왕님의 존함이었기 때문이다. 보통 사람들은 이 피자가 마르게리타 여왕님이 우아하게 즐겨 드시던 피자라서 그렇게 부르는지 알지만 마르게리타 피자는 잔인무도한 정치투쟁, 혁명과 암살의 배경 속에서 태어난 음식이다.

실제로 마르게리타의 남편인 이탈리아의 국왕 움베르토 1세는 화가 난 어느 무정부주의자에게 암살을 당했다. 한번은 이탈리아의 빵값이 너무 올라 많은 백성들이 굶주렸다. 굶주린 백성들은 궁전으로 몰려와 식량 문제를 해결해달라며 궁전 앞에서 대대적인 시위를 벌였다. 움베르토 1세는 즉시 근위대를 불러서 궁전을 방어하도록 했다. 근위대 장군이 시위대를 향해 집으로 돌아가라고 경고했지만, 궁전 앞에 모인 백성들은 빵을 주기 전에는 돌아갈 수 없다며 버텼다. 그러자 근위대는 무차별적으로 총과 대포를 쏘아 시위대를 강제로 쫓아냈다. 이날 수많은 백성들이 자국 왕실의 총포를 맞고 쓰러졌다. 시위대 측에서는 400명이 죽고 2,000명이 다쳤다고 발표했다. 백성들의 분노는 극에 달했고 선동가들은 왕을 타도하자는 내용의 노래를 지어 이탈리아 전역에 퍼뜨렸다고 한다.

빵을 달라는 백성의
귀를 찢는 듯한 고통의 외침에
잔인한 침흘리개 왕은
빵 대신 총알을 먹었다!

이탈리아 전역은 혁명과 폭동의 분위기로 들썩였다. 그런데 이런 분위기를 파악하지 못한 움베르토 1세는 오히려 근위대장을 불러 왕실을 보호한 용감한 충신이라고 치하했다. 미국으로 건너와 《사회문제》라는 이탈리아어 무정부주의 신문을 발간하던 이탈리아계 미국인 브레시는 이 소식을 듣고 특단의 조치를 취해야 한다고 생각했다. 어느 날 그는 신문사가 진 빚을 모두 갚고 미국으로 잠적했다가 몇 달 후 왕이 휴양 중인 몬자라는 도시에 나타났다. 그리고 마차에서 백성들에게 손을 흔들어주던 왕을 권총으로 쏴 암살했다. 브레시는 무기노동형에 처해졌고 1년 후 쇠사슬에 묶여 광산에서 중노동에 시달리던 중 죽었다고 당시 신문은 전했다.

피자는 이때 이미 이탈리아를 대표하는 서민 음식이었다. 옛날식 나폴리 피자에는 마늘이 엄청나게 많이 들어갔다. 그런데 고대 그리스인들은 마늘이 불경한 채소라 생각했고, 입에서 마늘 냄새를 풍기는 사람은 신전 출입마저 금지시켰다. 고대 그리스 시대의 고전을 열심히 배우며 자란 당시 귀족들 역시 마늘을 천시하고 멀리했다. 물론 평민들에게는 맛있고 몸에 좋은 마늘을 먹는 것이 아무런 문제가 되지 않았다. 그래서 귀족들에 관한 풍자극인 〈드라큘라〉에서, 뱀파이어를 쫓아내는 방법 중 하나가 마늘을 들고 다니는 것이 되었다.

당시 나폴리에는 에스포지토라는 이름의 피자집 주인이 있었다. 그는 여왕이 나폴리를 방문한다는 소식을 듣고 기념으로 마을의 명물인 피자를 선물한다는 아이디어를 냈다. 원래 피자는 귀족이 손도 대지 않던 음식인데, 여왕님이 자기가 만든 피자를 드셨다고 홍보하면 피자집이 대박 날 것을 노린 것이다. 에스포지토는 귀족들은 마늘을 먹지 않는다는 것을 알았기에 피자에서 마늘을 빼고, 이탈리아 국기를 상징하는 빨간색 토마토, 하얀색 모짜렐라 치즈, 초록색 바질 잎사귀로 토핑을 만들어 여왕님에게 바쳤다. 평소라면 피자 같은 천한 음식을 먹을 리 없지만, 시대가 시대인 만큼 여왕도 이곳 사람들의 환심을 사야 했다. 여왕은 왕실로 돌아온 후 에스포지토에게 선물로 준 피자를 잘 먹었다는 편지를 보냈다. 여왕이 피자를 진짜 먹었는지 먹지 않았는지 확인할 방법은 없지만 에스포지토는 여왕이 보낸 편지를 들고 다니며 이 피자가 마르게리타 여왕이 먹은 피자라고 동네방네 떠들고 다니며 피자 홍보에 나섰다. 그때부터 마늘을 빼고 모짜렐라 치즈, 토마토, 바질 잎사귀로만 토핑을 얹은 피자를 '마르게리타 피자'라고 부르게 되었다.

유럽 음식의 이름은 마르게리타처럼 사람의 이름에서 따오거나, 파르마에서 나온 치즈라서 파르마잔, 상파뉴에서 나오는 와인이라서 샴페인이라고 하는 것처럼 지역 이름에서 딴 것이 많다. 하지만 우리가 즐겨 마시는 카푸치노는 카푸치노를 전혀 마시지 않는 사람들의 이름을 딴 것이다.

Cappuccino

카푸치노 수도승과 카푸치노 원숭이들

우리가 커피 전문점에서 즐겨마시는 '카푸치노cappuccino'는 원래 한 번도 커피를 마셔보지 못한 수도승들의 별칭이었다. 이들은 커피를 마시기는커녕 신발도 사치라며 신지 않던 무척 검소한 사람들이었다.

이탈리아에는 우리나라 스님들처럼 세속을 등지고 깊은 산속에 들어가 기도와 공부에 정진하는 수도승들이 있었다. 이들은 웬만해서는 오르기 힘든 높은 산꼭대기에 어둠침침한 돌로 만든 수도원을 세우고, 주변 땅에 농사를 지어 자급자족하며 살았다.

1500년대 이탈리아 동부에 있는 한 수도원에 마테오라는 수도승이 있었다. 마테오는 어느 날 자신의 꿈에 하느님이 나타나 많은 수도원들이 타락했다며 꾸짖었다고 사람들에게 말하고 다녔다. 그의 주장은, 하느님이 검소하게 살라고 했는데 수도승들이 신발을 신고 사치스럽게 다니는 것이 문제라며, 진정한 수도승은 발이 부르트고 피가 나더라도 맨발로 다녀야 한다는 것이었다.

다른 수도승들이 황당한 주장을 내세우는 마테오를 이단으로 몰아붙이자 마테오는 위기의식을 느꼈다. 당시는 충분히 신발 문제 하나만으로도 그 사람에게 악마가 씌었다면서 화형에 처해 죽여버릴 수 있는 잔혹한 시대였다. 마테오는 자기 생각을 따르는 제자 수도승들과 늦은 밤을 틈타 몰래 도망쳤다. 그는 제자들을 이끌고 이탈리아 중심 지역의 산속에서 은둔생활을 하고 있는 현자들을 찾아갔다고 한다. 현자들은 마테오 일행을 받아주었다. 이곳에서 마테오는 교황청에 있는 동지들과 은밀히 연락을 주고받아, 신발도 신지 않는 아주 검소한 생활을 하는 새 수도원을 만들어도 된다는 허가를 받아냈다.

마테오를 숨겨준 현자들은 어두운 갈색 옷을 입고 살았는데, 옷의 천이 아주 거칠었다. 이 옷에는, 약초를 캐거나 밭을 갈러 나갔을 때 비가 오거나 바람이 심하게 불면 머리에 뒤집어쓸 수 있는 모자가 달려 있었다. 고행만이 진정한 신앙이라고 생각한 마테오는 제자들에게 현자들이 준 옷 한 벌로 평생을 살라고 가르쳤다. 사람들은 현자들이 준 옷으로 동냥하러 돌아다니는 마테오 제자들을 볼 때마다 "모자 달린 놈들 지나간다."라고 했다. 영어로 옷에 달린 모자를 'Capuche'라고 하는데, 이탈리아인들은 'Capuche'를 'Cappuccio카푸초'라고 했다. 그래서 당시의 이탈리아인들은 마테오의 제자들을 '카푸초를 쓴 수도승', 즉 '카푸친cappucine 수도승'이라고 불렀다. 그들이 입었던 옷의 색깔이 커피의 수도 오스트리아의 비엔나에서 유행하는 거품 크림 커피의 색과 똑같아서, 사람들은 이런 커피를 카푸친 수도승의 옷에 비유해 'cappuccino'라고 불렀다고 한다. 지금은 스팀 우유로 만든 커피를 말하는 전문용어지만, 당시에는 카푸친 수도승의 옷과 비슷한 색깔의 커피는 모두 cappuccino라고 불렀다.

1945년 《여기는 샌프란시스코》란 잡지에는 오스트리아에서 들여

온 새로운 커피에 대해 다음과 같은 글이 실려 있다. "오스트리아에선 카푸치노라는 걸 마시는데, 카푸친 수도승의 옷과 비슷한 회색이라서 그렇게 부른다. 초콜릿에다가 브랜디나 럼주를 넣은 다음, 커피 필터를 통해 나오는 뜨거운 스팀으로 데워서 만든다." 지금의 카푸치노와 다르게 당시에는 술을 넣었고, 우유 대신 초콜릿을 사용했다는 것을 알 수 있다. 그리고 당시 서양 글쟁이들에게 회색과 갈색의 구분이 명확하지 않았다는 것도 알 수 있다. 하여간 '카푸치노'는 서서히 '스팀 우유 커피'라는 뜻으로 의미가 고정되었다.

600년 전 마테오라는 수도승이 신발만 신고 살았어도, 오늘날 우리는 커피를 주문하면서 "카푸치노 주세요!"가 아니라 "비엔나에서 유행하는 스타일의 스팀 가열 우유 커피요!"라고 했을 것이다. 이들 덕분에 커피 주문이 쉬워져서 인생이 조금이라도 편안해졌으니, 유럽 여행길에서 모자 달린 갈색 옷을 입고 다니는 수도승을 만나면 동냥이라도 한 푼 드리도록 하자.

사실 마테오 외에 다른 수도승들은 그리 엄격하게 절제된 인생을 살지 않았다. 산속 생활의 무료함을 달래려고 몰래 술을 홀짝홀짝 마시다가 주정뱅이가 된 경우도 많았다고 한다. 우리나라에서는 사람이 술을 너무 많이 마시면 개가 된다고 하는데, 유럽 사람들은 원숭이가 된다고 했다. 유럽 사람들이 처음 아프리카로 여행을 가 원숭이를 발견했을 때 마치 술주정뱅이 수도승 같다고 해서, 수도승이라는 단어 'monk'에서 원숭이 'monkey'를 만들었다.

그도 그럴 것이 위스키와 보드카는 둘 다 수도승들이 만들었는데, 어쩌다 수도승들이 술을 만들게 되었는지 한번 알아보자.

Whisky, Vodka

생명수 위스키와 보드카가 사람을 죽이다니!

패션 못지않게 음식도 유행이 있어 돌고 돈다. 만화 《신의 물방울》과 함께 와인 붐이 일더니, 요즘은 상류층을 중심으로 싱글 몰트 위스키가 붐이다. 그런데 만약 유럽의 중세시대 의사들이 한국의 부유층들이 한껏 폼을 내며 비싼 위스키를 마시는 모습을 목격했다면 '야만인들'이라며 고개를 절레절레 흔들었을 것이다. 위스키는 원래 '소독약'이었으니까.

지금으로부터 약 600년 전, 중세의 유럽에는 병원이 없었다. 따라서 시골 사람들은 병에 걸리면 인근 수도원으로 달려갔다. 유럽의 수도원들은 우리나라의 절처럼 높은 산꼭대기에 있었기 때문에 약초를 구하기 쉬웠다. 그래서 수도승 중에는 약술 연구에 매진하는 사람들이 많아서 약초로 약을 달이는 여러 비법들을 알고 있었다.

이탈리아의 수도승들은, 장염이나 천연두 환자에게 맥주나 포도주를 마시게 하자 통증이 가라앉는 것을 발견하고는 '찌개도 끓이면 더 짜지듯이, 술도 끓여서 진액을 뽑아내면 더 효능이 좋은 약을 만들 수 있지 않을까?'라는 생각을 하게 되었다. 이탈리아 수도승들은 아랍 연금술사들의 비법부터 고대 이집트 과학자들의 책까지 열심히 뒤져 마침내 술의 진액을 뽑는 방법을 개발했다. 이렇게 해서 만들어진 알코올은 상처에 바르면 곪지 않았고, 사람에게 먹이면 마취 효과도 있었다. 수도승들은 알코올이 수많은 사람들의 목숨을 구해준 너무 고맙고 유용한 물질이라고 해서 '생명의 물'이라 불렀다고 한다.

'생명의 물'을 만드는 비법은 수도원에서 수도원으로 전파되며 국경을 넘어 영국 북쪽에 있는 스코틀랜드에까지 전해졌다. 당시 스코틀랜드어로 '생명의 물'이라는 단어가 '우스케 베아다'라고 발음되었는데, 시간이 지나면서 '위스키'라고 발음하게 되었다. 당시 스코틀랜드 사람들은 약이 필요하면 수도원으로 갔지만, 수술이 필요하면 이발소로 갔다. 의대도 안 나온 이발사가 수술을 한다는 것이 지금으로서는 말도 안 되는 위험천만한 이야기로 들리겠지만, 당시에는 어차피 의대라는 것이 없었기 때문에 그나마 면도날과 가위가 손에 익은 이발사가 수술을 해주어야 마음이 놓였을 것이다. 그래서 스코틀랜드에서는 수도원뿐만 아니라 이발사 협회에서도 수술에 필요한 위스키를 대량으로 만들기 시작했다.

당시의 스코틀랜드에서는 이발소에만 가면 누구나 위스키를 쉽게 살 수 있었기 때문에, 수도승들만 위스키 같은 독주를 만들 수 있었던 다른 나라보다 술이 흔했다. 스코틀랜드의 기사들은 차츰 추운 날씨에 경계 근무를 서거나, 힘든 전투가 끝나고 여기저기가 쑤시고 몸이 아플 때 위스키를 마시면 고통이나 추위가 무뎌진다는 것을 알게 돼, 원래 소독약으로 발명된 위스키를 벌컥벌컥 마시기 시작했다. 세계적인 명주 스카치 위스키는 이렇게 해서 탄생되었다. 한때 세계적으로 스코틀랜드 귀족의 라이프 스타일이 유행했는데, 오늘날까지도 스코틀랜드 스타일의 코트인 일명 버버리 코트, 스코틀랜드 운동인 골프, 그리고 스카치 위스키가 전 세계인들로 하여금 과시욕을 부추긴다. 오늘날 우리나라에서도 스카치 위스키는 귀족 클럽이나 비즈니스맨들이 모이는 고급 바의 단골메뉴다. 스코틀랜드의 안개 낀 험난한 눈밭에서 갑옷 입은 기사가 혹독한 추위를 견디려 소독약을 들이켜던 유래와 오늘날의 이미지는 딴판이다.

이탈리아인들은 비슷한 시대에 이 '생명의 물'을 러시아에도 전파해서 러시아 민속주인 보드카를 탄생시켰다. 선사 유럽어에서는 'W'와 'V'가 같은 발음이었다는 것을 알면 보드카의 어원을 쉽게 알 수 있다. 물, 즉 '워터'는 'W=V' 규칙에 의해 러시아에 가면 '보타' 또는 '보다'가 된다. 'Ka'는 어린아이를 귀엽게 부를 때 이름 끝에다 붙이는데, 예를 들어 '작고 귀여운 나타샤'는 '나타슈카'라고 부른다. 따라서 보드카는 작고 귀여운 물, 즉 '이슬'이다.

1300년대 이탈리아에는 제노아라는 작은 도시국가가 있었는데, 이 마을 사람들은 역마살이 심한 것으로 유명했다. 아메리카 대륙을 발견한 콜럼버스가 바로 이곳 제노아 출신일 정도로 많은 제노아 사람들이 배를 타고 세계를 돌아다니며 돈 벌 기회를 노렸다. 그래서 오늘날 세계 어느 나라에 가든 차이나타운이 있듯이, 중세에는 어느 나라에 가든 꼭 제노아 민족 마을이 있었다. 특히 제노아 사람 중에는 탁월한 싸움꾼들이 많았는데, 여행 중에 여비가 바닥나면 남의 나라 전쟁을 대신 치러주고 돈을 받는 용병으로 몸을 팔기도 했다. 돈만 잘 쳐주면 목숨이 아까운 줄도 모르고 미친 듯이 싸웠기 때문에 이들은 여러 나라 왕들에게 인기가 높았다. 설원의 나라 러시아의 모스크바에서도 많은 제노아 용병들이 활약했는데, 이때 이들이 '생명의 물'의 비법을 러시아에 전수했다고 한다.

당시 러시아 민족은 칭기즈 칸의 후예인 몽고족 때문에 공포의 나날을 보내고 있었다. 우리나라도 고려시대에 몽고족의 침략을 받아 고종이 수도를 강화도로 옮기고, 약 30년간 항전한 바 있다. 또 몽고군은 서쪽으로는 독일까지 쳐들어가며 전 세계에서 횡포를 부리고 있었다. 1350년 러시아 모스크바의 공작 자리에 오른 드미트리는 하루빨리 나라가 몽고의 횡포로부터 벗어나야 한다고 생각했다. 그래서 드미트리 공작은 슬슬 몽고족의 말을 무시하기 시작했다. 이에 화가 난 몽고 추장 마마이는 10만 대군을 모스크바로 보내 본때를 보여주려 했다. 드미트리 공작도 5만 명의 러시아 기사들을 이끌고 쿨리코보라는 곳으로 달려가 몽고군과 맞닥뜨렸다. 피 튀기는 전투 끝에 드미트리 공작은 몽고 마마이 추장의 10만 대군을 전멸시켰다. 이후 러시아는 몽고로부터 독립해 번듯한 나라로 성장할 수 있었다.

이때 모스크바에 살던 제노아 사람들은 몽고와 러시아 사이에 전쟁이 터지자 돈 냄새를 맡고 러시아측 용병으로 참가해 큰 공을 세웠다고 한다. 전쟁 중에 제노아 사람들은 소독약과 마취제로 부상병을 도울 수 있는 '생명의 물'이라 불리는 신기한 액체를 드미트리 공작에게 선물했다고 한다.

드미트리 공작은 주변 수도원에서 약제를 잘 만들기로 유명하던 이시도르라는 수도승에게 '생명의 물' 제조법을 배우라고 했고, 이때부터 러시아에도 독주 전통이 생겼다. 러시아 사람들은 술을 끓여 위로 올라오는 이슬을 받아 만들었다고 해서 이 액체를 '작은 물', 즉 '보드카'라 불렀다고 한다.

결국 우리는 보드카나 위스키를 마실 때마다 소독약을 마시고 있는 셈이다. 아마 먼 옛날 소독약을 만든 수도승들은 후세에 환자도 아닌 사람들이 이걸 벌컥대고 마셔 교통사고나 알콜중독으로 죽는 시나리오는 상상도 못 했을 것이다. 종교인들이 생명을 구하기 위해서 만든 '생명의 물'이 사람을 죽이고 있으니, 인생 참 아이러니하다.

Humanities

'인간사회'로 알아본 이야기 인문학

Starbucks

국제화에 기여한 갈대 개울 커피집

엉뚱하게도 카푸친 수도승들의 옷 색깔과 비슷하다고 해서 '카푸치노'라는 이름으로 불리게 된 커피는 지금 전 세계 사람들에게 큰 사랑을 받고 있다. 카푸치노 하면 바로 떠오르는 것이 '스타벅스Starbucks' 커피 체인점이다. 지금은 전 세계 어디에서나 트렌디한 여성들이 스타벅스에서 카푸치노를 마시는 모습을 쉽게 볼 수 있다. 그래서 옛날에는 맥도널드가 국제화의 상징이었다면 지금은 오히려 스타벅스라고 주장하는 사람도 많은데, 사실 '스타벅스'라는 단어 자체가 대단히 국제적인 단어다.

Starbucks의 의미를 물어보면 "별다방 아냐?"라고 대답하는 사람이 많은데, 'star'라는 단어가 우리에게 워낙 익숙해서 그럴 것이다. 하지만 Starbucks는 별과는 아무런 관련이 없다. 대신 Starbucks는 1,300년 국제화의 역사를 가지고 있는 아주 신기한 유래를 가진 단어다.

한때 축구선수 박지성이 소속되어 활동했던 영국의 유명한 축구 팀이 있는 맨체스터 시에서 자동차를 타고 서쪽으로 한 시간 정도 달리면 'Star Bek'이라는 작은 개울이 나온다. 약 1,000년 전, 추운 북쪽 땅에서 따뜻한 곳을 찾아 영국으로 건너온 바이킹 한 무리가 이곳을 지나가다가 갈대가 무성하게 자라는 작은 개울을 보았다. 바이킹들은 이 개울을 옛 바이킹 말로 'stor갈대+bek개울'이라고 불렀다. 시대의 변화를 보여주듯, 오늘날 무성했던 갈대는 사라지고 개울 바로 옆에는 큰 기차역이 서있다. 중세시대에는 한 가족이 이 개울 옆에 집을 짓고 농사를 지으며 살았는데 그 가족을 '갈대 개울star bek 가족', 즉 '스타벅스Starbucks'라 불렀다고 한다.

이로부터 몇백 년 후, 스타벅 가족은 바다 건너 미국으로 가서 고래잡이배를 타면 큰돈을 벌어 부자가 될 수 있다는 소문을 들었다. 실제로 전기를 발명하기 이전 시대에는 밤에 등잔불을 켰는데, 등잔불 켜는 데 가장 좋은 기름이 고래 기름이어서 고래를 잡으면 비싼 값에 내다 팔 수 있었다. 스타벅 가족은 짐을 싸서 바다 건너 미국 보스턴 쪽으로 이민을 갔다. 이들 가족은 오늘날엔 전통 있는 보스턴 가문들의 별장촌이 된 '난투켓'이라는 섬에 정착해 고래잡이 사업에 뛰어들었다. 낡은 배를 타고 대서양과 태평양을 누비며 작살 하나로 자기들이 탄 배보다 몇 배나 큰 고래를 맨 손으로 잡아오는 위험천만한 일이었다.

하지만 스타벅의 아들들은 바이킹의 이름을 가진 사나이들답게 배를 타고 거대한 대양을 돌며 수많은 고래를 잡아 유명해졌다. 가문의 몇몇 사람은 배를 사서 선장도 되었다. 이들은 태평양의 망망대해를 얼마나 구석구석 누비고 다녔는지 아무도 가본 적 없는 무인도를 발견하기도 했는데, 오늘날까지 사람들은 남태평양에 있는 이 섬을

'Starbuck Island스타벅 섬'라고 부른다.

이들은 재미있는 일화도 많이 남겼는데 아래에 몇 가지 소개하겠다.

어느 날 스타벅 선장의 포경선이 하와이에 도착했다. 태평양 한가운데의 외로운 섬에서 한 번도 나가보지 못한 하와이 왕은 평생 이루고 싶은 소원이 있었다. 당시 세계 최고의 대도시였던 런던으로 해외여행 한 번 가보는 것이었다. 하지만 하와이에서 영국 한 번 가려면 몇 년에 한 번 드나드는 상선을 얻어 타고 부두가 있는 인근 나라로 가 1년에 한 번 올까 말까 한 영국행 여객선을 타야 했다. 하와이 왕은 스타벅 선장에게 포경선으로 영국까지 데려다달라고 졸랐다. 하지만 당시의 포경선은 아래층은 고래 기름과 바닷물로 찌들어 있고, 갑판 위에는 고래 피 썩는 냄새가 진동하는 아주 지저분한 곳이었다. 선원들도 배에 한 번 타면 물을 아끼느라고 씻지도 못하는 데다가, 매일 럼주를 마셔대 알코올과 땀이 어우러져 몸에서 나는 악취로 진동했다. 그럼에도 여행에 대한 갈망이 몹시 깊었던 하와이의 왕은 결국 포경선을 얻어 타고 런던을 향해 떠났다. 하지만 공기 좋고 물 좋은 태평양 섬에서 나고 자란 하와이 왕은 배 위의 지저분한 환경에 적응하지 못하고 그만 홍역에 걸려 숨지고 말았다. 어쨌든 왕이 스타벅 선장의 배라면 믿고 영국까지 함께 가고 싶어 했을 정도로 당시의 스타벅 가문은 태평양 인근에서 크게 이름을 날리던 고래잡이였다.

스타벅이 고래잡이로 한창 이름을 날리던 1800년대 초, 멀끔한 보스턴 부잣집 아들이 편안한 삶이 지루하다며 난투켓 섬에서 포경선을 얻어 탔다. 그의 이름은 허먼 멜빌이었다. 멜빌은 포경선을 타고 세계를 돌면서 만나는 원주민들에 대한 소설을 써 세계적인 작가가 되겠다는 야무진 꿈을 가지고 있었다. 멜빌은 얼마 후 첫 소설 〈타이피〉를 출간했다. 그런데 이 소설에는 원주민에 관한 이야기는 별로 없고 기후 좋고 햇빛 좋은 천국 같은 섬에서 벌거벗고 사는 아름다운 원주민 여자들의 러브스토리가 대부분이었다. 막장드라마가 인기가 높듯 막장소설 또한 잘 팔리는 법, 〈타이피〉가 불티나게 팔리기 시작하면서 멜빌은 곧 스타가 되었다. 소설의 소재를 모으기 위해 포경선을 타고 태평양 일주를 하던 멜빌은 어느 날 선원들을 통해 스타벅 선장의 무용담을 듣게 되었다. 마침내 제대로 된 작품을 써보겠다고 결심한 멜빌은, 고래를 잡으러 떠나는 포경선 이야기를 다룬 소설 〈모비 딕Moby Dick〉을 쓰면서 그 안에 스타벅이라는 이름의 캐릭터를 카메오로 등장시켰다. 〈타이피〉와 달리 〈모비 딕〉은 작품성 있는 소설답게 고작 몇백 권 정도밖에 팔리지 않았다.

하지만 역사가 짧은 미국에서 '작품성 있는 소설'을 골라 교과 필독서적으로 선정해야 했으나 나라가 생긴 지 얼마 안 되어서 선정할 소설이 딱히 없었던지, 〈모비 딕〉은 미국의 국어 필독 도서로 채택되었다. 그래서 오늘날까지 모든 미국 학생들이 이 눈물나게 지루한 책을 필독 도서로 읽어야 한다. 대부분의 학생들이 20페이지짜리 요약본과 시험에 잘 나오는 인용문만 따로 외울 뿐, 소설 전체를 머릿속으로 흡수하지는 않는다. 미국에서 고등학교를 다닌 필자도 〈모비 딕〉을 50페이지짜리 학습만화로 읽고 독서 리포트를 제출했다고 자백하지 않을 수 없다.

하지만 1970년대 미국 시애틀에서 영어 교사로 일한 제임스 볼드윈은 영어 교사답게 이 소설을 진심으로 좋아했다. 그런데 볼드윈은 교직을 그만두고 친구 몇 명과 함께 미국인 입맛에 맞춘 이탈리아풍 커피를 파는 새로운 형태의 커피숍을 개업했다. 그는 커피숍의 이름을 무엇으로 지을까 고민하던 중, 평소 자기가 좋아하는 소설 〈모비 딕〉에 나온 캐릭터 이름을 따 '스타벅스'라고 짓고 간판을 내걸었다. 훗날 이 커피점은 대박이 나 전 세계에 체인점을 내게 되었고, 오늘날 우리나라에서도 그 이름을 모르는 사람이 없을 정도로 스타벅스는 큰 성공을 거두었다. 스타벅스 커피숍의 로고 안에는 인어가 앉아있는데, 이 인어가 바로 이 책 앞부분에서 설명한 물귀신 '사이렌'이다. 고래잡이들이 사이렌에 관한 미신을 많이 믿어서 사이렌을 로고로 쓰게 되었다고 한다. 이렇게 흔한 커피숍의 간판에서도 수많은 의미와 스토리를 읽어낼 수 있다.

스타벅 가문의 역사는 우리에게 인간이란 원래 글로벌한 존재라고 말해준다. 오늘날 많은 사람들이 스타벅스 커피 체인점을 무책임한 국제화의 상징으로 여기고, 각 나라의 국제화를 반대하는 데모대들이 맥도널드와 더불어 종종 타도의 표적으로 삼곤 한다. 하지만 스타벅이라는 이름의 역사가 말하듯 지금으로부터 1,000년 전에도 북방 바이킹족이 살 만한 땅을 찾아 영국으로 넘어와 정착했고, 400년 전에는 한 북방 영국 농민이 더 나은 삶을 좇아 미국으로 이민을 갔으며, 200년 전에도 고래를 잡으려고 포경선 선원들이 태평양을 넘나들었다. 그리고 하와이 같은 외진 섬을 다스리던 왕도 영국으로 해외여행 한 번 가보고 싶어 고래잡이 배를 얻어 탔다가 죽기까지 했다. 그러니 '국제화'라는 것은 스타벅스 커피 같은 21세기 다국적 기업들이 발명한 것이 아니라, 더 나은 곳을 찾아 떠나고 싶어 하는 인간의 본성이 만들었다고 말할 수 있지 않을까?

물론 많은 사람들이 국제화를 비난하는 이유 역시 역사가 말해준다. 인간은 원래 이성보다 본성이 더 강하다. 새로운 땅을 찾아 떠나는 가장 큰 이유는 피비린내를 맡은 사냥개처럼 새로운 땅에서 지금의 자기가 가진 것보다 훨씬 큰 무언가를 도적질해서 잘 살겠다는 본성의 움직임이 가장 컸다. 이런 도적들의 역사에서 세상에서 가장 웃긴 나라 이름 '페루'가 나왔다.

Peru

페루는 '저쪽'이라는 뜻

'고려'는 '높고 화려하다', '조선'은 '아침이 밝은 나라', '일본'은 '해가 뜨는 곳', '중국'은 '가운데 나라'…. 세계 어느 나라든 자기 나라의 이름은 멋지게 짓게 마련. 그런데 'Peru페루'는 엉뚱하게도 그냥 '저쪽'이라는 뜻인데, 이 웃지 못할 나라 이름에는 국제화 초기의 도적들을 피하려던 원주민들의 뼈아픈 역사가 서려있다.

지금은 '국제화' 하면 외국인 친구를 사귀거나 해외여행을 많이 하고, 물건을 수출 수입해서 돈도 벌고, 좋은 외제 물건을 마음껏 골라서 사용할 수 있는 등 주로 좋은 면을 생각할 수 있다. 그런데 국제화 초기에는 이 '국제화'의 의미가 지금과 많이 달랐다. 잘살지만 군사, 경제, 기술력이 부족한 나라에 막무가내로 밀고 들어가 금은보화를 도적질해서 배에 가득 싣고 자기나라로 돌아가는 것이 이제 막 국제화를 시작한 16세기 스타일의 '국제화'였다. 지금은 '도적질'이라고 말하지만 당시에는 '외교'이자 '정치'라고 말했다. 그래서 16세기에 시작된 국제화의 영향으로 힘이 약한 나라들은 강한 나라에 속수무책으로 약탈당하고 사람들은 노예로 끌려갔다. 우리나라도 일본에게 정복당해 36년이나 식민지 생활을 했던 뼈아픈 역사를 지니고 있으니 약탈의 설움에 대해서는 좀 안다 할 수 있다. 진정한 약탈과 진정한 잔인함이란 무엇인가를 보여준 나라는 약탈 국제화를 발명한 폭군 중의 폭군, 바로 스페인이었다.

1492년, 콜럼버스가 처음으로 스페인을 출발해 대서양을 건너 아메리카라는 신대륙에 발을 내디딘 후, 수많은 스페인 선원들과 장사꾼들이 삐걱거리는 나무 배 하나에 몸을 의지하고 사나운 폭풍우, 따가운 햇볕을 견디며 망망대해 대서양을 건너 신대륙으로 갔다. 이들은 원주민들에게 하느님 말씀을 전파하겠다는 대의명분으로 왕실과 교회로부터 해외 출입 허락을 받아냈다. 그러나 실제로는 원주민들을 죽이고 금은보화를 약탈해 한몫 잡아 부귀영화를 누리려는 검은 속셈을 가지고 바다로 나선 것이었다.

1511년, 빌보아라는 스페인 사람이 용병 한 무리를 거느리고 남아메리카의 어느 마을에 도착했다. 도착해서 보니 원주민들이 죄다 금으로 만든 커다란 귀걸이를 매달고 있었다. 빌보아는 급히 추장을 만나 자기에게 금을 좀 팔라고 제안했다. 하지만 이미 남아메리카 원주민들 사이에 스페인 사람들은 금을 보면 눈이 뒤집혀서 부모 형제도 죽이고 왕도 배신하는 짐승만도 못한 인간들이라는 소문이 파다했다. 금을 팔라고 해놓고는 막상 금을 꺼내오면 원주민을 깡그리 죽여버렸던 사건이 이미 몇 차례 벌어졌던 것이다. 그래서 추장은 스페인 사람들을 자기 마을에서 멀리 쫓으려고 꾀를 냈다.

빌보아가 황급히 저울을 꺼내 금의 무게를 달 준비를 하자 추장이 저울을 땅! 치면서 말했다.

“여기에는 금이 별로 없고 서쪽으로 계속 가다 보면 금이 철보다 싼 곳이 나와요. 금이 얼마나 싼지 가난한 사람들도 모두 금 접시에 밥을 담아 먹고, 금잔에 술을 따라서 마신대요.”

빌보아는 추장의 말에 귀가 번쩍 뜨였다. 추장은 빌보아가 안달하자 쉬지 않고 허풍을 보탰다.

“그뿐만이 아니라 그쪽 추장은 매일 아침 온몸에 금가루를 칠했다가 개울에서 씻어내면서 하루를 시작한다고 해요.”

“그게 도대체 어디요?”

추장은 서쪽을 가르치면서 “삐루.”라고 대답했다. 원주민 말로 ‘저쪽’이라는 뜻이었다. 자기 동네에 금이 있다는 사실이 알려지면 나중에 반드시 스페인 도적떼들이 총을 들고 와서 금을 몽땅 빼앗아갈 거라는 것을 이미 잘 알고 있던 이 마을의 추장은 말 한 마디로 자기 마을을 지켜냈고, 빌보아는 몇십 년 동안 쓸데없이 정글을 헤매게 되었다.

이렇게 해서 스페인에서는 야망 있는 사람들 사이에 금이 철보다 싼 ‘골드맨’들의 나라 ‘페루’가 있다는 소문이 돌아 수많은 사람들이 금을 찾아 아메리카로 향했다고 한다.

빌보아 휘하에는 피사로라는 젊은 용병이 있었다. 피사로는 어찌나 가난하고 무식했던지 그를 아는 사람들은 그가 천애 고아로 돼지 젖을 먹고 자라 그렇게 무식해졌다고 수군댈 정도였다. 피사로는 심지어 자기 이름도 쓸 줄 몰라 서류에 사인을 할 때는 자기 이름이 파인 철판을 대고 그 위에 먹물을 부어야 했다고 한다.

어느 날, 피사로가 250명의 용병을 이끌고 남미 탐험에 나섰다. 탐험 중 아찔하게 높은 산꼭대기에 거대한 바위를 정사각형으로 반듯하게 깎아 만든 신기한 도시를 발견했다. 사방을 둘러보니 금으로 만든 거울, 노리개, 귀걸이, 머리띠 등 온통 금 천지였다. 피사로는 드디어 자기가 '페루'를 발견했다며 몹시 기뻐했다.

피사로가 도착한 곳은 잉카제국의 수도였다. 알고 보니 잉카는 남북으로 3,000킬로미터나 되는 거대한 땅을 다스리는 대제국이었고, 수십만 명의 용맹한 전사들이 지키는 나라였다. 따라서 250명의 용병만 가지고 정복하기에는 무리였다. 꾀를 낸 피사로는 잉카황제 아타우알파에게 전보를 보내 한 마을의 광장에서 만나자고 했다. 아타우알파는 "그렇게 먼 나라에서 우리나라까지 찾아와 주시니 영광입니다"라며 7,000명의 신하들을 이끌고 마을 광장으로 나갔다.

그런데 피사로는 광장 옆 건물 골목 사이사이에 미리 대포를 설치해놓았다가 잉카의 황제와 신하들이 자신을 영접하러 나타나는 순간 그것을 쐈다. 황제와 신하들이 기습 공격에 놀라서 우왕좌왕하는 사이, 잉카에서는 평생 한 번 본 적 없는 말 탄 기사들이 잉카의 대신들을 말발굽으로 짓밟고 칼로 내려쳐 모조리 죽였다.

피사로는 잉카의 아타우알파 황제를 납치하고, 잉카제국의 모든 도시에 전갈을 보내 궁전의 가장 큰 방을 금으로 가득 채우면 황제를 놓아주겠다고 으름장을 놓았다. 우리나라가 IMF 금융위기를 맞았을 때 국민들이 십시일반으로 금을 모아 나라의 빚을 갚았던 것 같은 놀라운 일이 벌어졌다. 잉카인들은 나라를 구하기 위해 자기들이 가지고 있던 금을 모두 들고 와 순식간에 큰 방을 금으로 가득 채웠다고 한다. 피사로는 지금의 무게로 환산해서 6,013킬로그램이 넘는 금을 받아 챙기면서 스스로도 놀랐다고 한다. 하지만 약속대로 잉카황제를 놓아주면 그들이 보복할 것이 두려워 결국 황제의 목을 졸라 죽였다. 피사로의 약속을 믿었던 잉카 사람들이 바보인 것인지 착한 것인지는 모르겠지만, 어쨌든 그렇게 해서 위대한 잉카제국은 하루아침에 멸망했다.

피사로는 자신을 따라온 스페인 왕실 소속 감사원이 자기도 함께 고생해서 잉카를 발견했으니 금을 좀 나눠달라고 하자, 그의 머리까지 싹둑 잘라버렸다고 한다. 그리고 '리마'라는 새로운 도시를 세워 페루의 도읍으로 정하고, 화려한 궁전을 지어 호의호식하고 살았다. 피사로가 인생의 꿈을 이루고 편하게 살려던 차에, 목을 베어 죽인 왕실 감사원의 아들이 아버지의 원수를 갚겠다며 피사로의 궁전으로 쳐들어왔다. 하지만 피사로는 검술의 대가였으므로 쉽게 죽일 수가 없었다. 감사원의 아들 역시 만만치 않았다. 옆에 서있던 자기 친구를 들어 피사로에게 던지자 피사로가 그 친구를 칼로 찌른 뒤 다시 칼을 뽑는 틈을 이용해 피사로를 해치웠다고 한다.

전설에 의하면 피사로는 자기가 죽인 사람의 상처에 손가락을 집어넣어 피를 묻힌 후 궁전의 대리석 바닥에 그 피로 십자가를 그어놓고, 그 위에 입맞추며 용서를 빌고 눈을 감았다고 한다.

그로부터 몇십 년 후, 발디비아라는 또 다른 스페인 사람이 싼 값에 금을 사려고 페루에 왔지만, 원주민들도 한 번 속지 두 번 속지는 않았다. 그들은 발디비아를 붙들어 묶어 놓고 시뻘겋게 녹인 금물을 강제로 입에 넣으면서 "금 가지러 왔지? 배 터질 때까지 어디 한번 실컷 먹어봐라!"라고 말했다고 한다.

사실 당시에 나무로 만든 작은 배를 타고 대서양을 건넌다는 것은 목숨을 바다에 맡긴 것이나 다름없었으므로 정상적인 사람들이 할 만한 일은 못되었다. 그럼에도 불구하고 금과 피냄새에 눈이 먼 정복자 스페인 사람들이 세운 남아메리카와 그 북쪽에 있는 북아메리카 대륙에는 수많은 유럽인들이 도착했다. 그런데 이들은 도적이 아니라 사이비 종교집단이었다.

Turkey

터키에 살지 않는 터키 새

콜럼버스, 바스코 다 가마, 마젤란…. 이들은 먼 옛날 유럽에서 망망대해를 건너 신대륙인 아메리카를 발견하고, 세계로 통하는 항로를 개척해서 본격적인 국제화 시대를 연 사람들이다. 하지만 위인전이나 역사책에서 묘사한 것처럼 이들은 모험심과 의지가 강하며 인류애가 넘치던 위인들만은 아니다. 오히려 아메리카 대륙 원주민인 인디언들을 협박해서 금을 빼앗아 쉽게 한몫 챙기려던, 위인보단 불량배에 가까운 사람들이었다. 이들에 비하면 북아메리카로 건너와 미국을 세운 사람들은 매우 착한 사람들이긴 했다.

1600년대 영국에는 절대로 술을 마시지 않고, 담배도 안 피우고, 아이 낳을 목적 외에는 부부간에도 성행위를 금지하며, 항상 검은 옷만 입고 다니고, 꼭 필요한 말이 아니면 절대로 하지 않는 엄격한 규칙을 지키는 별난 기독교 종파가 있었다. 이들은 스스로를 '순결하게', 즉 'pure'하게 지킨다고 해서 'Puritan퓨리탄', 즉 '청교도'라고 불렀다. 오랫동안 기독교를 믿어온 유럽인들이 볼 때도 영락없는 사이비 종교여서 정부가 이들을 이단으로 규제할 준비를 했다. 이를 알게 된 청교도들은 '5월의 꽃Mayflower'이라는 배 한 척을 타고 정부의 손길이 닿지 않는 아주 먼 아메리카 대륙으로 도망쳐서 미국이란 나라를 세웠다고 미국의 역사책은 말하고 있다.

북아메리카에 도착한 청교도들은 기독교인들답게 십계명과 '이웃을 사랑하라'는 예수님의 말씀을 지키며 화목하게 살았을 것 같았지만 사실은 그렇지 않았다. 전설에 의하면 미국에 도착한 청교도들은 새로운 기후와 풍토에 맞는 농사법을 몰라 곡물들을 미처 추수하기도 전에 겨울이 닥쳐 많은 사람이 굶어 죽을 신세였다고 한다. 그때 인심 좋은 인근 지역의 인디언 추장이 칠면조turkey를 선물로 보내주었다. 청교도들은 오랜만에 실컷 고기를 먹을 수 있었다. 인간이라면 당연히 굶주림에서 구해준 인디언들에게 고마움을 표현해야 했겠지만, 일반인들이 범죄자의 사고를 이해할 수 없는 것처럼 너무 청결한 사람의 사고방식도 평범한 사람이 보기에는 괴팍한 법이다. 청교도들은 우리로서는 이해할 수 없는 해석을 내놓았다. 자기들이 굶어 죽을 위기에 처하자 하느님이 인디언을 시켜서 먹을 것을 보내주셨으니 이것은 우리들에게 미국 땅 전체를 차지하라는 신의 계시라고 해석한 것이다. 청교도들은 결국 자기들의 목숨을 구해준 인디언들을 모조리 죽이고 그들의 땅을 빼앗아 미국이란 나라를 세웠다.

미국 사람들은 오늘날까지도 신이 미국으로 건너와 굶어 죽게 된 청교도들에게 칠면조를 선물로 주며 '미국 땅을 차지하고 살라'고 계시한 날을 축하하며 해마다 11월 넷째주 목요일이면 신에게 감사를 드린다는데 바로 이날이 '감사thanks'를 '드리는giving' 날, 즉 '추수 감사절Thanksgiving Day'이다. 과연 하느님이 이날 기도를 받으시면서 "아이쿠, 잘했다!"라고 칭찬하실는지는 모르겠다. 어쨌든 청교도들은 추수감사절마다 자기들끼리 원주민인 인디언들이 가져다주었던 '터키 새' 요리를 해서 실컷 먹는다.

그런데 여기서 이상한 것을 발견할 수 있지 않은가? 왜 미국의 전통 기념일에 '터키'라는 다른 나라의 이름이 붙은 새 요리를 먹어왔을까?

청교도들이 미국으로 넘어오기 훨씬 전에 이미 스페인 정복자들은 남아메리카에 진출해 멕시코의 아즈텍 사람들이 날지 못하고 덩치만 큰 새를 사육해 요리에 사용하는 것을 보았다고 한다. 그것이 바로 turkey, 즉 칠면조였는데, 닭고기보다 향이 진하고 맛도 더 있으며, 훨씬 많은 고기가 나온다는 것을 알게 되었다. 스페인 정복자들은 이 칠면조를 유럽으로 가져가 키우기 시작했다. 처음 칠면조가 유럽에 들어오자 유럽인들은 이 신기한 새를 도대체 어떻게 불러야 할지 몰랐다. 그래서 그와 비슷하게 생긴 새 이름을 따서 붙였다. 그때까지 유럽인들이 식용으로 가장 좋아하던 새는 '뿔닭'이었다. '뿔닭'은 원래 아프리카 서쪽에 있는 마다가스카르라는 섬에 사는 새인데, 터키 상인들이 이 새를 붙잡아서 유럽인들에게 팔았다고 한다. 그래서 유럽인들은 이 뿔닭을 그냥 '터키 새'라고 불렀다. 그런데 남아메리카에서 들여온 새로운 새를 관찰해 보니, 뿔닭과 생김새가 비슷하고 맛도 비슷했다. 유럽인들은 이것도 '터키 새'겠구나라고 짐작하고 그때부터 칠면조도 '터키'라고 부르기 시작했다고 한다. 영국에서 미국으로 건너간 청교도들도 배에 '터키 새'를 싣고 떠났기 때문에 미국의 칠면조가 오늘날까지 'turkey'라는 엉뚱한 나라의 이름으로 불리게 되었다. 그러니까 칠면조는 청교도들이 인디언들에게 선물로 받은 것이 아니라,

청교도들이 유럽 시장에서 사서 미국으로 가져가 놓고는 인디언들을 죽이고 땅을 빼앗는 명분으로 신이 칠면조를 준 것이라고 뻥을 친 셈이다. 그 시기에 인디언들이 얼마나 철저히 말살을 당했는지, 오늘날 미국에서 원래 그 땅의 주인이었던 인디언 피를 물려받은 사람은 거의 찾아보기 힘들 정도다.

범죄자들 중 가장 무서운 사람이 끔찍한 일을 저지르고도 '나는 정의를 위해서 어쩔 수 없이 그런 일을 했다'라고 생각하는 사람이다. 많은 독재자들은 수백만 명을 눈 하나 꿈쩍하지 않고 학살하고도, 자기가 죽는 순간까지 "나는 국가와 민족을 위해 일한 것뿐이다."라고 자신만만하게 말했다. 양이 있으면 음이 있고 빛이 있으면 그림자가 있듯, 한 인간 속에는 악과 선이 공존한다는 것을 인정하지 못하고 세상의 음지를 다 없애려는 사람들이 사실 가장 무섭고 위험한 사람들이라고 역사는 말해준다.

California

꿈을 현실로 만든 사람들의 땅, 캘리포니아

한국에 온 미국인 친구와 함께 서울의 어느 거리를 거닐 때였다. 옆을 지나쳐가는 여성들을 본 미국인 친구가 꼭 〈섹스 앤 더 시티〉에 나오는 여자들 같다며 감탄했다. 아니, 미국인이 한국 여성들을 보고 "미드에 나온 그대로다!"라고 말하다니, 대체 이 상황을 어떻게 설명해야 할까? 한국에 그만큼 미국 드라마에 나오는 캐릭터를 동경하고 그들처럼 옷과 구두, 가방을 챙겨 입고 다니는 사람이 많다는 사실은 몰랐던 것이다. 우리나라뿐 아니라 원래 사람은 먼 나라에 대해 환상을 가지기 쉽다.

한류 드라마에 푹 빠진 일본 아주머니들은 한국 남자가 모두 배용준처럼 생긴 줄 알고 한국으로 관광을 왔다가 실망했다고 한다. 또 어떤 일본 아주머니가 프랑스 영화 〈아멜리에〉를 보고 근사한 파리를 꿈꾸며 그곳에 갔다가 너무 실망한 나머지 프랑스 정신병원에서 치료를 받았던 데서 '아멜리에 신드롬'이라는 정신병도 생겼다.

우리나라 사람들이 모두 한류 드라마에 나오는 사람들처럼 살고 있지 않듯, 뉴요커들도 〈섹스 앤 더 시티〉나 〈가십걸〉에 나오는 캐릭터들처럼 사는 것은 절대로 아니다. 우리는 만화, 소설, 드라마 같은 것에 빠져서 현실과 허구의 세계를 구분 못하는 사람들을 손가락질하지만, 사실 꿈과 현실을 구분하지 못하는 사람들이 오늘날의 역사를 만들었다고 해도 과언은 아니다. 중세 유럽에는 소설이 지금의 드라마가 하는 역할을 했는데, 오늘날 몇몇 여성들이 드라마 여주인공이 신은 비싼 구두를 열심히 사들이느라 파산하기도 했다면, 당시 유럽인들은 소설 때문에 아예 목숨까지 걸고 먼 나라로 이민까지 가기도 했다.

중세의 유럽은 세계에서 문명이 가장 뒤떨어진 대륙이었다. 그래서 동방에 관한 이야기에 금세 혹하고 빠져들었다. 당시의 소설 독자들은 '중국에는 도자기로 된 탑이 있다더라' '일본은 지붕이 온통 금으로 뒤덮여있다더라' '스리랑카에서는 천민들도 금보다 비싼 후추나 커리를 듬뿍 넣은 요리를 먹고 산다더라' 등 먼 동방의 여러 나라에 대한 과장된 묘사가 되어있는 소설을 열심히 읽으며 환상의 날개를 펼쳤다.

때문에 소설가들은 독자들의 취향에 맞추어 점점 더 과장을 많이 했다. 그중 최고봉은 역시 스페인의 소설가 몬탈보였다. 그는 소설 속에서 아예 노골적으로 거짓말을 해서 도리어 당시 유럽 독자들의 열렬한 사랑을 받았다. 몬탈보의 소설에 등장하는 남자 캐릭터들은 하나같이 잘생기고 몸매도 좋으며 늘 황금 갑옷을 입고 다니는 기사들이었다. 또 여자들은 무조건 젊고 아름다운 금발머리의 공주들이었다. 소설의 내용은 사람 머리가 달린 해마, 머리는 독수리이고 몸은 사자인 괴물 등 온갖 기이한 방해꾼들이 나타나 주인공의 앞길을 가

로막지만, 주인공은 항상 싸움에서 이기고 괴물로부터 공주를 구출하는 뻔한 스토리가 반복된다.

몬탈보의 소설 중에 스페인 기사 에스플란디안이 주인공으로 등장하는 작품이 있다. 소설 내용을 간추려보면 이렇다. 동방을 여행하던 에스플란디안은 어느 날 미지의 섬에 도착한다. 섬에는 남자는 한 명도 없고 건장한 흑인 여전사들만 살고 있다. 게다가 무기와 말 고삐까지 모두 금으로 만들어진, 그야말로 젖과 꿀이 흐르는 신비로운 섬이었다. 이 섬은 칼라피아라는 미녀 여왕이 다스렸는데, 사람들은 여왕의 이름을 따서 이 섬나라를 'California캘리포니아'라고 불렀다. 사실 칼라피아는 아랍어로 '리더'를 뜻하는 'caliph칼리프'라는 단어를 스페인 여자 이름처럼 변형시킨 것이다.

소설 속에는 캘리포니아를 다스린 여왕이 칼라피아라는 아랍 이름을 가진 이유는 캘리포니아가 십자군 전쟁에서 이슬람 편에 섰기 때문이다. 그녀가 몰고 온 벌거벗은 흑인 여전사들과 상반신은 독수리, 하반신은 사자인 괴이한 동물들이 기독교 전사들을 잔인하게 때려눕혔다. 그러나 칼라피아 여왕은 갑자기 나타난 에스플란디안 기사의 신사도와 출중한 외모에 반해 금세 사랑에 빠졌다. 그래서 종교도 에스플란디안이 믿는 기독교로 개종하고 그와 결혼해 캘리포니아 섬에서 함께 행복한 여생을 보낸다는 이야기다.

중세 유럽사람들은 너무 순진해서 책에 쓰여있는 내용은 모두 진실이라고 믿었다. 몬탈보의 소설이 큰 인기를 끌자 수많은 스페인 남자들이 젖과 꿀이 흐르는 캘리포니아 땅을 찾으려고 엄청난 돈을 투자받아 커다란 배를 구입해서 대서양으로 떠났다.

이 소설이 출간되고 20년 후, 마침내 스페인 사람들이 미국 서부의 길쭉한 반도에 도착했다. 그곳에 가보니 정말로 금이 많이 나고 날씨가 너무 좋아 전설의 섬인 '캘리포니아'에 도착했다고 착각했다. 이후 스페인 사람들은 이곳을 '캘리포니아'라고 불렀다고 한다. 재미있는 것은, 몇백 년 후 이곳에서 어마어마한 금이 나와 사람들은 진짜로 총 손잡이부터 말 재갈까지 온통 금으로 만들었다. 이것이 바로 '골드러시gold rush'였다. 이처럼 상상과 현실은 서로 손을 잡고 빙글빙글 춤을 추는 것이 아닐까?

흔히 현실을 무시하고 상상으로만 큰일을 꿈꾸는 사람들을 '구름 위에 집을 지으려는 사람'이라고 비꼬며 그들의 비현실적인 태도에 혀를 차는 사람들이 많은데, 지금의 캘리포니아를 보면 구름 위에 집을 짓는 것도 가능하겠다는 희망이 생긴다. 캘리포니아 사람들은 지금도 허황된 꿈을 꾸며 산다. 첫째, 환상을 영화로 만들어 전 세계로 수출하는 할리우드가 캘리포니아에 있다. 둘째, 공상과학영화에 나오는 컴퓨터와 로봇을 처음 만들어낸 실리콘 밸리도 캘리포니아에 있다. 사람들은 글을 읽을 수 있게 된 중세시대부터 영웅전이나 소설을 읽으며 가능성의 한계를 계속 시험해왔고, 수백 년 뒤에 그 허황된 꿈이 현실이 되는 경우도 수없이 많았으니, 상상을 키우는 청년들에게 '현실과 드라마를 구분 못하는 놈!'이라고 손가락질할 일만은 아닐 것이다.

Thank you, Please

영어에서 가장 잔인한 표현

위험을 무릅쓰고 유럽에서 신대륙으로 떠나 현지 원주민들을 수백만 명씩 죽이고도 눈 하나 꿈쩍하지 않던 지독한 조상을 둔 유럽인들은 '사람이 재산이다'라고 믿는 한국인들과는 정서적으로 크게 다를 수밖에 없다. 우리나라 어른들은 예로부터 제아무리 많은 돈을 벌고 높은 지위에 올라도 주변에 사람이 없으면 외로운 법이라고 말씀하셨다. 이와 반대로 삶과 죽음을 오가며 죽고 죽이는 모험과 약탈, 침략의 역사를 만든 서양 사람들은 사람을 너무 가까이 두면 위험하다고 생각해왔다. '공격'을 뜻하는 'attack'이라는 단어만 봐도 그들의 이런 정서를 쉽게 알 수 있다. 'attack'은 '~쪽으로ad'와 '붙다stakon'가 합쳐져서 생긴 말로 '두 사람이 붙어있으면 싸운다'는 의미를 담고 있다. 또 '폭행하다'라는 뜻인 'aggress'는 '~쪽으로ad'와 '걷다grade'가 합쳐진 단어다. 이 단어는 원래 '다가오다'를 뜻했는데 사람이 가까이 다가오면 폭행을 저지른다는 의미였다. 그래서 서양 사람들은 평소에도 타인의 기분을 상하게 하는 행동을 절대로 하지 않게 가르쳐 칼부림을 예방했는데 이것이 서양 매너의 기본이다. 한마디로 서양의 매너란 여유 있는 신사들의 예의범절이 아니라 칼 맞기 싫어 몸을 사리는 것이라고 말할 수 있다. 그래서 한국과 서양인의 매너에는 큰 차이가 있다.

사업상 알게 된 우리나라의 한 여성이 스위스 남성과 결혼을 했는데 12년의 결혼생활 끝에 최근 이혼했다. 이혼 사유는 크게 두 가지였다. 첫 번째는 남편이 된장 냄새를 너무 싫어해서 밤에 몰래 된장국을 끓여먹는 것이 너무 서럽더라는 것이다. 게다가 몰래 끓여먹어도 결국 남편이 귀신같이 된장 냄새를 감지하고 "된장 먹었어?"라고 한 마디 툭 던지는 것은 더욱 슬펐다고 한다. 두 번째 이유는 12년 동안 같이 살아왔으면서도 남편이 물잔 하나 갖다 달라면서도 "Please.", 와인 한잔 따라주어도 "Thank you."라고 말하고, 반면에 아내인 그녀가 남편에게 그런 말을 깜빡 잊고 안 하면 남편이 "화났어?"라며 꼬치꼬치 물어 너무 불편하게 한다는 것이었다.

"매너만 좋구만 배부른 소리 하네."라고 비아냥거리는 분도 계실 것이다. 그러나 어원을 알고 보면 한국 여성이 스위스 남성의 이런 말투 하나만 가지고도 기분 나빠할 만한 이유는 충분하다. 원래 이런 표현들은 모두 매정한 의미를 가지고 있기 때문이다.

이 표현들은 '세상에 공짜는 없다'는 현대 서구 문명의 사고방식을 그대로 담고 있다.

'고마움'을 표현하는 말 'Thank you'에서 'thank'는 원래 '생각하다' '떠올리다'를 뜻하는 'think'의 한 형태였다. 'Thank you'는 '네가 해준 일을 꼭 머릿속에 간직하고 있겠다', 한마디로 '언젠가는 갚겠다'는 말이다. 영어의 경우 상대편의 '고맙다'는 말에 여러 가지 답변을 할 수 있는데, 가장 흔하게 하는 답변이 'You're welcome'이다. 'welcome'은 원래 'well+come', 즉 '잘 왔다'란 뜻이다. 보통은 가족이나 친한 손님이 왔을 때 '잘 왔어'라는 뜻으로 쓰이던 말인데, '내가 너를 손님이라고 생각하고 해준 일이니 빚이라고 생각하지 말아달라'는 뉘앙스를 가지고 있다. 또 'Thank you'라는 말을 듣고 'My pleasure'라고 대답하면 '내가 좋아서 한 일이니 빚은 아니다'라는 의미가 되고 'It's nothing'이라고 대답하면 '별일 아니니까 빚을 0으로 봐도 좋다'라는 의미가 숨겨져 있다. 이렇게 부인이 물 한 잔을 따라주어도 남편이 "아이고, 빚졌네요."라고 말하면 아내가 "아니에요. 내가 즐거워서 한 일인데 빚이라 할 수 있나요."라며 꼬박꼬박 빚 통장을 정리하며 사는 서양 매너에 한국 여성으로서는 진저리를 낼 만도 하다.

17세기 이후의 서양사회가 얼마나 살벌했는지는 'Excuse me'라는 표현을 통해 알 수 있다. 미국 사람들은 버스 안에서 누군가와 살짝 부딪히거나 실수로 발을 밟으면 "Excuse me."라고 정중히 사과한다. 'Excuse me'의 원래 뜻은 '제발 고발하지 마세요'다. 'ex'는 '~에서 빼다'란 뜻이고 'cuse'는 '고발하다'인데 '이유' '원인'이라는 뜻의 'cause'와 같은 어원을 갖고 있다. 이 단어는 고발을 통해 범죄의 경유와 원인을 밝혀낸다는 데서 유래한다. 실제로 중세 유럽에서는 길에서 돈 많은 사람과 잘못 부딪히면 고의로 밀쳐 싸움을 걸거나 모욕을 주려 했다며 법정에 고발당해 벌금형이나 심한 경우에는 사형선고를 받는 일도 많았다고 한다. 그래서 'Excuse me'는 '제발 법적인 조치에서 빼주세요!'라는 뜻이었다. 고의가 아니라 실수로 부딪힌 것이니 고발하지 말아달라고 무릎 꿇고 빌던 데서 유래했다. 결국 남과 부딪히는 순간 빚을 지게 되었으니 그 빚을 탕감해달라고 부탁을 한다는 면에서 'Thank you'와 비슷한 문화적 의미가 담긴 표현이라고 할 수 있다.

서양 사람들은 심지어 가족에게까지 사소한 부탁을 할 때도 'please'라는 말을 사용한다. 원래 표현은 이보다 긴 'If you please'였다. '당신이 기분이 내켜서 즐겁게 해줄 수 있다면 해달라'는 말이다. 절대로 강요하는 것이 아니니 나중에 빚 받으러 오지 말라는 선제 공격이기도 했다.

이런 식으로 끊임없이 상대편을 경계하며 살아야 하는 유럽은 우리 눈에는 정말 피곤한 사회로 보인다. 17세기부터 서양사회에는 이렇게 매정한 표현이 더욱 많아졌는데 그에 대해서는 여러 의견이 있다.

그중에서 영국의 한 교수가 내놓은 의견이 가장 흥미롭다. 이 교수는 유럽이 세상에서 가장 먼저 평등한 사회가 되었기 때문에 이런 표현이 많이 생겼다고 주장한다. 대체로 어떤 문화권이든 윗사람이 아랫사람을 챙겨주는 것은 당연한 일이었다. 부모님이 자식을 교육시켜주었다고 해서 나중에 자식이 부모에게 교육비를 한 푼씩 낱낱이 계산해서 갚도록 하는 사회는 세상 어디에도 없다. 학교에서 교수님과 식사를 했는데 학생이 밥값을 내는 것도 어느 나라에서나 무례한 일이다. 그래서 우리나라처럼 선배, 후배, 형, 누나, 언니, 동생처럼 상하관계 서열이 분명한 사회에서는 이렇게 딱 떨어지는 계산이 그다지 필요하지 않다. 힘들 때 윗사람을 찾아가서 별 죄책감 없이 밥을 얻어먹을 수 있는 이유는 내가 그 사람보다 더 낮은 사람이라는 것을 서로 잘 알기 때문이다. 반면에 아랫사람이 윗사람에게 밥을 사거나 돈을 주는 것은 오히려 윗사람에 대한 무례가 될 수 있다. 그래서 프랑스에는 '채찍으로 개를 훈련시키듯 노예는 선물로 훈련시켜라'라는 속담이 있다.

그런데 동등한 위치의 사람들의 경우는 좀 다르다. 동창끼리는 친구가 먼저 밥을 사면 다음에는 보통 내가 산다. 그래서 민주주의가 가장 먼저 발달한 곳일수록 'Thank you' 'Please' 'Excuse me'같이 예의는 바르지만 정이 없는 표현을 많이 쓰게 되었다는 것이다. 동등한 사람끼리 정을 나누는 일이 상하관계에 있는 사람과 정을 나누는 일보다 힘들다는 뜻이다. 이런 문화적 이유로 서양 여자들은 자기보다 경제력이 크게 차이 나는 남자와 사귀거나 결혼하는 것을 꺼린다. 그 남자의 돈으로 밥을 먹거나 선물을 받을 때마다 커플 사이의 평등관계가 깨진다고 믿기 때문이다. 정리하자면 우리 조상들께서 상하 서열을 분명히 정하고 지켜온 이유는, 이런 것들을 통해 끈끈한 정이 생긴다는 것을 알고 계셔서였는지도 모르겠다.

서양 사람들은 이렇게 서로 공격을 일삼는 잔인한 사회에서 살아남으려고 '매너manner'라는 것을 만들었다. manner는 '손'을 뜻하는 'manus'에서 나온 말인데, '자기 자신을 손에 쥐다', 즉 남에게 흐트러진 모습을 보여주지 않고 스스로를 꽉 붙들어 긴장을 풀지 않는다는 뜻이다. 다시 말하면 지금 우리는 서양 사람들을 보고 "와! 매너 좋다."라고 감탄하지만 그들의 매너 있는 말투와 제스처에는 '죽기 싫으면 절대로 이 선은 넘지 마라'는 경고의 메시지가 들어있다는 점을 주의 깊게 생각해볼 필요가 있다.

Money

주노 여신의 가계부

역사 속의 남자들은 국적과 나이를 불문하고 돈맛을 알면 정신을 차리지 못하는 경우가 많았다. 초기 자본주의 역사가 보여주듯, 여자의 관여 없이 남자들에게만 돈을 맡겨두면 돈 때문에 사람도 죽이고 형제도 배신하는 일이 비일비재했다.

우리 옛말에도 '곳간 열쇠는 마나님이 쥐어야 돈이 안 샌다'라는 말이 있는데, 우리 선조들만 이런 생각을 한 것은 아니다. 역사상 최고의 마초였던 로마 야만인들의 칼을 맞아가면서 번 나랏돈을 한 여자에게 몽땅 맡기고 용돈을 타서 썼으니 말이다.

로마 제국의 곳간 열쇠는 여신이 쥐고 있었다. '아버지 신' 주피터는 법을 주관하고 나쁜 사람들에게 벌을 주는 권력자였지만 로마제국의 국고는 '어머니 신'이자 주피터의 아내인 주노가 주관했다. 최고의 신도 부인에게 돈을 맡기고 그때그때 용돈을 타서 썼다는 이야기다. 로마에는 '주노 모네타Juno Moneta'라는 어머니 신을 모시는 신전이 있었는데, 이 신전의 이름에서 '돈'을 뜻하는 단어 'money머니'가 나왔다.

'로마는 하루아침에 세워지지 않았다'라는 말이 있다. 실제 로마는 세계를 제패한 대제국이 되기 전까지 몇 번이나 망할 고비를 넘겼다. 기원전 400년, 아직 로마가 작은 도시국가 수준이던 시절, 로마가 강대국으로 성장할 기미가 보이자 아예 그 싹을 잘라버리겠다는 듯, 갈리아족이라는 무시무시한 민족이 지금의 프랑스 땅에서 알프스 산을 넘어 로마로 쳐들어갔다. 갈리아족은 전쟁 중에도 갑옷을 입기는커녕, 목에 밧줄 하나만 달랑 묶은 벌거벗은 몸으로 나타나 적을 뭉툭한 몽둥이로 잔인하게 패 죽이는 무서운 전사 민족이었다.

갈리아족을 이길 가능성이 없다고 판단한 로마 시민들은 도시를 버리고 모조리 피난을 갔다. 하지만 로마의 집정관 마르쿠스 만리우스는 지도자답게 도망치지 않았다. 오히려 자기를 잘 따르는 정예부대를 이끌고 주피터 신전이 있는 카피톨리누스 언덕 위의 초소로 올라가 로마를 지키기로 했다. 이 언덕은 절벽이 가팔라 적군이 기어올라가기 힘들었으므로 갈리아 군사들은 언덕 밑에 진을 치고 공격할 기회를 엿보며 기다렸다. 드디어 밤이 왔고, 만리우스는 자기도 모르게 깜빡 잠이 들었다.

갈리아 군사들은 만리우스와 로마 파수꾼들이 잠시 잠든 사이, 어둠과 정적을 방패 삼아 맨손으로 가파른 절벽을 기어올랐다. 전설에 의하면 그때 주피터 신의 아내인 주노 여신이 만리우스 대신 갈리아 병사들을 지켜보고 있었다고 한다. 적군이 올라오는데도 만리우스가 잠에서 깨지 못하자 주노 여신은 자기가 기르던 거위를 카피톨리누스 언덕으로 보냈다. 거위가 꽥꽥 하고 우는 소리에 잠이 깬 만리우스는 그제야 절벽을 기어오르고 있는 갈리아 군사들을 발견했다. 만리우스는 이제 막 꼭대기에 도착한 갈리아 군사들을 잡아 내던져 그 아래로 기어오르던 사람을 맞추었다고 한다. 갈리아 군사들은 도미노처럼 우르르 절벽에서 떨어졌고, 만리우스는 나라를 구한 영웅이 되었다.

만리우스는 주노가 보내준 거위 덕분에 위기를 모면할 수 있었다며, 카피톨리누스 언덕 위에 있던 자신의 집을 주노를 모시는 신전으로 바쳤다. 로마 사람들은 이 신전을 '주노가 우리를 지켜봐준다', 즉 '모니터해준다'라는 의미에서 '주노 모네타 신전이'라고 불렀다. 로마 사람들은 주노가 갈리아 군사들이 절벽을 기어오를 때의 상황을 '모니터' 해줘서 로마를 구했던 것처럼, 나라의 돈을 훔치는 놈이 있는지 쓸데없는 곳에 돈을 낭비하지는 않는지 잘 '모니터'해줄 것이라 믿고 주노 모네타 신전에서 돈을 찍어냈다. 그래서 'Moneta'의 발음이 바뀌어 'money', 즉 '돈'이 되었다.

고대 로마인들은 아버지 신 주피터의 엄격한 법과 어머니 신 주노의 알뜰한 살림 속에서 로마가 번성해나간다고 믿었다. 고대 로마인들에게는 남자들의 무모한 모험심과 여자들의 현명한 실용성이 하나가 되어야 가정도, 인생도 발전한다고 믿었던 것이다.

옛날 사람들은 무조건 여자를 차별했을 것 같지만, 실제 로마 남자들은 실내에서 하는 모든 일은 남자보다는 역시 여자가 훨씬 잘한다고 생각했다. 학교에서도 남학생들에게 똑똑해지려면 여자들의 섬세함을 배워야 한다고 가르쳤는데, 그 영향으로 베틀에서 짠 옷감을 말하는 단어인 'textile'이 '교과서'를 뜻하는 'textbook'으로 발전했다.

Text

베틀로 지식의 실을 잇는다

고대 그리스와 로마인들은 남자의 용맹함과 여자의 섬세함이 합쳐져야 세상일이 잘 돌아간다고 믿었다. 신 중의 신인 주피터는 법을 만들었고, 여신 주노는 금고 열쇠를 관리했다. 'Juno Moneta'가 돈을 뜻하는 'money'의 어원이듯, 섬세한 일은 여자가 더 잘할 수 있음을 인정했던 것이다. 특히 여자의 섬세한 일처리 능력에 관심을 둔 것은 학교 선생님들이었다. 오늘날까지도 남자는 이과에서, 여자는 문과에서 두각을 나타내는 경우가 많은데, 고대 로마시대의 선생님들도 문과 남학생들에게 여자들의 섬세함을 배우라고 가르쳤다. 그래서 '베틀로 옷감을 짠다'를 뜻하는 단어 'textile'이 '글'을 뜻하는 'text'라는 단어로 발전했다.

베틀을 사용하지 않는 지금의 우리에게는 추상적으로 들릴수도 있지만, 옷 가게가 없어서 집집마다 베틀을 들여놓고 엄마나 부인이 해주는 옷을 입고 살던 당시 학생들에게는 아주 구체적이고 이해하기 쉬운 비유에서 나온 단어라고 하겠다.

오늘날 예쁘고 똑똑하고 착한 여자는 당연히 인기가 많다. 고대 그리스의 남자들 역시 예쁜 여자를 좋아했다. 그러나 똑똑한 여자보다는 옷 잘 만드는 여자를 더 좋아했다. 옷 잘 만드는 여자와 결혼하면 남편은 훌륭한 옷을 입을 수 있었고 남들은 흙바닥에 살 때도 카펫이나 방석을 깔고 앉을 수 있었다. 아기를 보자기에 싸서 안전하게 지키고, 좋은 담요를 덮고 따뜻하게 잠을 잘 수 있었기 때문에, 남자들은 예쁘고 옷 잘 만드는 여자가 최고의 아내감이라고 생각했다고 한다.

그리스 여자들이 옷감 짜는 기술로 서로 얼마나 경쟁하고 질투했는지를 알고 나면 현대 여성들의 미모 경쟁은 약과라는 생각이 들 것이다. 고대 그리스 전설에는 심지어 이런 이야기도 있다. 고대 그리스에 아라크네라는 여인이 살았는데 외모가 예쁘고 옷감도 잘 짜 남자들에게 인기가 높았다. 그래서 아라크네는 올림포스 산 위에 있는 아테네 여신마저 화나게 할 정도로 콧대가 높았다. 그녀는 심지어 자기가 아테네보다 옷을 더 잘 만든다고 자랑하고 다녔다. 감히 인간 여자가 신에게 도전을 하다니, 아테네는 참을 수 없이 화가 치밀었다. 아테네는 마침내 분노가 폭발해 아라크네의 얼굴을 칼로 베어 흉측한 흉터를 남기고 그녀가 만든 옷감과 베틀을 모두 불태우고 부숴버렸다. 그래도 분이 안 풀리자 아라크네를 배만 크고 다리가 여덟 개 달린 징그러운 거미로 변신시켜서 남자들이 보기만 하면 도망가도록 했다. 그리스 사람들은 아라크네가 아테네 여신에게 미움을 사 흉측한 거미로 변하자 여자로서 마지막 자존심을 지키기 위해 내장을 갈아서 실을 만들어 베를 짜는 것이 바로 거미줄을 치는 것이라고 믿었다.

이렇게 옷 짓는 기술은 미모와 더불어 여자들의 가장 중요한 매력 포인트였고, 남자들은 이런 복잡한 일을 섬세하게 척척 해내는 여자들의 지혜를 정말로 신기하게 여겼다.

한편, 고대 로마시대에 퀸틸리안이라는 사람이 있었다. 퀸틸리안의 아버지는 아들을 일찌감치 나라의 수도로 보내 훌륭한 철학자들 밑에서 공부시켰다. 퀸틸리안은 국어 공부를 특히 잘했다. 그는 공부를 다 마치고 먹고살 길을 찾다가 로마 중심가의 부잣집 아이들은 모두 나중에 정치가가 되려고 한다는 것을 알아차리고 국어 특기를 살려서 연설을 가르치는 웅변학원을 차렸다.

퀸틸리안은 쓸데없는 소리를 하거나 앞뒤가 맞지 않게 말하는 학생들에게 조리 있게 말하는 방법을 가르치려고 많은 노력을 했다. 그럼에도 통 말귀를 알아듣지 못하는 학생들이 있었다. 이런 학생들도 알아듣기 쉽게 설명해주는 방법은 없을까 연구하다가 마침 좋은 비유법을 떠올렸다. 당시 로마 학생들은 어머니가 집에서 옷을 만들어 입혔기 때문에 '베틀을 누를 때 실을 엉키지 않게 순서대로 놓아야 좋은 옷감이 나오듯, 순서대로 논리정연하게 원고를 써두면 말을 할 때 엉키지 않고 잘 나온다'라고 가르쳤다. 이렇게 자상한 가르침으로 퀸틸리안의 웅변학원은 대박이 났다. 심지어 로마 황제의 조카와 손자들까지 퀸틸리안의 제자가 되었다. 물론 손자들이 말을 너무 잘하게 되자 왕자의 난이 일어날 것이 두려웠던 황제가 그들을 귀양 보냈으므로 손자들은 너무 좋은 선생님을 만나 도리어 인생을 망친 꼴이 되었지만 말이다.

퀸틸리안은 웅변학원으로 큰 부자가 되자 일찍 은퇴를 했다. 여생의 새로운 목표를 찾던 그는 문득 로마에 제대로 된 웅변 교과서가 없다는 것을 알게 되었다. 그는 여생을 웅변 교과서 쓰는 데 바쳐야겠다고 생각했다. 요즘 우리나라에서도 화술책이 인기인데, 퀸틸리안이 쓴 장장 12권짜리 저서 〈말의 정통Institutio Oratio〉이야말로 인류의 첫 번째 화술 교과서라 할 수 있다.

이 책을 보면 '글을 짓는 것은 단어로 옷감texture을 짜는 것과 같다'라고 쓰여있다. 이 책이 중세 내내 모든 유럽 학교의 라틴어 교재로 쓰이면서 'text'라는 단어는 그냥 '글'이라는 뜻이 되어 오늘날까지도 문자 메시지 보내는 것을 'texting'이라고 하게 되었다.

이 'text'는 참 재미있는 단어다. 고대 그리스어로 뭔가를 뚝딱뚝딱 만든다고 해서 '집 짓는 것'을 'tek'이라고 했다. 거기서 오늘날 '첨단 기술'을 뜻하는 단어인 'technology테크놀로지'와 '숙련된 기술'을 뜻하는 'technic테크닉'이 나왔다. 남자들이 집을 짓듯 여자들에게는 옷을 짓는 것이 가장 중요한 기술이었기 때문에, 여자들이 'tek', 즉 '짓는 것'이라고 해서 옷감을 'textile'이라고 불렀다. 여자의 인권이 향상되어 여자도 대학에 다닐 수 있게 된 지 약 50년쯤 지난 지금, 이과 분야는 남자가 우세하지만 문과에서는 단연 여자들이 앞서는데 원래 '글'을 뜻하는 영어 'text'가 베틀로 짠 '옷감', 즉 'textile'에서 나왔으니 어원으로만 보아도 수천 년 동안 옷감을 만들고 옷을 지어온 여자들이 문과에 유리할 수밖에….

이 단어를 우리말과 비교해 보면 참 재미있는 점을 발견할 수 있다. 우리말로도 소설의 줄거리가 전개되는 것을 이야기의 '실마리를 푼다'고 말한다. 또 'technic' 'textile' 'text'가 서로 비슷하듯 우리도 '집을 짓다' '옷을 짓다' '글을 짓다'라고 말하니, 동서양을 막론하고 삶의 주변에서 손쉽게 말의 개념을 찾아내기 때문일 것이다.

옛날 사람들의 인생은 아주 단순했다. 우리는 영어를 공부할 때 추상적인 의미를 가진 '개념어'를 외우는 것을 끔찍하게 어려워하지만, 단어에 읽힌 역사를 알면 세상에 진짜 추상적인 단어라는 것은 없다는 것을 알게 된다. 모든 언어는 아주 단순한 생활 속에서 사용하던 물건 이름에 비유했다. 그래서 'text'는 잘 짜여진 천처럼 '잘 짜여진 이야기'를 뜻하게 된 것이다. 또 하나의 예를 들어보면 고대 그리스와 로마 사람들은 'text'로 공부하는 장소를 '아카데미'라고 불렀는데 이것 역시 전혀 추상적인 단어가 아니다. 그리스의 한 마을에 심어져 있던 올리브나무의 이름에 불과했으니 말이다.

Academy

올리브나무 밑에 모인 학생들의 모임, 아카데미

우리나라도 시골에 가면 동네 할아버지들이 느티나무 밑에 놓인 평상 위에 삼삼오오 모여앉아 장기를 두며 인생을 논하곤 하시는데, 아테네 어르신들 역시 느티나무 대신 올리브나무 그늘에서 이 얘기 저 얘기 하며 한가한 시간을 즐겼다. 아테네에는 '아카데미Academy'라고 불리는 아주 늠름한 올리브나무가 있었다. 이 나무 그늘 밑으로 플라톤이라는 할아버지의 조언을 들으려고 청년들이 몰려들곤 했다. 오늘날에는 백화점 문화센터의 교육부서와 입시학원까지도 '아카데미'라고 부르는데, 예컨대 '음악 아카데미'는 원래 '음악을 논하는 올리브나무 그늘'이라는 다소 친근하고 촌스런 표현이었다.

물론 이 올리브나무는 예사로운 나무가 아니었다. 전설에 의하면 이 올리브나무는 아테네라는 마을이 생길 때부터 서있던 아주 오래된 나무라고 한다. 이 나무에 아카데미라는 이름이 붙은 유래는 그리스의 도시국가 아테네의 건국신화를 통해서 우리에게까지 전해진다.

우리나라에 단군 신화가 있다면 그리스의 아테네에는 테세우스 신화가 있다. 아테네가 아직 조그마한 마을에 불과할 때의 이야기다. 당시 그리스 도시국가 중 최강국은 크레타였는데 이들은 틈만 나면 아테네를 괴롭혔다. 크레타에는 미노스라는 왕이 있었는데, 형제와 권력싸움을 하는 데 바빠 부인에게 소홀했다고 한다. 부인이 얼마나 외로웠던지 미노스가 키우고 있던 건장한 흰 숫소에게 성적 충동을 느꼈다. 하지만 소가 인간 여자에 관심을 보일 리 없었다. 미노스의 부인은 나무로 어여쁜 암소 모양을 만들고 그 안에 들어가서 흰 숫소를 유혹해 마침내 아들을 낳았다. 하지만 그 아들은 소와 인간 사이에서 태어났으므로 머리는 소, 몸은 인간인 끔찍한 괴물이었다. 사람들은 이 괴물을 '미노스Minos의 소toro'라고 해서 '미노타우로스Minotaur'라고 불렀다고 한다.

지금 우리가 들으면 말도 안 되는 이야기지만, 우리나라에도 곰이 쑥과 마늘을 먹고 사람이 되었다는 이야기가 있으니 일단 믿어보기로 하자.

미노타우로스는 사람을 잡아먹는 끔찍한 괴물로 자랐다. 하지만 부모 눈에 자기 자식은 무조건 예뻐 보이는 법. 미노스왕의 아내가 이 아들을 너무도 사랑한 나머지 미노스왕조차 그를 함부로 죽일 수가 없었다. 그 대신 미노스왕은 아무도 빠져나오지 못하도록 미궁을 지어 그 안에 미노타우로스를 가뒀다. 미노스왕은 사람을 잡아먹는 미노타우로스에게 먹을 것을 주어야 했는데, 차마 자신의 백성들을 괴물의 먹거리로 희생시킬 수는 없었다. 그래서 인근의 약소국 아테네에서 주기적으로 젊은 남자 7명과 여자 7명을 조공으로 바치도록 해서 이들을 미노타우로스가 살고 있는 미궁으로 보냈다. 이곳으로 뽑혀간 아테네 청년들은 미궁에서 길을 찾지 못하고 헤매다가 미노타우로스와 마주치면 잡아먹히는 끔찍한 운명을 맞이해야 했다. 그러던 중, 테세우스라는 젊은 아테네 청년이 미노타우로스의 먹잇감으로 뽑혀 동료들과 함께 배를 타고 크레타 해안에 도착했다.

미노스왕의 아내에게는 딸도 한 명 있었다. 이 공주는 엄마가 오빠인 미노타우로스만 너무 편애하자 그를 굉장히 싫어했다. 그녀는 아테네에서 배를 타고 온 잘생긴 테세우스를 보고는 하나의 꾀를 냈다. 오빠를 죽이고 테세우스와 함께 도망쳐 결혼해서 살겠다는 야무진 계략이었다. 공주는 아무도 모르게 테세우스에게 칼과 실타래를 넘겨주었다. 영리한 테세우스는 공주의 의도를 바로 알아챘다. 그는 미궁 입구에 실을 묶어두고 실타래를 풀면서 안으로 들어갔다. 얼마 후 미노타우로스가 나타나 그를 공격하려 하자, 공주가 준 칼로 미노타우로스를 해치우고 들어올 때 풀어놓은 실을 따라 미궁 밖으로 무사히 빠져나올 수 있었다. 하지만 잘생긴 테세우스는 요즘 유행하는 표현으로 소위 '나쁜 남자'였다. 그를 도와준 공주를 무인도에 버려두고 혼자 배를 타고 고향인 아테네로 떠난 것이다. 그리고 아테네 사람들을 이끌어 크레타로부터 독립을 선포하고 독립 아테네의 첫 왕이 되었다고 한다.

왕이 된 테세우스는 결혼 상대를 찾던 중 헬렌이라는 절세 미녀를 보고 한눈에 반해버렸다. 그런데 당시 헬렌의 나이 겨우 12살이었다. 테세우스는 헬렌을 몰래 납치해 혼기가 찰 때까지 가두었다가 그녀와 반드시 결혼하고 말겠다는 고약한 계획을 세웠다. 그러나 헬렌이 테세우스에게 납치당한 사실이 알려지자, 그녀의 오빠들이 군대를 몰고 테세우스의 궁으로 쳐들어가 헬렌은 무사히 집으로 되돌아갈 수 있었다.

그때 아테네 시민 중 한 사람이 헬렌의 오빠들에게 테세우스가 그녀를 숨겨둔 장소를 알려주어서 큰 전쟁을 면할 수 있었다고 한다. 그 시민의 이름은 아카데모스Hecademos였는데, 아테네 사람들은 전쟁을 면하게 해준 이 영웅을 기리기 위해 동네 공터에 올리브나무를 심고 이를 '아카데모스의 나무'라는 의미로 '아카데미'라고 불렀다고 한다.

서양 학문의 아버지로 불리는 플라톤이 활동할 당시에는 아직 학교라는 것이 없었기 때문에 플라톤은 아테네의 공터에 젊은이들을 모아놓고 인생과 자연, 법에 대해 가르쳤다. 햇빛이 뜨거운 날에는 학생들을 아카데미라는 이름을 가진 올리브나무 그늘 밑으로 데리고 갔다. 이후 플라톤의 제자들이 유럽 전역으로 퍼져나가 학교를 세웠는데 플라톤이 철학을 가르치던 곳의 이름을 따서 그들이 세운 학교를 '아카데미'라고 불렀다. 지금까지도 아카데미는 '학교' '학당'이라는 뜻으로 쓰이고 있다.

이처럼 우리가 어렵게 생각하는 철학 용어도 사실 그리스어로 풀어보면 엉뚱할 정도로 평범한 경우가 많다. 좀 더 난이도가 높은 단어인 '스토아 학파'나 '키니코스 학파'도 풀어보면 아주 단순하다. 스토아 학파는 '베란다 학파'고 키니코스 학도파는 '똥개 철학자'들이니 말이다.

The Cynics, The Stoics

그리스 철학의 최고봉, 똥개 학파와 베란다 학파

현대 유럽인들은 아테네를 서양 문명의 근원지로 매우 소중히 여긴다. 아테네에서 서양 역사상 처음으로 플라톤 같은 철학자들이 '옳고 그른 것이란 무엇인가?' '남이 옳다고 하는 것을 무조건 따라야 하는가?'와 같은 인간답게 사는 것이 무엇인지에 대한 중요한 질문을 시작했기 때문이다. 그래서 우리도 학교에서 '스토아 학파' '키니코스 학파' 같은 단어를 배우기는 하는데, 음절도 많고 개념도 복잡해서 외우려면 짜증이 난다. 하지만 'text'가 베틀에서 나왔고 'academy'가 올리브 나무의 이름에서 온 것처럼 이 단어들도 그 유래를 알고 보면 별것 아니다.

우선 키니코스 학파를 보자. 플라톤이 살았던 시대의 아테네는 청년들이 운동으로 심신을 단련할 수 있는 공터가 많았다. 공터 중에 '하얀 똥개 운동장'으로 불리던, 그리스 사람들이 불경하다며 기피하는 곳이 있었다. 어느 날 아테네 사람들이 이 공터에서 신에게 재물로 바치려고 정성껏 준비해둔 고기를 하얀색 똥개가 물고 갔다는 이유에서 그렇게 불렀다고 한다.

플라톤이 아테네에서 제자들을 가르친다는 소문이 돌자 인근 마을에서도 말깨나 잘하는 철학자들이 제자들을 모으기 위해 아테네로 몰려들었다. 멀리 북쪽에서 온 디오게네스도 그중 한 명이었다. 그런데 당시의 아테네 사람들은 외지에서 온 사람들을 엄청 차별했다. 그래서 좋은 터에서는 아테네 출신 철학자들만 강의를 할 수 있었다. 디오게네스는 하는 수 없이 아테네 시민들이 불경스럽다고 여겨 피해다니는 공터 하나를 찾아 청년들을 모아놓고 자신의 냉소 철학을 가르쳤는데, 이곳이 바로 '하얀 똥개 운동장'이었다.

'cynosarge'는 고대 그리스어로 '하얀 개'라는 뜻인데, 여기서 'cyno'는 '개'라는 뜻이다. 그래서 사람들은 디오게네스와 그의 제자들을 '하얀 똥개 운동장에서 모이는 사람들'이라고 해서 '똥개 학파', 즉 '키니코스 학파The Cynics'라고 불렀다. 오늘날에는 '견유학파'라고 점잖게 한문으로 쓰지만 말이다.

디오게네스는 사람들의 고정관념을 따끔하게 꼬집는 것으로 유명했다. 일화에 의하면 어느 날 디오게네스는 물고기에 목줄을 매달아 질질 끌고 다녔다. 이 광경을 본 사람들이 그에게 손가락질을 하자 디오게네스는 "당신들이 쓸데없이 강아지에 목줄을 매달아 끌고 다니는 것과 뭐가 다릅니까?"라고 따끔하게 대꾸했다. 디오게네스는 청년들에게 모든 고정관념에는 의심의 여지가 있다고 가르쳤다. 디오게네스는 왜 꼭 집이 있어야 하는지 모르겠다면서 자신은 한때 술을 담그는 데 쓰는 오크통을 시장통에 가져다 놓고 그 속에서 살았다고 한다. 그에게 재산이라고는 목마를 때 물을 떠먹으려고 만든 나무 물컵 하나뿐이었다. 그런데 어느 날 길을 걷다가 거지가 두 손을 모아 물을 떠먹는 광경을 보고는 물을 떠먹는데 꼭 물컵이 있어야 하는 것은 아니라는 것을 깨달았다며 자신의 유일한 재산인 물컵마저 버렸다고 한다. 그래서 오늘날까지도 남들이 다 하는 일을 따라 하지 않고 따끔하게 꼬집는 사람을 '시니컬하다cynical'고 말하는데, 그리스어로 'cyno'가 '개'니까 엄밀히 말하면 시니컬한 사람은 '개 같은 사람'이라는 뜻이다.

일부 백과사전에는 디오게네스가 "내가 개보다 나은 것이 뭐냐?"라고 생각한 데서 '똥개 학파', 즉 '키니코스 학파'가 생겼다고 쓰여있다. 물론 철학을 경건하게 생각하는 사람들은 자기가 공부하는 학파의 이름에 멋진 의미가 있으면 좋겠다고 생각해서, 꿈보다 해몽이라고 여러가지 근사한 의미를 갖다 붙이고 싶겠지만 당시 그리스 사람들은 디오게네스의 말을 실제 현장으로 가서 들어볼 정도로 수준 있는 사람들이 아니었다. 따라서 '똥개 학파'라는 이름은 그냥 똥개 운동장에서 논다고 비웃었던 데서 생겨났을 가능성이 훨씬 높다.

장난기 많은 디오게네스에 비해 철학자 제논을 따르는 청년들은 대단히 심각했다. 이들은 사랑, 질투, 증오, 우정 같은 감정들이 모든 불행의 씨앗이라며 감정 절제를 중요시했다. 제논은 디오게네스와 반대로 부잣집 아들이었다. 돈이 많은 만큼 강의 여건도 좋아서 그는 아테네 중심부에 있는 큰 베란다에서 수업을 했다고 한다. 지붕이 햇볕을 가려주었으므로 한낮에도 강의에 지장을 받지 않았다. 베란다는 광장에 지붕을 '세운stand' 것이라서 그리스어로 'stoa'라고 했다. 그래서 사람들은 제논의 제자들을 '스토아 학파The Stoics'라고 불렀다. 이 말은 영어로 '묵묵하고 감정의 변화가 없다' 를 뜻한다.

평소 어렵다고 느끼던 인문학 용어들도 그 어원의 배경을 알고 나면 아주 단순하고 재미있다. 플라톤과 아카데미 학파는 올리브나무 철학자들이고, 디오게네스와 시니컬한 제자들은 개 같은 사람들이고, 제논과 스토아 학파는 베란다 학파인 것이다. 이렇게 단어를 그 어원부터 되짚어보며 제대로 이해하면 어렵게 느껴지던 학문이 갑자기 옆 동네 아저씨들의 이야기를 듣는 것처럼 확 친근해질 것이다.

Manager

말의 고삐를 쥔 사람

동네 공터에서 쓸데없는 이야기나 주고받던 사람들을 뜻하던 단어인 '아카데미'는 세상이 바뀌면서 점차 지식인의 필요성이 높아지자 그 느낌이 한층 더 고급스러워졌다. 100년 전까지만 해도 천대받던 연예인, 장사꾼, 숙박업자, 음식점 주인 같은 직업들이 세월이 흐르면서 부러움을 사는 직업으로 변한 것과 같다.

지금은 에어컨을 빵빵 틀어놓고 컴퓨터 앞에 앉아서 일하는 사업가들이 타인의 선망의 대상이지만, 옛날에는 비즈니스맨도 광대 버금가게 천대를 당했다. 우리나라도 과거에 사농공상 사상이 강해서 장사하는 사람을 몹시 천대했는데 유럽 역시 기도하는 자, 싸우는 자, 농사짓는 자 이렇게 세 개로 계급을 분리하고 상인은 아예 계급 안에 포함시키지도 않았다. 그레고아 드 튀르라는 중세기 수도승의 사록을 보면 이렇게 쓰여있다.

'상인은 절대로 우리와 함께 천국에 갈 수 없는 더러운 존재이기 때문에, 감히 사회계급에 포함하지 않는다.'

시대가 바뀌어 지금은 비즈니스맨으로서 임원, 즉 '매니저manager'

급은 많은 사람들의 부러움을 사고 있다. '매니저'라는 직업이 얼마나 선망의 대상인지, 지금은 서빙하는 여종업원부터 인터넷이나 핸드폰 같은 것을 개통해주는 기술자들까지 웬만하면 다 '매니저'라고 부를 정도가 되었다. 사람들에게 무시당하던 상업이 점차 중요해지면서 비즈니스맨들은 스스로를 '상인'이라고 부르지 않고 '매니저'라고 부르기 시작했다. 원래 매니저는 '말을 타다'를 뜻하는 단어였다. 옛날 유럽의 귀족 계급이었던 기사가 고삐를 손에 쥐면 자기보다 몸집이 큰 말도 자유자재로 다스릴 수 있었기 때문에 라틴어로 '손'을 뜻하는 'mano'에서 '말을 다룬다'는 'manage'가 나왔다. 스스로를 꼭 붙들어 타인에게 흐트러진 모습을 보이지 않는다는 'manner', 그리고 손에 항상 들고 다니는 책인 'manual'과 같은 어원이다. 그러니까 'manager'는 원래 장사꾼이 아니라 기사가 말을 다스리는 것처럼 '조직을 다스리는 귀족적인 일을 하는 사람'이라는 뜻을 가진 단어다.

이 단어가 비즈니스맨을 뜻하게 된 배경은, 영국의 유명한 풍자소설인 〈걸리버 여행기〉의 저자 조나탄 스위프트의 운 좋은 사촌의 인생 속에 있다.

천재는 살아서는 인정받지 못하다가 죽은 다음에 유명해지는 경우가 많다. 스위프트가 그랬다. 오늘날에는 〈걸리버 여행기〉를 모르는 사람이 거의 없지만 스위프트는 살아생전 가난하게 살다가 정신병에 걸려 비참하게 죽었다고 한다. 당시의 영국인들은 스위프트보다는 스위프트의 사촌인 드라이든이라는 시인을 영국 최고의 문호로 뽑았다. 오늘날에는 오히려 드라이든을 기억하는 사람이 거의 없지만 말이다.

드라이든은 할아버지가 남작을 지낸 귀족 가문의 아들이었다. 당시의 귀족은 입시를 보지 않고도 대학에 들어갈 수 있었으므로 존 드라이든은 손쉽게 케임브리지 대학을 졸업했다. 졸업 후에도 아버지가 빽을 써줘서 국무총리실에 취직을 했다고 한다. 현실 감각이 뛰어났던 드라이든은 왕이 바뀌자 새 왕을 칭송하는 시집을 잔뜩 펴내 왕립학회에 좋은 자리를 얻고, 왕실 공식 시인이라는 명예까지 겸하게 되었다.

프랑스 유학파 출신이었던 새 왕은 나랏일은 뒷전이고 매일 궁전에서 사치스런 프랑스식 파티를 여는 데 여념이 없었다. 또 프랑스 사대주의에 푹 빠져있던 새 왕은 프랑스인들은 모두 〈일리아드〉 〈오디세이〉 〈아이네이스〉 등 그리스 로마 고전을 읽어서 대화의 수준이 높은데, 영국인들은 무식해서 말 통하는 사람이 하나도 없다며 매일같이 짜증을 냈다고 한다. 드라이든은 즉시 그 세 권의 고전을 영어로 번역해 많은 영국인들이 읽을 수 있도록 하겠다며 어마어마한 연구비를 받아 챙겼다.

드라이든은 이 세 권의 고전들을 번역하다가 '철저히 운영하고 관리한다'라는 뜻의 영어 단어가 없다는 것을 발견하고 당황했다. 그냥 '비즈니스를 한다'라고 쓸까 하다가 고대 영웅들이 나라를 다스리고 조직을 운영하는데 장사꾼과 관련된 천한 단어를 쓰면 책에 대한 평판이 나빠질 것으로 생각한 모양이다. 그래서 적절한 단어를 찾다가 '말의 고삐를 쥔다'를 뜻하는 이탈리아어 'maneggiare'를 발견했다고 한다. 귀족이 말을 타는 것은 자연스럽고 멋진 일이니, 영웅이 하는 일로 손색이 없다고 생각했던 것이다. 나중에 대기업 사장들이 '나는 천박하게 장사를 하는 것이 아니라, 고삐를 꽉 쥐고 있는 기사처럼 조직의 고삐를 쥐고 있는 사람이야'라고 하며 'management'라는 단어를 자랑스럽게 쓰기 시작했다. 그래서 오늘날까지도 대학에서 '바쁜 일의 고삐를 잡는 법', 즉 'business management'를 가르치는데, 앞에서 다룬 철학 용어처럼 비즈니스 용어도 이런 식으로 풀어보면 확 다가온다.

오늘날에는 전 세계적으로 〈걸리버 여행기〉를 쓴 스위프트를 기억하는 사람이 많지만 드라이든을 기억하는 사람은 거의 없다. 심지어 드라이든의 책은 대부분 출판되지도 않고 있다. 그러나 그는 최소한 'management'라는 단어를 영어사전에 남겼고, 살아있을 때는 호의호식하며 잘 살았으니 스위프트처럼 사는 게 좋은 건지, 드라이든처럼 사는 게 좋은 건지는 딱 부러지게 대답하기가 어렵다.

하여간 '매니저'는 오늘날 모든 사람에게 적용되는 말이 되었다. 'manager'라는 단어의 유래를 알았으니 'business'의 유래도 알아두는 것이 좋은데, 비즈니스는 그냥 'busy+ness', 즉 '바쁨'이다. 중세 사람들의 최고 비즈니스는 'busy', 즉 바쁘게 농사짓는 일이었다. 그래서인지 영국 최고의 록 그룹인 '롤링 스톤스'의 이름도 원래는 농기구 이름이었다.

Rolling Stone

록 그룹 '롤링 스톤스'는 원래 농기구 이름

'록rock 음악' 하면 보통 영국이 먼저 떠오른다. 오늘날까지도 미국의 팝송을 듣는 사람보다 브리티시 록 음악을 듣는 사람의 음악 수준을 더 높다고 쳐준다. 록 음악은 원래 미국 시골 흑인들의 음악인 블루스blues에서 출발했다. 1940년대 제2차 세계대전 당시 히틀러와 맞서 싸우던 영국군을 돕기 위해 유럽으로 건너간 미국의 공군 비행사들은 전투가 없는 주말이면 공항 인근 마을에서 미국에서 가져온 레코드로 블루스 음악을 틀어놓고 맥주를 마시거나 춤을 추며 휴식을 취했다. 이 마을에 살던 어린 아이들은 선글라스와 가죽 점퍼의 미군 조종사들을 보며 그들을 동경하게 되었다. 이 아이들이 십대가 되면서 영국에서는 한때 기타를 뜯으며 블루스 음악을 연주하는 것이 유행했다.

영국 북부의 켄트라는 아주 작고 가난한 마을에도 1960년대부터 미국 블루스가 유행했다. 이 지역 청년들은 특히 '시카고 블루스'를 아주 좋아했다. 켄트에는 시카고 블루스를 연주하며 놀던 4명의 고등학생들로 이루어진 이름 없는 밴드가 있었는데, 기타를 꽤나 잘 쳐서 어느 날 《재즈뉴스》라는 음악 잡지의 인터뷰 요청을 받았다. 이들은 잡지사와 전화 인터뷰를 하던 중 기자가 "밴드의 이름이 뭐죠?"라고 묻자 순간 당황했다. 그들은 아직 밴드 이름을 생각해본 적이 없었기 때문이다. 마침 테이블 위에 자신들이 가장 좋아하는 미국 아티스트의 레코드 판이 있어 그것을 만지작거리다 보니, '롤링 스톤Rolling Stone'이라는 곡이 눈에 띄었다. 멤버들 모두 그 곡을 아주 좋아했으므로 인터뷰 하던 멤버는 기자에게 "밴드 이름은 '롤링 스톤스'예요."라고 대답했다. 바로 브리티시 록의 전설 '롤링 스톤스' 밴드가 탄생한 순간이었다.

롤링 스톤스는 오래 전에 큰 인기를 얻었던 그룹이기 때문에 지금은 그 이름을 들어보지 못한 사람들이 많겠지만, 그들의 음악을 찾아서 들어보면 '아하, 이 곡!' 하고 알아챌 정도로 이 밴드는 오랫동안 어마어마한 인기를 끌면서 전 세계에 브리티시 록 음악을 유행시켰다.

'Rolling Stone'은 말 그대로 '구르는 돌'이란 뜻이다. 1960년대의 영국 록 음악가들은 이 표현을 무척 좋아했다. 영국의 유명 록 가수 밥 딜런의 곡 중에는 'Like a rolling stone굴러가는 바위처럼'이라는 제목의 곡도 있다. 이 표현의 원천은 '구르는 돌에는 이끼가 끼지 않는다A rolling stone gathers no moss'라는 영국 속담이다. 우리나라로 치면 '고인 물은 썩는다'와 같은 의미다. 1960년대는 전 세계적으로 많은 젊은이들이 세상을 바꿔보겠다며 길거리에서 경찰과 싸우며 데모를 하던 시대였다. 젊은이들은 산에서 바위가 굴러내려오며 오래된 이끼를 털어내듯이, 사회도 변화하면서 보수적인 선입견을 털어낼 것이라며 롤링 스톤스에게 아낌없는 사랑을 보냈다.

그러나 '구르는 돌에는 이끼가 끼지 않는다'는 속담은 영국에서 청년정신의 대명사로 유행되기 전까지 이와는 정반대의 의미로 쓰였다. 옛날에는 대부분의 유럽인들이 시골에서 농사를 지으며 살았다. 그리고 영국 농가에는 앞뒤로 조그마한 정원이 붙어있었는데, 비가 오거나 바람이 불면 정원이 심하게 망가졌다. 이를 방지하기 위해 큰 돌을 원통 모양으로 잘라 매일같이 굴려서 정원 땅을 단단하게 다져두었다. 이것은 오늘날 도로 포장 공사를 할 때 쓰는 원통형 땅 다지기 기계의 조상뻘이라고 할 수 있겠다. 그런데 이 기계를 '구르는 돌'이라고 해서 'rolling stone'이라고 불렀다. 원래는 '매일 아침 부지런히 자기 정원 땅을 잘 다져두고 가꾸는 집은 부패하지 않고 번성한다'는 뜻에서 '구르는 돌에는 이끼가 끼지 않는다'라는 속담이 생긴 것이다. 브리티시 록 음악이 상징하는 청년정신과는 다른 보수적인 의미를 엿볼 수 있다. 오래 전 'Rolling Stone'의 의미가 매우 보수적이었다는 점은 1530년대에 지어진 영국 문호 토마스 와이엇의 시에서 그 흔적을 찾아볼 수 있다. 이 시에서는 당시의 영어 스펠링이 오늘날과 얼마나 달랐는지도 발견할 수 있다.

A spending hand that alway powreth owte,
Had nede to have a bringer in as fast.
And on the stone that till doeth tourne abowte,
There growth no mosse, these proverbes yet do last.

돈을 내주는 손이 있으면,
벌어들이는 손도 그만큼 재빨라야 한다.

계속해서 구르는 돌에는 이끼가 끼지 않는다고 했으니,
옛말 틀린 것 하나도 없다.

옛날에는 대부분의 사람들이 농사를 짓고 살았기 때문에, 당시에 사용했던 속담이나 격언은 인생을 농사에 비유했다. 예를 들어 유치원을 '아이들kids을 기르는 정원garden'이라는 의미에서 'kindergarten'이라고 부른다. 문화를 '마음의 밭을 간다'는 뜻에서 밭갈기, 즉 'culture'라고 부르는 것과 마찬가지다. 밭을 갈지 않으면 돌이 굴러들고 잡목이 마구 자라 못쓰는 야생의 땅이 되듯이, 사람의 마음도 가꾸지 않으면 쓸데없는 생각으로 가득찬 동물이 된다는 뜻에서 '밭갈기'라는 단어가 '문화'라는 뜻으로도 쓰인다.

이처럼 사람들은 삶의 지혜를 먼 곳에서 찾는 것이 아니라 일상생활 속에서 찾는다. 다만 옛 서양의 인문학 지식이 우리에게 낯설게 느껴지거나 잘못 해석되는 이유는 우리가 농사를 지어본 적이 없어서 그렇다는 아주 단순한 이유인 경우가 많다.

Campaign, Champagne, Champion

캠페인에서 승리하고 샴페인을 마시는 그대는 챔피언

농사 하면 champagne샴페인을 빼놓을 수 없다. 우리나라에서는 거품이 올라오는 투명한 와인은 무조건 샴페인이라고 부르지만, 유럽에서는 프랑스 동부 '상파뉴Champagne'라는 지역에서 만든 와인만 샴페인이라고 지칭한다. 그런데 샴페인은 본래 단순히 '밭'이라는 뜻이었다.

샴페인 중에서 전 세계적으로 가장 유명하고, 가장 고가인 브랜드는 뭐니뭐니해도 '돔 페리뇽'이다. 돔 페리뇽은 17세기 말, 프랑스의 작은 마을인 에페르네 부근의 수도원에 살던 수도승의 이름이다. 에페르네라는 마을은 당시 프랑스 왕국에서 대단히 중요한 임무를 맡고 있었다. 에페르네 인근에는 '랑스'라는 유명한 성당이 있는데 이 성당은 대대로 프랑스 국왕의 대관식을 치르는 거룩한 장소였다. 대관식 행사 때 쓸 와인은 에페르네의 수도승들이 담갔다. 당시 수도승이었던 돔 페리뇽은 왕의 대관식 와인 만드는 비법을 전수받은 와인의 달인 중 한 명이었다.

와인은 모두 알다시피 포도즙을 발효시켜 만든다. 그러던 어느 날, 돔 페리뇽은 실수로 발효가 덜 된 포도즙을 병에 담았다고 한다. 나중에 이 병을 따자 보글보글 거품이 올라왔는데 마셔보니 그 맛이 어찌나 기가 막힌지 자기도 모르게 동료들을 향해 "여기 좀 와 봐! 나는 별을 마시고 있어!"라고 소리쳤다고 전해진다. 물론 오늘날 역사가들의 고증에 따르면 이 이야기는 모두 거짓이라고 한다. 1800년대 초기에 돔 페리뇽이 소속되었던 수도원에 새로 부임한 원장이 수도원의 명성을 높이려고 선배였던 돔 페리뇽의 업적을 과장했다는 것이다.

사실 샴페인이라는 술은 절대로 우연히 만들어질 수가 없다. 샴페인은 기포로 인해 어마어마한 압력이 생기기 때문에 와인에 실수로 기포가 생기면 병이 터져버린다. 실제로 돔 페리뇽은 프랑스에서 가장 고급 와인을 생산하기로 유명한 부르고뉴 지방을 수십 번씩 방문하면서 기포가 생기지 않는 깔끔한 와인을 개발하려고 노력한 사람이다. 스스로 만든 와인 매뉴얼에도 기포가 생긴 와인은 잘못 담근 것이라고 분명히 기록해 놓았다. 평생 와인의 기포를 없애려고 노력한 돔 페리뇽의 이름이 세계에서 가장 유명한 초고가 거품와인의 브랜드가 되었다는 것은 마케팅이 만들어 낸 역사의 아이러니가 아닐 수 없다.

돔 페리뇽이 유명세를 얻자 유럽 곳곳에서 수많은 가짜 샴페인들이 쏟아져나왔다. 그러자 프랑스 정부는 국제 저작권을 신청해 프랑스의 샹파뉴 지역에서 나오는 와인만 샴페인이라고 부를 수 있도록 조치했다. 그런데 스위스에도 샴페인이라는 이름을 합법적으로 사용할 수 있는 와인이 있다. 이유는 이 나라에도 샹파뉴라는 이름의 도시가 있어서다. 알고 보면 프랑스 안에도 샹파뉴라는 이름을 가진 동네가 10곳이 넘고, 같은 이름을 가진 지역도 3곳이나 있다. 이렇게 유럽 안에 샹파뉴라는 이름을 가진 동네가 많은 이유는 사실 샹파뉴, 즉 샴페인이라는 단어가 단순히 '시골' 또는 '밭'을 뜻하는 라틴어 '캄파니아'에서 왔기 때문이다. 먼 옛날 로마 사람들이 그냥 '저기 밭이 많은 시골 동네'라고 부르던 수많은 동네들이 모조리 샹파뉴가 된 것이다.

더 들어가면 캄파니아는 'campus캠퍼스 지역'을 뜻한다. 이것은 대학 캠퍼스가 아니라 라틴어로 '평야'를 뜻하는 단어다. 고대 로마인들은 숲으로 뒤덮이지 않은 평평한 지대를 캠퍼스라고 불렀다. 생산적인 사고방식을 가졌던 로마인들은 탁 트인 평지를 보면서 두 가지 생각을 했다. 첫 번째는 당연히 농사짓기에 좋을 것이라는 생각이었고, 두 번째는 전투하기 유리한 지형이라는 생각이었다.

만일 전투가 벌어질 경우, 로마 군대의 장비와 작전은 넓게 펼쳐진 평야에서 가장 유리했다고 한다. 로마 장군들은 숲에서 적군에게 기습당하는 것을 가장 두려워했다. 그래서 전쟁터에 나가면 탁 트인 평야 캠퍼스에 텐트를 치고 병사들을 재웠다. 이 때문에 오늘날까지 텐트 치고 자는 것을 'camping캠핑'이라고 부르게 되었다. 로마 군대는 일단 움직이기 시작하면 그들에게 유리한 지형인 평지, 즉 캠퍼스로 나가 적군을 맞았다. 그래서 작전을 전개하는 것은 'campaign캠페인'이라고 불렀다. 오늘날에도 광고 전략이나 선거 유세 전략을 현장으로 옮기는 것을 캠페인이라 부른다. 캠페인을 승리로 이끈 사람은 '필드를 차지한 사람', 즉 'champion챔피언'이 된다.

오늘날 프랑스 파리나 이탈리아 볼로냐 등의 옛 대학들은 북적거리고 빽빽한 도시 한가운데 건물 몇 채만 끼어있다. 그러나 개척시대 미국에는 워낙 빈 땅이 많았다. 미국 뉴저지에 도착한 개척자들은 인재 육성을 위해 '왕자마을prince town'이라 불리는 넓은 평지에 미국에서 처음으로 큰 부지, 즉 캠퍼스를 구입해서 수십 개의 건물로 이루어진 대학촌을 지었다. 이 왕자마을은 이름이 변형되어 오늘날 '프린스턴Princeton'으로 불리게 되었고, 이곳 캠퍼스에는 유럽과는 완전히 다른 방식으로 대학이 하나의 마을처럼 지어졌다. 이후 미국에서는 점차 이렇게 큰 부지를 구입해서 아름답게 조경을 하고 수십 개의 대학 건물을 짓는 대학촌 방식이 유행했고, 프린스턴 대학이 세워진 땅처럼 넓은 뜰을 가진 대학 부지를 '캠퍼스'라고 부르게 되었다.

사람은 대개 어릴 때는 부모님과 캠핑을 가고, 대학에 가면 캠퍼스 커플이 되기도 한다. 졸업 후 취업을 하면 마케팅 캠페인을 하고, 정치에 발을 담그면 선거 캠페인을 하며, 인생에서 성공하면 챔피언이 되어 샴페인을 터뜨리니, 땅에서 태어난 우리는 땅으로 돌아가는 삶을 사는 셈이다.

Humanities

4장

'예술'과 '여가'로 알아본 이야기 인문학

Romance

로맨스는 원래 '로마답다'는 뜻

로맨스romance는 '낭만'을 뜻하는 외래어다. 흔히 우리는 '낭만' 하면 빛나는 태양과 열정의 나라인 스페인, 이탈리아, 멕시코 등을 떠올린다. 어원적으로 보면 로맨스 분야에서는 누구도 이들과 경쟁할 수 없는 것이 당연하다. 로맨스의 원래 의미는 'Roma+-ance', 즉 '로마스럽다'인데, 로마제국의 후예인 라틴 민족들이 바로 이들 나라에 살고 있기 때문이다.

고대 로마인들의 언어는 라틴어였다. 로마는 워낙 강대국이라 나라가 멸망한 이후에도 오랫동안 유럽의 학교들은 모든 교과 과정을 표준 라틴어로 가르쳤다. 심지어 영국 옥스퍼드 대학의 경우 로마제국이 멸망하고 1,500년이나 지난 1960년대까지도 라틴어 작문과 독해에 유창하지 않은 학생은 입학원서도 내지 못하게 했다. 우리나라에도 평생 써보지도 않을 영어를 공부하느라 고생하는 학생들이 많지만, 유럽 학생들은 수천 년 전에 망해 아무도 쓰지 않는 나라의 말을 공부하기 위해 젊음을 탕진했다고 생각하면 좀 덜 억울할 것이다.

하지만 중세에는 일반인들은 학교에 다니지 못해 표준어가 무엇인지조차 몰랐다. 심지어 예전에 라틴어를 일상적으로 사용하던 프랑스, 이탈리아 같은 나라들도 로마 멸망 후 점차 표준 라틴어를 쓰지 않고 지역마다 언어가 달라져 나중엔 서로의 말을 알아듣지 못하게 되었다. 그나마 집이 잘살아서 학교를 좀 다닌 사람들은 프랑스, 스페인, 이탈리아 사람들의 일상어와 자기가 쓰는 폼 나는 옛 라틴어를 구분하려고 일반인들이 쓰는 언어를 '로마식 평민어', 즉 '로맨스 언어'라고 불렀다. 그래서 오늘날까지 라틴어에서 따로따로 발전한 프랑스어, 이탈리아어, 스페인어, 포르투갈어, 루마니아어 등을 통틀어 '로맨스 언어'라고 부른다. 특히 우리나라의 여자들은 프랑스어나 이탈리아어가 로맨틱하게 들린다고 하기도 하는데, 사실 '로맨틱하다'라는 말은 '프랑스어 또는 이탈리아어 같다'라는 의미다.

1100년대 남프랑스 기사들 사이에는 십자군 열풍이 유행처럼 번졌다. 귀족 남자라면 십자군 전쟁에 나가 전설의 영웅이 되어야 한다는 부푼 꿈을 안고, 칼 한 자루와 말 한 마리를 벗 삼아 이슬람교도들과 싸우기 위해 바다와 산을 넘어 멀리 동방으로 떠났다. 무거운 철갑 옷을 입고 무더운 사막으로 떠나는 그들도 힘들었겠지만, 14~15세의 어린 나이에 시집가 꽃다운 나이에 남편을 전쟁터로 떠나보내고 썰렁한 성에 홀로 남은 부인들도 외로움에 고달파했다. 그 틈을 노려 좋은 집안에서 태어나 대학에서 좀 놀아본 귀족 부랑아들이 남프랑스의 성을 돌며 홀로 남은 귀부인들에게 재미있는 이야기를 들려주고 그녀들의 주머니를 털어 돈을 벌기 시작했다. 유럽 최초의 '전문 엔터테이너'였던 이 이야기꾼들을 사람들은 '트로바도르'라고 불렀다.

트로바도르를 중세의 남자 아이돌쯤으로 생각하면 이해하기 쉽다.

트로바도르는 대체로 파리나 볼로냐 같은 명문 대학에서 대화술, 매너 교육을 받은 젊고 잘생긴 귀족집 차남들이었다. 그들은 항상 귀부인들을 최고의 상전으로 섬겼다. 귀부인이 진흙 땅을 지나가야 할 때는 자기 망토를 벗어 땅 위에 깔아 신발을 더럽히지 않게 해주었고, 귀부인이 말을 탈 때는 자기 어깨를 밟고 올라타게 해주었으며, 계단이나 마차에 오를 때는 손을 붙들어 오르기 쉽게 해주었다. 어린 시절을 수녀원에서 보낸 후 연애 한 번 못 해보고 일찍 시집을 가 신혼이 채 끝나기도 전에 정조대를 차고, 십자군 전쟁에 나가 언제 돌아올지 모르는 남편을 기다리던 귀부인들에게 트로바도르는 꿈 같은 존재들이었다. 귀부인들은 말쑥하고 매너 좋은 트로바도르에게 홀려 남편 소유의 땅문서나 대대로 내려오던 가보를 통째로 내주기도 했다.

당시 여자들은 웬만해서는 학교에 다니지 않아 표준 라틴어를 몰랐다. 트로바도르는 귀부인들에게 라틴어가 아닌 '로마 평민어', 즉 로맨스 언어로 시와 노래를 지어 읽어주었다. 소재도 여자들의 취향에 맞춰 달콤한 사랑 이야기가 주를 이루었는데, 그중에서도 젊은 트로바도르와 귀부인의 사랑 이야기가 대부분이었다.

사람들은 트로바도르가 들려주던 사랑 이야기를 '로맨스어로 된 작품'이라고 해서 '로맨스'라 줄여 부르게 되었다. 로맨스는 점차 트로바도르와 귀부인 사이의 야릇하고 묘한 분위기, 즉 남녀 사이의 낭만을 이야기하는 단어로 발전했다. 로맨틱한 분위기에서는 여자가 남자로부터 극진한 대접을 받는 윗사람이 된 듯한 황홀한 기분을 느끼기도 하는데, 실제로 로맨스의 유래는 돈 많은 귀부인의 지갑을 열기 위해 제비들이 물주를 모시던 방법이라서 그렇다.

나중에 '로망'은 라틴어로 쓴 어려운 논문이나 방대한 역사적 기록이 아니라, 사사로운 감정을 다룬 문학작품, 즉 소설을 뜻하게 된다. 재미있는 것은 '낭만주의'라는 말도 원래는 남녀간의 사랑과는 전혀 관계가 없었다는 사실이다. 낭만주의 시대였던 19세기, 유럽 젊은이들 사이에서는 영국의 인기 시인 바이런이 쓴 소설이 유행했다. 요즘 드라마에 나왔다 하면 옷차림이든 행동이든 모두 흉내 내는 젊은이들처럼, 당시 젊은이들 역시 그의 소설에 나오는 사람들처럼 살고 싶어 했다. 젊은이들은 바이런의 소설에 나오는 기사들처럼 용감하게 살고 싶다며, 부모가 아무리 뜯어 말려도 아프리카나 브라질 같은 곳으로 모험을 떠나거나, 정복전쟁에 참전해서 죽어 돌아오는 경우도 많았다. 또 길거리에서 몸을 파는 여자와 청승맞은 연애편지를 주고받거나, 공원에 앉아 낙엽 떨어지는 것만 보아도 눈물을 짓기도 했다. 이런 한심스러운 젊은 세대를 보며 답답함을 느낀 부모 세대는 이 시대를 로망과 현실을 구분하지 못하는 시대라고 해서 '로맨스의 시대', 즉 '낭만주의 시대'라고 낮춰 부르기 시작했다고 한다.

영국의 시인 오스카 와일드는 '예술이 인생을 흉내 내는 것 이상으로 인생도 예술을 흉내 낸다'라고 말했다. 중세 유럽의 트로바도르가 귀부인들에게 들려주던 이야기들이 현실화되면서 요즘의 데이트 문화로 나타난 것을 보면 오스카 와일드의 말은 백번 옳다. 이런 일을 자주 겪어본 서양인들은 인생은 거대한 무대이고, 자신은 한 명의 배우로서 역할에 맞추어 충실하게 살아야 한다고 생각했을 것이다. '사람'을 뜻하는 'person'이 원래 무대장치의 이름에서 나왔으니 말이다.

Persona

사람은 원래 가면을 쓰고 산다

1980년대 강남 일대에 특이한 옷차림과 개성 있는 생활을 고수하는 '오렌지족'이 출몰했다. 이때만 해도 우리나라 어른들은 "개성이 뭔지 알아? 개 같은 성질이야!"라며 이런 식의 튀는 사람을 심하게 비웃었다. 하지만 사회가 빠르게 서구화되면서 지금은 젊은이들이 자기만의 개성을 추구하는 것을 당연시하는 시대가 되었다. 오히려 젊은이들이 진정한 개성을 찾지 않고 드라마나 영화에 나온 패션을 따르는 것을 개성으로 착각한다고 지적하곤 한다. 하지만 원래 '개인' 또는 '사람'을 뜻하는 'person'과 개성을 뜻하는 'personality'는 '드라마 캐릭터'를 뜻하는 단어였으니, 아주 오랜 옛날부터 동서양을 막론하고 사람들은 드라마를 흉내 내며 자기 개성을 발휘하려 했다는 것을 알 수 있다.

오늘날 드라마는 공부하는 학생을 둔 부모들에게 최고의 적이다. 드라마가 자녀의 공부를 방해한다고 생각하기 때문이다. 그러나 드라마는 원래 고대 그리스 사람들이 교육적인 목적으로 만든 것이었다. 우리 옛말에 '백문이 불여일견'이라는 말이 있다. 백 번 들어봤자 한 번 보는 것만 못하다는 뜻이다. 고대 그리스 사람들도 똑바로 살라고 설교하는 것보다 교훈적인 역사 속 이야기를 연극으로 연출해서 직접 보여주는 것이 백배 효과적이라고 생각했다. 그래서 고대 그리스에서는 명절날마다 배우들이 옛 장군, 왕, 영웅, 신들의 옷을 입고 선조들의 경험담을 연극으로 만들어 시민들에게 볼거리를 제공했다. 그리스 사람들은 심지어 실제 인생 경험보다 연극을 통한 배움을 더 높게 쳤다. 현실은 너무 복잡해서 경험을 통해 교훈을 얻기는 힘들다는 것이었다. 이렇게 복잡한 인생을 몇 명의 등장인물과 사건으로 압축시켜 놓은 연극에서 더 많은 교훈을 얻을 수 있다는 것이 고대 그리스 사람들의 생각이었다. 그리스 사람들은 연극을 'drama 드라마'라고 불렀는데, 이는 행동으로 옮겨 몸소 실천한다는 그리스어 'dran'에서 나왔다고 한다. 따라서 드라마의 원래 의미는 '몸소 보여주는 교육'인 셈이다.

날씨가 좋은 그리스는 이미 고대부터 언덕에 반원형으로 계단을 만들어 최대한 많은 사람들이 드라마를 볼 수 있는 대규모의 야외극장을 지었다. 이 극장을 드라마를 보러, 즉 'see'하러 가는 곳이라 해서 'theater'라고 불렀다. 그런데 대형극장을 짓고 보니 또 다른 문제에 부딪혔다. 마이크나 음향설비가 없는 시대이다 보니 맨 뒷자석의 관객은 배우들의 표정을 볼 수 없었고 대사도 들리지 않았던 것이다.

이에 대한 해결책으로 고대 그리스 로마 시대의 배우들은 다양한 표정들이 그려진 큰 가면을 준비해 두고 상황에 따라 바꿔 쓰며 무대에 올랐다. 또 가면과 얼굴 사이에 큰 메가폰을 장치해서 배우의 목소리를 증폭시켰다. 로마인들은 이 가면을 persona라고 불렀다. 소리sound가 가면을 뚫고pierce 지나간다고 생각해서 PerPierce 뚫다+Sona

Sound 소리라 불렀다 생각하면 쉽다. 사람들은 이 가면으로 캐릭터를 알아봤기 때문에 페르소나는 나중에 '등장인물' 또는 '캐릭터'라는 뜻으로 발전했다. 오늘날은 사회생활을 할 때 비춰지는 내 이미지, 즉 세상에 보여지는 나의 가면을 의미한다.

그런데 왜 'person'이라는 단어가 드라마 등장인물에서 갑자기 일반적인 사람, 즉 '개인'을 뜻하는 단어로 변했는지를 알려면, 영국 문학의 아버지라는 이름으로 교과서에 자주 등장하는 셰익스피어가 벌인 엔터테인먼트 사업의 뒷이야기를 알아야 한다.

자고로 위대한 예술가들은 죽은 후에 세상 사람들의 인정을 받는다고 한다. 하지만 1500년대 말 영국의 인기 드라마 작가였던 셰익스피어는 살아있을 때 이미 유명했다. 셰익스피어는 극장에 공연을 올릴 때마다 비싼 이용료를 내는 것을 아까워했다. 그래서 동료 드라마 작가들과 함께 돈을 투자받아 아예 극장을 하나 차리기로 했다. 그러나 당시 영국 사회는 도덕적으로 매우 엄격해서 오락을 목적으로 하는 극장은 돈을 투자받거나 정부로부터 운영 허가를 받기가 힘들었다. 셰익스피어는 어떻게 하면 연극이 사회를 위해 좋은 역할을 한다는 명분을 만들 수 있을지 고민하며 여러 문헌을 뒤졌다. 그러던 중 '연극은 인생의 축소판이므로 여러 교훈을 얻을 수 있다'는 그리스 로마시대 드라마 작가들의 주장을 발견했다. 여기서 자신감을 얻은 셰익스피어는 새 극장의 이름을 '지구'를 뜻하는 'The Globe더 글로브'라 짓고 투자 유치에 나섰다. 극장 안에 들어오면 지구, 즉 전 세계의 축소판을 볼 수 있다는 뜻이었다. 그리고 극장 문 위에 일반 관객들은 알아보지도 못하는 라틴어로 폼 나게 'Totus mundus agit histrionem'이라고 새겼다. 이 말은 '세상 모든 사람들은 배우다'라는 뜻이다. 즉, 연극처럼 이 세상도 여러 캐릭터가 주어진 역할을 하며 이야기를 만들어나간다는 뜻이다. 셰익스피어가 이 문구를 굳이 라틴어로 쓴 이유는 돈이 많고 유식한 투자자들과 정부 고위 공직자들의 비위를 맞추기 위해서였다. 이 전략이 통해 셰익스피어는 글로브 극장을 성황리에 개장할 수 있었고, 연달아 히트작을 선보여 영국에서 가장 사랑받는 드라마 작가가 되었다. 영국 역사가인 토마스 칼라일은 당시 셰익스피어에 대한 영국인들의 사랑이 어느 정도였는지를 잘 보여주는 말을 남겼다. "만약에 누군가가 이런 질문을 던진다 치자. '너희 영국인이여, 셰익스피어와 인도 중 하나를 고르라고 하면 어떻게 할 것인가?' 그러면 우리 평범한 영국인들은 이렇게 외칠 것이다. '인도야 정부가 알아서 할 것이고, 우리는 셰익스피어 없이는 살 수 없다!'라고." 그런데 이 문장이 왜곡되어서 엘리자베스 여왕이 "나는 셰익스피어를 인도와도 바꿀 수 없다."라 말했다고 잘못 알려져 있는데, 엘리자베스 여왕 시대에는 인도를 주고 싶어도 인도가 영국 식민지가 아니었으므로 마음대로 바꿀 수 없었으니 말도 안 되는 소문이다.

셰익스피어는 연극의 중요성을 알리기 위해 수많은 연극에서 '세상은 무대고, 모든 사람은 캐릭터다', 즉 '인생은 드라마다'라는 대사를 반복했다. 셰익스피어의 히트작 〈베니스의 상인〉에서 안토니오라는 상인이 친구 그라티아노에게 이렇게 말한다.

"세상은 세상일 뿐이야, 그라티아노.
모든 사람에게 배역이 있는 하나의 무대지.

그런데 나는 슬픈 역을 맡았어."

셰익스피어의 작품이 전 세계로 퍼져나가면서 희곡 〈뜻대로 하세요〉의 대사처럼 사람들은 '세상은 무대이고, 사람들은 배우일 뿐이어서, 모두가 적당할 때 입장하고 퇴장한다'라고 믿게 되었고, 연극 캐릭터가 연기할 때 얼굴에 쓰는 가면을 뜻하던 'persona'라는 단어는 진짜 사람을 뜻하는 'person'과, 그 사람의 캐릭터, 즉 개성을 뜻하는 'personality'라는 단어로 발전했다.

옛날부터 사람들은 드라마를 보고 흉내 내며 살려고 해왔고, 옷과 액세서리 같은 소품들로 자신의 캐릭터를 만들어왔다는 증거다.

Folks, Wagon

폭스바겐의 진짜 뜻

우리나라에도 한때 포크기타와 포크송 바람이 분 적이 있다. 스틸 스트링을 튕기는 감각적인 기타 소리 덕분에 에릭 클랩튼이나 밥 딜런 같은 포크 가수들이 세계적인 사랑을 받았고, 우리나라에도 포크음악들이 들어오면서 양희은, 김세환, 김광석 같은 가수들이 포크송으로 국민적인 사랑을 받았다. '포크folk'는 독일에서 온 단어로 '민속'이란 뜻이다. 그러니까 포크송의 원래 의미는 '민속음악'인 것이다. 한때 독일인들은 정말로 소박한 민속문화를 사랑했다. 그래서인지 '민속 달구지'라는 이름의 자동차 회사도 있다. 포크들의 달구지wagon를 만드는 '폭스바겐Volkswagen'이 바로 그것이다.

folk가 '민속'을 뜻하게 된 것은 우리나라 어린이들에게까지 〈백설공주〉 〈개구리 왕자〉 〈헨젤과 그레텔〉 같은 동화를 읽게 해준 독일의 그림Grimm 형제 덕분이다. 그림 형제가 활동하던 당시, 독일인들은 악몽 같은 나날을 보내고 있었다. 이웃 나라 프랑스의 나폴레옹 장군이 오스트리아와 전쟁을 치르면서 고래 싸움에 새우 등 터지는 격으로 애꿎은 독일이 전쟁터가 되었던 것이다. 당시의 독일은 200개가 넘는 자치국가로 조각조각 나뉘어 있어서 오스트리아와 프랑스군이 조상 대대로 살아온 마을에 대포를 설치하고 서로 쏘아대다가 동네를 다 부수고 떠나버려도 복수할 힘조차 없었다. 프랑스, 오스트리아 간의 전쟁이 끝나고도 비슷한 설움은 계속되었다. 프랑스, 오스트리아, 덴마크 같은 강대국 정부들은 독일의 조그마한 국가들을 자기들 편리에 따라 컴퓨터 게임 하듯이 사고팔거나 떼었다 붙여서 나라를 만들었다. 그런 꼴에 화가 난 독일의 지식인들은 독일인들끼리 하나로 뭉쳐 강력한 나라를 만들어야 한다고 외쳤다. 당시에 학생이었던 그림 형제는 그런 지식인들의 외침에 눈이 번쩍 뜨였다.

하지만 중세기부터 조그마한 자치국가로 쪼개져 살아온 독일인들은 서로 비슷한 언어를 사용한다는 것 외에는 별다른 공통점이 없다고 생각했다. 게다가 유일한 공통점인 독일어에 대한 자부심도 없었다. 심지어 16세기에 독일을 다스렸던 신성로마제국 황제 카를 5세는 "나는 스페인어로 신에게 기도드리고, 프랑스어로 남자와 회의를 하고, 이탈리아어로 여자를 유혹하지만 독일어는 말에게 명령을 내릴 때나 쓴다."라고 말했을 정도다. 독일인들 중 공부깨나 한 사람들도 대부분 프랑스어나 라틴어로 글을 썼기 때문에 이렇다 할 독일어 문학이라는 것도 없었다. 파리나 런던 같은 멋진 대도시도 없었고, 프랑스의 베르사유 궁전이나 개선문, 이탈리아의 콜로세움처럼 랜드마크로 삼을 만한 건물도 없었다. 당시 독일의 자치국가들은 중세 시대부터 이어져 내려온 36개의 왕족들이 나누어 다스리고 있었는데, 이들도 어차피 프랑스나 오스트리아 귀족들과 친척이어서 특별히 독립된 나라를 만들어야 할 필요성을 느끼지 못했고 친척끼리 만나면 폼 나는 불어로 대화했다.

그림 형제는 대학에 다니면서 당시 대학생들의 필독서였던 요한 고트프리트 헤르더라는 독일 철학자의 책을 읽게 되었다. 헤르더는 한 나라를 만드는 것은 베르사유 궁전이나 르네상스 미술품 따위가 보여주는 몇몇 귀족들의 영광이 아니라고 주장했다. 오히려 민족문화란 시골 서민들의 소박한 삶 속에서 나온 춤, 노래, 어린 아기가 잠들기 전에 할머니가 들려주던 옛날 이야기, 지푸라기를 모아 농민들끼리 초가집 같은 것을 손수 짓는 대대로 내려온 실용적 지혜 따위라고 주장했다. 독일 시골 사람들은 한 마을에 같이 사는 사람들을 정겨운 'volk'라는 단어로 불렀다. 철학자 헤르더는 "모든 독일인들끼리 이런 소소한 문화로 묶이면 분명 모두 같은 'volk'다."라고 열변을 토하면서 "센 강에서 흘러오는 저 지저분한 똥물을 언제까지 마실 것인가? 독일 민족이여, 제발 독일어를 써라!"라며 흥분했다. 이 'volk'가 바로 오늘 우리 현대인이 생각하는 '민족'의 개념이다.

그림 형제는 헤르더의 철학책을 통해 깊은 감명을 받았다. 그리고 독일 민족문학이 일반인에게서도 나올 수 있다는 획기적인 생각을 하게 되었다. 시골 마을에 입에서 입으로 전해지는 옛날 이야기들을 죄다 모아 책으로 펴내면 독일도 프랑스나 이탈리아 민족이 로마제국으로부터 물려받은 문학 이상의 콘텐츠를 가질 수 있을 것이라고 생각한 것이다. 그림 형제는 독일 시골 마을을 발로 뛰며 농민들을 일일이 만나 할머니 할아버지에게 들었던 옛날 이야기들을 자기들에게도 들려달라고 부탁하고는 듣는 대로 받아 적었다. 이렇게 해서 〈백설공주〉〈라푼젤〉〈개구리 왕자〉 같은 이야기가 책으로 편찬

되어 오늘날 우리나라를 포함한 전 세계 어린이들에게까지 큰 사랑을 받게 되었다.

그림 형제는 이렇게 모은 이야기들을 독일 'volk'들이 'tell', 즉 '말하는' 이야기라고 해서 'folk tale민속동화'이라고 불렀다. 그림 형제가 채집해 만든 이야기책들은 형제의 뜻대로 독일 민족정신의 기본이 되었고, 독일은 천천히 하나의 나라로 통합, 발전해나갔다.

그림 형제의 포크 열풍은 점차 세계로 번져나갔다. 덴마크의 동화작가 안데르센도 자기 나라의 민속 이야기들을 모으기 시작했다. 미국에서도 포크 문화 열풍이 불어 1930년대에 많은 음악가들이 미국 깊은 산속 마을을 발로 뛰며 개척 초기의 음악들을 수집했다. 이렇게 모아진 미국 산골의 소박한 멜로디에 영향을 받은 음악을 'folk song포크송'이라고 했고, 이곳 시골 사람들의 연주 방식을 흉내 낸 folk기타도 만들어졌다.

그림 형제와 헤르더의 '하나된 독일을 만들자'라는 꿈은 오랫동안 이루어지지 못했다. 하지만 그들의 생각에 크게 감명을 받은 두 부류의 사람들이 있었다. 이중 한 사람이 제1차 세계대전에서 패하고 바닥으로 떨어진 독일 민족의 자존심을 되찾자는 명분으로 제2차 세계대전을 일으킨 히틀러였다. 그는 시골에서 소박한 달구지를 만들던 민속정신으로 새로운 산업 독일의 문을 열 수 있다는 의미에서 모든 독일인 민족, 즉 'volk'가 소유할 수 있는 싸고 실용적인 자동차를 민속달구지, 즉 '폭스바겐'이라 불렀다. 오늘날 1억 원을 호가하는 12실린더 파에톤 모델을 보면 어이없는 브랜드 이름이지만 말이다.

헤르더의 꿈을 나눠 가진 두 번째 사람들은 일본의 핍박 속에서 조국을 독립시키려던 우리의 선조들이었다. 한국도 독일처럼 오랫동안 한문을 사용한 탓에 내세울 만한 한글 문학이 드물었고, 중국에 비해 궁전이나 의복, 문화 같은 것도 너무 소박했다. 그래서 독립운동가들은 귀족 문화보다는 초가집, 절구통, 강강술래, 아리랑 같은 포크 문화에서 한민족의 혼을 찾으려 했으며 오늘날까지 우리는 '한민족' 하면 주로 귀족 문화보다는 민속 문화를 생각한다.

이렇게 설움과 열등감 속에서 태어난 '민속 문화'는 독일의 독재자 히틀러 손에 들어가 탄압의 무기가 되기도 하고, 우리나라 독립투사들의 손에서 방어의 무기가 되기도 했다. 그도 그럴 것이 '민속' 또는 '민족'을 뜻하는 'folk'에는 원래 '마을 사람' '핏줄' '군대'라는 의미가 동시에 들어있다. 이것은 나와 한 핏줄을 나눈 마을 사람들은 전쟁이 나면 내 편에 설 것이라는 독일 민족의 뿌리 깊은 전사 사상 속에서 나온 단어니, 히틀러가 독일의 국민차 브랜드 이름을 '폭스바겐'이라고 붙인 속셈은 겉은 국민차, 속은 독일 전차를 만들자는 것이 아니었을까?

Tuning

칭기즈 칸의 취미, 튜닝

요즘 젊은이들 중에는 '튜닝tuning'이라는 별난 취미를 즐기는 사람들이 늘고 있다. 튜닝이란 자동차나 오토바이를 구입한 후 바퀴, 엔진 같은 부품을 이리저리 바꾸거나 개조해서 더 빠르거나 파워풀하게 만드는 비싸고 고생스러운 취미다. 그런데 세상에서 처음으로 tuning을 취미로 즐긴 사람들은 말을 제 몸처럼 다루며, 화살 한 방으로 나는 새도 떨어뜨린다고 소문이 난 몽골의 유목민이었다.

아시아의 북방 유목민족들은 활과 말을 아주 능숙하게 다뤘고, 죽음을 두려워하지 않아 세계 사람들이 몹시 무서워했다. '모든 길은 로마로 통한다'며 떵떵거리던 대 로마제국도 아시아 유목민족인 훈족의 말발굽에 짓밟히고 말았다. 자기 나라를 '천하'라 부르며 큰소리치던 중국도 이 북방 유목민족의 침략이 두려워 만리장성을 쌓았다. 코란과 칼로 중동을 정복한 아랍인들도, 북방 유목민 중 한 무리인 터키족의 침략에 무너졌다. 우리나라 역시 거란족과 여진족의 침략에 시달렸다는 기록이 많이 남아있다. 역사책은 주로 아시아 유목민들의 피해자들에 의해 쓰여지기 때문에 이들은 무식하고 잔인무도한 야만족으로 기록되어 있다. 하지만 이들은 보기보다 감수성이 예민해서 세상에서 가장 사랑받는 악기 중 하나인 바이올린을 발명했으니 사람을 겉만 보고 평가할 일은 아니다.

아시아 북방 유목민들은 양 떼를 몰며 양들이 좋아할 만한 풀을 찾아 광야를 떠도는 고달픈 삶을 살았지만 틈나는 대로 음악을 즐기는 멋과 풍류를 아는 사람들이었다. 이들은 항상 활을 몸에 지니고 다녔는데, 활시위를 조이는 정도에 따라서 튕길 때 나는 소리의 높낮이가 달라진다는 사실을 응용해 악기를 만들었다. 오늘날까지 바이올린의 활을 '활'이라 부르는 이유는, 원래 바이올린이 유목민들이 무기로 가지고 다니던 활 두 개를 비벼서 소리를 내던 것에서 유래하기 때문이다. 몽골 유목민들은 이 활로 만든 악기에 말 머리를 조각해 장식했기 때문에 '마두금'이라고 불렀다고 한다.

마두금은 몽골족 추장 칭기즈 칸이 세계 정복에 나섰던 1200년대에 아랍을 통해 이탈리아에까지 전해졌다. 이탈리아로 간 마두금은 아마티라는 목공의 손에서 지금 우리가 알고 있는 모양의 현대식 바이올린으로 재탄생한다. 아마티는 가업을 물려받을 아들이 없었으므로 수많은 제자를 키웠는데 이 제자들이 유럽 각국으로 퍼져나가면서 바이올린은 전 유럽 사람들의 사랑을 받는 악기가 되었다고 한다. 음악에 관심이 있다면 모르는 사람이 없는 바이올린 장인 스트라디바리 역시 자기 바이올린에 '스트라디바디, 아마티의 제자'라고 사인했다.

바이올린은 겨우 4개의 철사줄로 엄청난 높낮이의 멜로디와 복잡한 화음을 연주할 수 있는 놀라운 악기다. 크기 또한 작고 가벼워 가지고 다니기 편해서 길거리 악사들의 애용품이다. 아마티는 바이올린을 만들기 위해 고대 로마시대의 과학자 보에티우스의 과학 이론을 많이 참고했다고 한다. 보에티우스는 줄의 팽팽한 정도에 따라 튕길 때 나는 소리의 높낮이가 달라지는 규칙을 연구했다. 로마의 과학자들은 천을 잡아당겨 집 모양을 만드는 텐트처럼 줄을 잡아당겨서 내는 소리를 'tone톤'이라고 했다. 그러다가 'tuning'은 바이올린의 손잡이를 조심스럽게 돌려서 음의 높낮이를 맞추는 것을 뜻하게 되었다. 거기서 출발해 기계를 '정밀조정' 한다는 뜻으로 발전하더니, 오토바이나 자동차의 기계 조합을 까다롭게 맞춰 속도와 마력을 최고 수준으로 높이는 취미까지 포함하게 되었다.

옛날 유럽 사람들은 사람의 근육도 바이올린의 현처럼 팽팽하게 조여져 있어야지, 풀어지거나 늘어지면 병이 난다고 믿었다. 그래서 근육이 풀어지면 유명한 온천을 찾아가거나 시원한 탄산수를 마셔서 몸을 'tuning'했는데, 이것을 '몸을 튜닝하는 물'이라고 해서 'tonic토닉'이라고 불렀다. 그런데 요즘에는 토닉이 바에서 '진앤토닉'을 만들 때 많이 쓰이기 때문에 몸을 튜닝하는 것이 아니라 오히려 파괴하고 있는 경우가 많다.

알고 보면 토닉 워터를 마셔서 몸을 튜닝하거나, 자동차를 튜닝하거나 하는 일은 모두 바이올린의 현을 조율하는 것과 같은 예술 행위인 것이다.

한편, 유럽에는 바이올린을 들고 방랑하는 또 다른 유목민족이 있었다. 바로 지금 가난한 예술가의 대명사로 쓰이고 있는 '보헤미안'들이다.

Bohemian, Flamenco

보헤미안들이 추는 춤, 플라멩코

요즘 '보헤미안Bohemian의 멋'이라는 말을 참 많이 한다. 보헤미안은 '돈은 없지만 인생의 멋을 즐길 줄 아는 예술가'라는 뜻이다. 오늘날에는 '허름하지만 멋스러운 패션 스타일'을 말하기도 한다.

Bohemian은 원래 '보헤미아Bohemia 사람'이라는 뜻이다. 보헤미아는 체코의 옛 이름이므로 보헤미안은 곧 '체코 사람'이라는 뜻이 된다. 그런데 왜 보헤미안은 오늘날 파리나 뉴욕의 예술가를 의미할까?

유럽에는 아주 먼 옛날부터 한 곳에 정착하지 못하고 마차에 모든 살림 도구들을 싣고 이곳저곳 떠돌며 사는 정체 모를 민족이 있었다. 이들은 일단 새로운 마을에 도착하면 장터로 들어가 바이올린 연주, 춤, 묘기, 서커스, 타로 점치기 등으로 돈을 벌거나 먹을 것을 얻었다. 일과를 마치면 성 밖에 캠프를 쳐놓고 모닥불을 지펴 음식을 만들어 먹으며 춤추고 노래를 불렀다. 실컷 놀다가 먹을 것이 떨어지면 다시 살림도구들을 포장마차에 싣고 새로운 관객을 찾아 다른 마을로 옮겨갔다.

1418년 어느 날, 이런 떠돌이 민족 중 한 패거리가 독일 남쪽 지역에 있는 아우크스부르크에 나타났다. 이들은 아우크스부르크 법에 따라 시청으로 가서 공연 허가를 받으려 했다. 담당 공무원이 "어디서 왔습니까?"라고 묻자 "우리는 소이집트 사람들입니다."라고 대답했다고 한다. 이집트면 이집트지 소이집트가 무슨 뜻인지는 오늘날까지 아무도 모른다. 시청 공무원들은 조용히 공연만 하고 가라며 허가증을 내주었다. 그런데 마을 주민들이 떼로 뭉쳐 이들이 도시 안으로 들어오는 것을 저지했다.

'발 없는 말이 천리 간다'는 말도 있지만 어느새 마을 사람들 사이에 이 떠돌이 민족에 관한 허황된 소문이 퍼져있었다. 소문이 얼마나 디테일한지가 놀라운데, 역시 사람의 창의력은 다른 사람의 험담을 할 때 최고로 발휘되는 모양이다. 소문의 내용은 이러하다.

이 떠돌이 민족은 수천 년 전부터 이집트 외곽 마을에 터를 잡고 살았다. 예수님이 태어나던 날 이스라엘의 왕 헤롯은 베들레헴에서 왕 중의 왕이 태어나는 꿈을 꾸고 크게 놀랐다. 헤롯왕은 이 꿈이 장차 자신의 왕좌를 노릴 반역자가 태어났다는 것으로 해석하고 베들레헴에서 태어난 모든 아이들을 죽이라고 명령했다. 예수의 부모인 요셉과 마리아는 아기 예수를 안고 베들레헴을 떠나 이집트로 도망갔다. 우연히 떠돌이 민족의 마을을 지나가게 된 예수 가족은 사막에서 해가 져 이 마을에서 하룻밤을 묵어가야 했다. 그러나 매정한 동네 사람들이 예수의 가족을 내쳤고 가족은 밤새도록 어두컴컴한 사막 위를 떠돌아야 했다. 그 후 하느님이 벌을 내려 이 민족은 어느 곳에도 정착하지 못하고 떠돌게 되었다는 것이다.

1418년 대부분의 유럽인들은 열렬한 기독교 신자들이었다. 따라서 아우크스부르크 사람들은 어린 예수님 가족을 받아주지 않은 불경스런 민족을 자기네 마을로 받아들이는 것은 신에 대한 모욕이라고 생각했다. 결국 이 떠돌이 민족은 아우크스부르크에서 머물지 못하고 다른 마을로 옮겨가야 했다.

이때부터 이 민족을 '이집트'에서 왔다고 해서 '이집션' '집션' '집시'라 불렀다고 하는데, 이들이 이집트에서 왔다는 증거는커녕 누구도 이 민족의 정체를 정확하게 알지 못했으므로 이들에 관한 여러가지 가설들이 마치 사실인 양 떠돌았다.

예를 들면 스페인 사람들은 엉뚱하게도 이 떠돌이 민족이 벨기에의 플라망이라는 지역에서 왔다고 생각했다. 그래서 오늘날까지 스페인어로 집시 풍의 음악과 춤을 '플라멩코flamenco'라 부르고, 플라멩코 춤을 추는 여자처럼 자태를 뽐내며 한 발로 서 있는 홍학도 '플라밍코새'라고 부른다. 벨기에의 플라망 지역 사람들이 유럽에서 소문난 몸치라는 것을 생각하면 유머러스한 일이다.

프랑스 사람들은 아무 근거 없이 집시들이 체코에서 왔다고 생각했다. 그래서 이들을 체코의 옛 이름을 따 보헤미아 사람, 즉 '보헤미안'이라고 불렀다. 하지만 최초로 스스로를 '보헤미안'이라고 부른 예술가는 체코 사람도 집시도 아닌 프랑스 사람이다.

19세기 프랑스에는 앙리 무르제라는 무일푼의 소설가가 있었는데, 파리의 가난한 고시촌이었던 '라틴쿼터'에서 여러 예술가들과 함께 자유분방한 인생을 살았다. 무르제는 1851년 라틴쿼터 예술가들의 이야기를 소설로 펴냈는데, 사회가 예술가들을 핍박하여 예술가들이 소외 민족인 집시들처럼 살 수밖에 없다는 뜻에서 소설 제목을 〈보헤미안 식 삶의 장면들〉이라고 붙였다. 무르제의 소설에 깊은 감명을 받은 사람 중 하나가 이탈리아의 오페라 작곡가 푸치니였다. 푸치니는 무르제의 소설을 읽고 '라 보엠', 즉 '집시마을'이라는 오페라를 발표했다. 당시의 유럽에서 오페라는 지금 우리나라의 드라마처럼 모든 유행어, 패션, 인기 연예인을 만들어내는 인기 절정의 엔터테인먼트였다. 그래서 이후로 '보헤미안'은 '자유분방한 삶을 사는 파리의 예술가'를 뜻하는 단어가 되었다.

무르제가 '보헤미안'이라는 유행어를 만든 지 약 150년이 지난 1990년대에 뉴욕 부자들 사이에 재미있는 유행이 생겼다. 부자 부모를 둔 젊은이들이 예술을 하지 않으면서도 가난한 예술가들이 사는 마을에 지저분한 스튜디오를 빌려서 살기 시작한 것이다. 당시 뉴욕에서는 '창고 공간'을 뜻하던 '로프트'가 고급 아파트로 개조되면서 우리나라에서도 천장에 냉난방용 파이프를 드러낸 인테리어가 유행했다. 또 부자 청년들은 명품 옷 입기를 거부하고 찢어진 청바지나 티셔츠 등 가난한 예술가들이 즐겨 입는 옷을 비싸게 사서 입기도 했다. 이들을 부르주아들이 보헤미안 흉내를 낸다고 해서 'Bohemian bourgeois보헤미안 부르주아', 줄여서 'bobos보보스'라고 부르게 되었다. '집시'를 잘못 해석해서 만들어진 단어 'Bohemian'이 이들과 전혀 관계 없는 트렌드 리더의 집단을 뜻하는 단어로 발전했고, 더 나아가 옷을 일부러 허름하게 만들어서 입는 'Bohemian fashion보헤미안 패션'도 탄생했다.

필자의 친구 중 한 명이 가난한 사람의 꿈은 부자가 되는 것이고, 부자의 꿈은 영리해지는 것이며, 영리한 사람은 물질의 허무함을 깨닫고 다시 가난을 추구한다고 했다. 이에 비추었을 때 일부러 가난한 사람을 흉내 내는 사회는 어떻게 보면 풍요의 한 바퀴를 다 돌았다는 의미로 해석할 수도 있지 않을까?

Museum

뮤직의 공간이자 뮤즈의 신전,
뮤지엄

'뮤직music'은 '음악'을 뜻하는 외래어다. 그런데 '뮤비' '뮤직뱅크'같이 우리나라에서만 사용하는 신조어도 있으니 이제 '뮤직'은 한국말이라고 해도 무방하다. 고대 로마 사람들도 'music'이라는 단어를 가지고 신조어를 만들었으니, 바로 박물관을 뜻하는 'museum'이다. 잠깐, 왜 '음악'이란 단어로 만든 신조어가 음악과 전혀 관련 없는 '박물관'이란 뜻이 되었을까? 고대 그리스인들로서는 먼 미래에 스테레오나 TV, 스마트폰 같은 것이 생기리라고는 꿈조차 꾸지 못했을 것이다. 당시 그리스의 엔터테인먼트는 동네 재주꾼들이 직접 연주하고 춤추고, 가면을 쓰고 나와 연극을 하면서 노는 '자급자족' 형식이었다. 우리나라 사람들도 진짜 미친 사람처럼 춤이나 노래에 빠져있는 사람을 보면 '신들렸다' 또는 '접신했다'라고 말한다. 춤이나 노래의 신이 몸 안으로 들어와서 발작을 일으킨다는 뜻이다. 고대 그리스인들 역시 사람의 몸 안에 들어가 노래를 부르거나, 춤을 추거나, 시를 읽게 만드는 9명의 귀신이 있다고 믿었는데, 이들을 통틀어서 'Muse뮤즈'라고 불렀다. 이들은 사람 몸에 뮤즈가 들어와야만, 즉 신이 들려야 멋진 노래를 부르고, 시를 쓰고, 춤을 출 수 있다고 믿었기 때문에 음악 공연을 'Muse가 하는 짓', 즉 'music'이라고 불렀다고 한다.

고대 마케도니아의 알렉산더 대왕은 세계 정복의 꿈을 이루지 못하고 33세의 젊은 나이에 열병에 걸려 죽었다. 그는 죽기 직전 절친한 학우였던 프톨레미에게 식민지 중 한 곳이었던 이집트를 유산으로 남겼다. 그 시절에는 잘나가는 친구 하나 두면 나라 하나쯤은 유산으로 챙겨받을 수 있었던 모양이다. 프톨레미는 알렉산더 대왕이 자신의 이름을 따서 만든 이집트의 신도시 '알렉산드리아'를 수도로 정했다. 프톨레미는 정치인이라기보다 공부벌레였다. 그래서 새 수도인 알렉산드리아에 세계에서 가장 큰 규모의 도서관과 세계 최초의 국립종합예술학교를 세웠다. 프톨레미는 세계 구석구석으로 사신들을 보내 그 이전부터 당시까지 최고의 문명을 자랑하던 인도, 이집트, 바빌론, 그리스의 옛 작가들이 쓴 각종 시와 악보, 연극 대본 등을 알렉산드리아 도서관으로 모았다. 그리고 전 세계에서 뛰어난 예술 지망생 1,000명을 알렉산드리아의 종합예술학교로 불러들여 예술 공부에만 매진하도록 했다. 이 예술가들에게는 학교 안에 있는 멋진 집을 제공하고 노예를 붙여주어 요리부터 빨래까지 잡다한 일을 모두 처리하게 했으며, 세금면제 혜택까지 주었다. 프톨레미는 이 학교를 고대 그리스의 예술의 신들인 뮤즈에게 바친다는 의미로, 학교 이름을 '뮤즈의 신전', 즉 'Museion뮤제이온'이라고 지었다. 이후로도 수백 년 동안 뮤제이온에는 전 세계의 예술 지망생들이 뛰어난 스승의 가르침을 받기 위해 지원서를 들고 몰려들었다.

이 프톨레미왕의 후손 중에는 클레오파트라라는 소문난 미녀 여왕이 있었다. 클레오파트라는 18세가 되던 해에 왕위에 올랐다. 그리고 고대 이집트 왕실의 관습에 따라 10살 난 친남동생과 결혼하여 함께 이집트를 다스리게 되었다. 하지만 한 하늘에 두 개의 태양이 존재할 수는 없다는 말처럼, 남매가 서로 권력의 중심을 차지하려고 내전을 일으켰다. 클레오파트라는 전쟁 중 위기에 처하자 당시 지중해 지역의 초강대국이었던 로마제국에 도움을 요청했다. 로마는 카이사르 장군을 파견해서 클레오파트라를 돕는 척하면서 끝내 이집트를 손에 넣었다. 로마인들은 알렉산드리아에 도착해 옛날 프톨레미가 지은 예술학교를 보고 크게 놀랐다. 로마인들은 현지인들이 '뮤제이온'으로 부르던 이 학교의 이름을 로마식 발음으로 바꾸어 '뮤지엄Museum'이라고 불렀는데, '뮤즈의 신전'이라는 원래 뜻은 무시하고, 라틴어로 '예술학교'라는 뜻으로 사용했다.

이로부터 수천 년 후, 지중해와 유럽에는 수백 개의 나라가 생겼다가 사라지고 또다시 생기기를 반복하며 역사가 흘러갔다. 마침내 1789년 프랑스는 역사상 처음으로 평민들이 혁명을 일으켜 귀족들을 몰아냈다. 프랑스 혁명 정부는 수천 년간 왕궁과 교회에 쌓인 고대 미술품들을 어떻게 처리할지가 고민이었다. 시민들은 혁명을 빌미로 고대 예술품들을 훔쳐서 영국 경매소에 팔아넘겼고, 데모단은 예술품이든 뭐든 왕실과 관련된 것들은 죄다 없애버려야 한다며 수백 년의 역사가 담긴 그림과 조각 작품들을 마구잡이로 부숴버려 골머리를 앓아야 했던 것이다. 사태는 매우 심각했다. 파리의 노트르담 사원 앞에는 1200년대 최고의 미술 작품으로 알려진 '성경 속 24명의 왕'이라는 조각품이 세워져 있었는데, 시위대들이 왕관 쓴 것들은 무조건 목을 잘라야 한다며 애꿎은 조각품의 머리까지 잘라버린 것이다. 프랑스 혁명 정부는 급한 대로 혁명 전까지 왕궁으로 사용되었던 루브르 궁 안으로 예술품들을 거두어들였다. 그런데 당시 프랑스 시민들은 권력자가 누구든간에 비위를 거스른다면 즉각 단두대로 끌고 가 거대한 작두로 머리를 싹둑 잘라버렸다. 만약 혁명 정부가 루브르 궁으로 왕실 미술품을 거둬들여 보호한다는 소문이 나기라도 하면 큰일이 벌어질 것이 뻔했다. 혁명 정부는 하루빨리 시민들이 납득할 만한 명분을 찾아야 했다. 그 명분은 '이제 민주주의의 시대가 왔으니, 시민이라면 누구나 예술을 즐길 권리가 있다'였다. 시민들에게 이제부터는 루브르가 '알렉산드리아의 뮤지엄'같이 최고의 미술작품을 누구나 연구하고 관람할 수 있는 곳이 되었다고 설득한 것이다. 이렇게 루브르 궁이 박물관이 되어 누구나 예술품을 감상할 수 있는 장소로 유명해지자, 세계 각국은 일반인들이 고대 유물들과 작품을 관람할 수 있는 '뮤즈의 신전'을 앞다투어 지어올렸다. 그런데 오늘날에도 유럽의 박물관에 가보면 그 내부가 이상할 정도로 경건하고, 건축 스타일도 고대 그리스나 로마 시대의 신전과 비슷하다는 것을 알 수 있다. 원래 '뮤지엄'이 그리스 예술의 신들인 뮤즈의 신전이어서 그렇다는 것을 알아두면 이해하기가 조금은 쉬워질 것이다.

예술가란 '신들린 사람'이라는 이미지를 적절히 이용해서 성공한 뮤지션도 있다. 19세기 이탈리아 출신 바이올리니스트 파가니니가 그중 한명이다. 파가니니는 눈이 움푹 들어가고 몸은 전체적으로 호리호리했다. 그는 무대 위에서 바이올린 연주를 할 때마다 눈을 뒤집고 경련을 일으키는 듯한 뛰어난 연기를 보여주었는데 그 인기가 하늘을 찔렀다. 파가니니 이후의 인기 예술가들은 대중들에게 일부러 자기가 미성년자를 성폭행했다는 둥, 동물을 죽여 그 피를 마셨다는 둥 인간이 아닌 괴물이 한 행동처럼 보이는 해괴한 무용담을 퍼뜨려서 자신들의 '신들린' 이미지를 강조했다. 19세기 음악가들은 관객들에게 자기가 뮤즈에 홀렸다는 것을 증명해 보이려고 연주가 끝나자마자 현기증을 내고 쓰러지는 연기를 하거나, 입에 베이킹소다 알약을 물고 있다가 클라이맥스를 연주하는 순간 그것을 깨물어 입에서 거품을 내뿜기도 했다. 유럽의 관객들은 자기도 모르게 예술가들이 만든 이런 괴이한 분위기에 홀려 연주자와 함께 쓰러지기도 하고, 히스테리를 부리며 무대 위로 뛰어올라가기도 했다.

한 마케팅 회사에서 한국에 단기 거주하는 미국인들을 대상으로 '왜 미국에서 한류가 주류로 떠오르지 못하는가?'를 조사했다. 대답은 '한국인들이 너무 착해서'였다고 한다. 오늘날까지도 미국의 가수나 연기자들은 마약 스캔들, 성추행, 동성애, 알코올 중독 등 사회가 극도로 꺼리는 일탈행위로 스캔들을 만들어 음반이나 티켓 판매를 돕는다. 심지어 록음악의 전설인 컬트 코베인은 권총 자살을 한 후로 더 인기가 많아졌다. 유명 대중가수인 브리트니 스피어스도 이혼, 자녀를 두고 남편과 벌인 친권 소송, 마약 중독, 치료를 받으며 재활원을 드나드는 소식 등을 뿌린 후에야 얼굴만 예쁜 틴에이저 스타에서 제대로 된 가수로 인정을 받을 수 있게 되었다. 이런 미국에 비해 한국 연예계와 문화는 너무 얌전하다는 뜻인 것 같다.

서양인들은 지금도 은근히 뮤즈라는 귀신과 동거하는 예술가들의 영혼을 부러워한다. 그래서 천장에 파이프가 드러나 보이는 허름한 아파트, 찢어진 청바지, 양말을 신지 않고 신발을 신는 가난한 예술가들처럼 '보헤미안'식 인생을 살고 싶어 하는데, 이것은 아직도 서양 사람들은 마음속 깊은 곳에 뮤즈의 영령이 주는 광기 어린 기쁨을 맛보고 싶은 욕망이 남아있어서라고 말할 수 있겠다.

Animation

영혼 있는 예술, 애니메이션

일본 만화영화를 'anime애니메'라고 부르는데, 이것은 일본 사람들이 '만화'를 뜻하는 영어 'animation애니메이션'을 잘라 만든 단어다. 만약 독자가 영혼이 있는 예술을 추구하는 사람이라면 애니메이션 공부를 해보라 권하고 싶다. 왜냐하면 어원적으로 animation은 '영혼', 즉 'anima아니마'를 불어넣어 생명을 만든다'는 뜻의 단어이기 때문이다.

그렇다면 영혼이란 무엇일까? 우리들의 머릿속에 가끔씩 이런 철학적인 생각이 스쳐지나갈 때가 있지만 살기 바쁘다 보니 깊이 생각해보지 못한 채 금세 잊어버리고 만다. 고대 그리스의 시민권자들은 잡다한 일들을 모두 노예들에게 맡길 수 있어 시간이 남아돌았다. 허구한 날 끼리끼리 모여앉아 이런 문제를 고민하며 무료함을 달랬다. 특히 아리스토텔레스라는 사람은 시간이 다른 사람들보다 더 많이 남았는지 〈De Anima영혼이란〉라는 책까지 썼다. 주제는 '영혼이 있는지 없는지 어떻게 알 수 있는가?'다. 우리는 이 문제에 대해 직접 고민할 정도로 한가한 사람들이 아니니, 한가한 그리스 양반들은 이를 어떻게 생각했는지 요점만 정리해서 살펴보자.

아리스토텔레스는 일단 아이를 낳을 수 있는 것을 '생명이 있는 것'이라고 했다. 그의 이론에 의하면 나무나 풀도 번식할 수 있기 때문에 생명이 있다. 하지만 영혼은 별개의 문제다. 풀과 같은 식물은 밟혀도 밟히는지 모르고 자기 생각을 행동으로 옮길 수도 없으므로 영혼이 없다. 그에 비해 동물은 스스로 주변 환경을 살피고 위험한 곳을 피하며, 냄새로 먹을 수 있는 것과 먹을 수 없는 것을 구분한다. 이처럼 동물은 선택하고 행동할 수 있기 때문에 영혼이 있다고 주장했다. 즉, '스스로 무엇인가를 선택하고 행동하는 것이 바로 영혼이다'가 아리스토텔레스가 쓴 이 길고 지루한 책의 결론이다. 아리스토텔레스는 영혼, 즉 '아니마'가 있어 스스로 행동을 결정할 수 있는 생명체를 'animal애니멀', 즉 동물이라고 불렀다.

따라서 'animation'은 '죽은 물체에 생명을 불어넣어 움직이게 만드는 마법'을 뜻했다. 판타지 영화에는 마법사가 주문을 외우면 나무나 돌이 갑자기 괴물로 변해 사람을 공격하는 장면이 나오는데, 이런 것이 바로 'animation'의 원래 의미였던 것이다.

19세기 미국의 발명가들은 만화 캐릭터들이 살아 움직이는 영화를 만들면 대박이 날 것이라는 생각을 했다. 한동안 만화 속 캐릭터들은 영혼 없이 종이 위에 누워만 있었다. 그러다 점차 기술이 개발되면서 만화의 그림을 셀룰로이드라는 투명한 플라스틱으로 옮겨 그려 영화 필름처럼 돌리자 미키 마우스 같은 만화 캐릭터가 갑자기 화면에서 살아나 울고 웃고 말하며 돌아다녔다. 이 기술을 '셀룰로이드 판에 영혼의 숨결을 불어넣는 법'이라는 뜻의 'Celluloid Animation Technique' 또는 줄여서 '셀 애니메이션'이라고 불렀다.

오늘날 전 세계 사람들에게 만화영화 왕국으로 알려진 일본에는 제2차 세계대전에서 패배한 후 미국 문물이 홍수처럼 밀려들었다. 이때 '셀 애니메이션 기법'도 함께 전해졌는데, 당시 일본 만화가인 오사무 데즈카는 디즈니에서 수입된 만화영화에 크게 자극을 받아 일본 스타일의 어린이 만화영화를 만들어보고 싶었다고 한다. 하지만 당시 패전국인 일본은 디즈니처럼 세련된 만화영화를 만들 돈이 없었다. 그래서 데즈카는 적은 수의 그림으로 비용을 대폭 줄여서 만들 수 있는 일본풍 만화영화 기법을 발명했다고 한다. 아시아 사람들은 음절 많은 영어 발음을 아주 싫어하기 때문에 일본인들은 '셀 애니메이션 테크닉'이라는 외우기도 발음하기도 힘든 긴 단어를 점차 '아니메'로 간단히 줄여서 발음했다. 시간이 흐르고 일본 만화영화가 세계적인 인기를 얻게 되면서 일본인들이 편의를 위해 줄여 만든 이 단어가 미국으로 역수입되었다. 이때부터 아니메는 당당하게 '일본 만화영화'를 뜻하는 단어로 쓰이게 되었다.

우리나라에서 젊은이들끼리 대화를 나누다보면 "이상형이 어떻게 되나요?"라는 질문이 나오는 경우가 많다. 내 머릿속에는 이상적인 이성의 이미지가 숨어있다는 '이상형 이론'은 스위스의 심리학자 칼 융이 라틴어로 '영혼'을 뜻하는 단어인 아니마를 응용해 만든 '아니마-아니무스anima-animus' 이론에서 나왔다

이 이론을 간단히 설명하기 위해 유명 영화, 뮤지컬 작품 〈빌리 엘리어트〉의 줄거리를 빌리겠다.

영화는 여성스러운 남자 아이인 빌리와 홀아버지의 관계를 다뤘다. 아들 빌리가 늘 여자처럼 행동하는 것이 걱정스러웠던 아버지는 빌리

를 남자답게 키우려고 복싱 레슨을 받게 하는 등 다양한 노력을 한다. 하지만 빌리는 우연한 기회에 자기가 발레에 소질이 있다는 것을 발견하고 발레를 배우고 싶어 한다. 광산 노동자로 거칠게 살아온 아버지는 빌리가 여자처럼 발레학원을 다니는 것을 처음에는 싫어하지만 여러 우여곡절 끝에 아들의 재능을 인정해주었고, 결국 빌리는 왕립 댄스 아카데미에 합격한다는 감동적인 패밀리 스토리다.

영화는 해피 엔딩이지만 실제 남자로 태어났다는 이유만으로 자기가 좋아하는 여성적 취향을 어쩔 수 없이 포기해야 하는 남자들이 많다. 심지어는 그런 압박을 견디지 못해 정신병자가 되는 사람들도 있었다. 20세기 초 융 박사는 스위스에서 대형 정신병원을 운영하면서 많은 환자들이 이런 이유로 정신병을 얻었다는 것을 알게 되었다.

융은 여러 사례를 통해 원래 사람의 정신은 몸과 달리 남자, 여자 구분 없이 태어난다는 결론을 얻었다. 그래서 어릴 때는 남자도 여자들처럼 엄마 화장품을 발라보며 여자처럼 놀기도 한다. 하지만 성장 과정에서 빌리 엘리어트의 아버지처럼 주변 사람들이 자꾸만 '남자는 이래야 한다'라며 화장품, 발레 같은 여성적 관심사를 스스로 지워가도록 압박한다. 이 이론에 따르면 결국 모든 인간은 자신의 반을 포기하고 나머지 반쪽만으로 인생을 살고 있는 것이다. 하지만 내 안에서 지워버린 여성성은 결코 없어지는 것이 아니다. 그것은 내면 깊숙이 앙금으로 남아 '이상형'이 된다. 따라서 이상형은 자기가 여자로 다시 태어난다면 내가 이런 여자면 좋겠다는 '자신의 여자버전'이라는 것이 융의 주장이다.

융은 이상형을 크게 4가지로 나눴다. 간단히 말하면 남자도 섹시한 여자, 영리한 여자, 엄마같이 자상한 여자 그리고 지적인 여자 중 자신의 내면에 숨겨진 성향에 따라 한 유형의 여자를 좇게 되어 있는데, 그것이 바로 그 남자의 '이상형'이라는 것이다.

실제로 많은 남자들이 일본 만화를 읽고 자라기 때문에, 인기 있는 드라마 배우나 아이돌 가수들은 일본 만화영화, 즉 아니메 캐릭터를 닮은 경우가 많다. 우리 내면의 동물인 애니멀을 자극하는 아니마가 아니메를 통해 만들어졌다고나 할까?

Designer

돈 되는 직업, 디자이너

'영혼'을 뜻하는 단어 'anima'에서 '만화에 영혼을 불어넣어서 움직이게 하는 예술', 즉 'animation'이 탄생했다는 사실을 앞의 글을 통해 알 수 있었다. 그런데 요즘은 디자인design이 물건에 영혼을 불어넣는다고들 말한다. design을 전문으로 하는 사람을 designer디자이너라고 하는데 웹 디자이너, 패션 디자이너, 건축 디자이너 등 그 종류도 여러가지다. 우리는 흔히 디자이너를 '예쁜 물건을 만드는 사람'으로 여긴다. 하지만 원래 디자이너의 의미는 훨씬 더 방대하다.

중세 유럽에는 디자이너라는 직업이 없었다. 세계 최초로 이 단어를 직업명으로 쓴 사람은, 약 600년 전 이탈리아 시골의 조그마한 가구점 사장이었던 스콰르치오네였다. 스콰르치오네는 이탈리아의 파도바라는 시골에서 작고 허름한 가구점을 운영했다. 매일 손이 부르트도록 톱질, 못질을 해봤자 푼돈밖에 들어오지 않는 자기 신세에 화가 난 그는 비즈니스 모델을 획기적으로 바꿔볼 궁리를 했다. 스콰르치오네가 고객들의 동향을 가만히 살펴보니 가구 구매에 큰돈을 쓰는 부자들은 튼튼하고 좋은 재질로 만든 것보다는 남들이 보면 "와! 신기하다!"라고 칭찬할 만한 기발한 상품을 원한다는 것을 깨닫게 되었다. 그런데 의자를 튼튼하게 만들 수 있는 사람은 많지만, 남들 눈에 번쩍 띄도록 멋지게 만드는 사람은 드물었다. 게다가 당시의 가구점은 주문이 들어오면 선배 기술자에게서 어깨너머로 배운 솜씨로 설계조차 없이 뚝딱뚝딱 만들어 납품했다. 가구 모양에 대해 신선한 아이디어를 내놓는 사람이 없었던 것이다. 스콰르치오네는 이 점에 착안해 당시 잘나가던 미술가들의 책을 잔뜩 사서 읽고 또 읽었다. 그리고 그 책 속에서 획기적인 아이디어를 찾았다. 자신이 직접 손이 부르터가며 가구 제작을 할 것이 아니라, 회화를 배워서 가구의 모양, 색상, 재질을 그림으로 '표시'해 주고, 기술자들에게 하청을 주어 제작하면 된다는 생각을 한 것이다.

우리는 흔히 손짓 발짓으로 의사 표시를 하는 것을 'sign사인을 보낸다'라고 한다. 스콰르치오네 역시 직접 가구를 만들지 않고, 원하는 가구 모양만 그림으로 '표시', 즉 'sign'해 기술자들에게 넘겼다. 그래서 스콰르치오네의 작업을 '디-사인', 즉 'design한다'고 말하기 시작했다. 오늘날 미대 준비생들이 열심히 그려야 하는 밑그림을 뜻하는 단어 'dessin데생'도 여기서 나왔다.

스콰르치오네의 가구점에서 기술을 배우던 제자 중 만테냐라는 신동이 있었다. 스콰르치오네는 만테냐의 재주가 출중한 것을 알고 그가 나중에 독립하면 자기의 가장 큰 경쟁자가 될 것을 염려했다. 그는 만테냐를 양아들로 삼겠다고 꼬드겨 그와 부자관계를 맺었다. 예상대로 만테냐는 청출어람이었다. 스콰르치오네보다 아이디어 수준과 그림 실력이 월등히 뛰어났다. 만테냐는 자기가 만들어낸 기발한 디자인으로 가구를 제작해 팔아 돈을 많이 벌고도 자기에게는 조금만 떼어주는 스콰르치오네가 점점 미웠다. 그는 당연히 스콰르치오네가 번 돈의 일부는 자기 것이라고 생각했다. 시간이 갈수록 두 사람의 사이는 점점 나빠져 매일 가구점 안에서뿐만 아니라 길거리에서까지 싸우더니 나중에는 법정까지 드나들었다. 하지만 스콰르치오네는 이미 돈 많은 부자가 되어 있어서 유명한 변호사를 고용해 계속 만테냐를 괴롭혔다.

파도바에서 다리만 건너면 '아드리아 해의 진주'로 불리는 대도시 베네치아가 있었다. 그 당시의 파도바는 베네치아에 조공을 바치던 식민지였는데 만테냐는 베네치아 최고의 화가인 벨리니의 딸과 결혼했고, 이후 스콰르치오네는 베네치아 시민의 사위가 된 만테냐를 함부로 대할 수 없게 되었다. 드디어 만테냐는 독립에 성공했다. 아이디어와 그림 솜씨가 뛰어난 만테냐는 이탈리아 전국을 돌며 화가, 건축가, 출판업자로 명성을 떨쳤고, 오늘날까지 초기 르네상스 최고의 화가 중 한 명으로 꼽힌다. 하지만 만테냐는 직접 그림을 그리거나 건물을 짓지 않고 콘셉트만 정해 밑그림만 그렸고, 그리거나 짓는 일은 기술자들이나 제자들에게 시켰다. 그렇게 해서 만테냐는 '표시하는 사람', 즉 '디자이너'라고 불린 최초의 유명인사가 되었다. 이후로 건물, 가구, 인테리어 등의 콘셉트를 잡고 밑그림만 그리는 것을 전문으로 하는 사람을 디자이너라고 부르게 되었다.

하지만 보통 '디자이너' 하면 떠오르는 인물들은 주로 옷과 구두 등의 모양을 만드는 패션 디자이너였다. 패션에 디자인이라는 말을 처음 도입한 사람은 1830년 파리에서 활동하던 영국 재단사 찰스 프레

드릭 워스라는 남자였다. 19세기에는 소설이 지금의 드라마처럼 유행과 문화 트렌드를 만들었다. 부유한 여자들은 유명 소설 속 여주인공과 같은 옷을 입고 싶어 했다. TV 드라마의 경우에는 여주인공이 직접 옷을 입고 나와서 그걸 보고 그대로 만들어 입으면 되지만, 소설 주인공이 입은 옷은 상상력을 발휘해야만 제대로 된 모양이 나왔다. 워스는 아주 어릴 때부터 엄청난 양의 소설을 읽어 상상력이 뛰어났다. 그는 자신의 상상력으로 소설 속 여주인공 옷을 완성하면 장사가 될 것이라 생각하고 파리에 디자인 사무실을 냈다. 19세기 유럽의 부유층 여자들은 이미 만들어놓은 기성복을 사 입지 않고 오늘날 웨딩 드레스를 맞추듯 매번 옷을 맞춰 입었다. 대부분의 의상실 내부는 쓰던 천 조각, 실밥, 부자재 등으로 항상 너저분했다. 그러나 워스의 사무실에는 지저분한 옷감이나 실밥, 작업에 쓰이는 부자재들이 전혀 보이지 않았다. 오히려 사무실을 당시의 귀부인들이 찻잔을 기울이며 뒷담화를 즐기던 고급 티 하우스처럼 꾸몄다. 워스는 티 하우스 같은 쾌적한 사무실에 멋진 정장을 빼입고 앉아 여성 고객들과 그들이 좋아하는 소설에 대해 이야기하며 고객의 취향을 파악했다. 고객이 좋아하는 소설이 파악되면 직접 그 책을 들고 와 고객과 함께 주인공의 옷차림이 묘사된 페이지를 읽으며 자기의 상상력을 발휘하여 주인공이 입었을 법한 옷 모양을 스케치했다. 고객이 워스의 스케치를 보고 구매를 결정하면 옷 그림, 즉 디자인을 재단사와 봉재사 등에게 보내 완성하도록 했다. 곧 워스의 의상실은 대박이 났다. 그 뒤 워스의 제자들이 독립을 해서 파리의 생 오노레 길에 연달아 비슷한 의상실을 냈다. 이 길에 소설 주인공이 입은 옷을 상상해서 그대로 만들어주는 가게들이 즐비하다는 소문이 퍼지자, 전 유럽에서 부유한 여자들이 파리로 쇼핑하러 오기 시작하면서 파리는 세계의 패션 중심지로 자리 잡게 되었다. 이런 식으로 전 세계 사람들이 파리 패션을 따라 하자, 파리 패션을 동경하는 멋쟁이들에게 이에 관한 트렌드를 알리는 잡지사가 생겼다. 바로 1892년에 문을 연 《보그Vogue》 잡지사다. 이 잡지는 금세 패션에 관심 있는 전 세계 여성들의 필독서가 되었고, 유명 패션 디자이너인 샤넬, 발렌시아가, 크리스찬 디오르, 이브 생로랑 같은 디자이너들이 소개되면서 이들은 곧 할리우드 스타들과 맞먹는 패션계의 스타가 되었다.

이렇게 해서 600년 전 이탈리아 시골마을 파비아의 초라한 가구점 주인을 가리키던 'designer'라는 단어는 세계의 트렌드를 이끄는 선망의 대상으로 변했다. 하지만 오늘날에도 막상 디자인업에 종사하는 사람들은 스콰르치오네가 가구점에서 직접 가구를 만들어 먹고 살려고 바동거리던 시대 못지않게 design 작업이 힘들고 치열한 일이라고 말한다.

Kitsch

키치 패션은 원래 쓰레기를 입는다는 뜻?

요즘 디자인 잡지를 읽다보면 뜻이 애매하고 알아듣기 힘든 단어가 종종 나오는데, 그중 하나가 '키치kitsch'라는 단어다. 대개 '키치한 멋', '키치 스타일' 같은 표현으로 많이 쓰인다. '키치'의 정확한 의미를 아는 사람은 드문데, 요즘은 촌스럽다고 생각하던 유행 지난 패션을 코디해서 새로운 멋을 만드는 방법 정도를 뜻한다. 깊이 들어가면 'kitsch'라는 단어에 '멋'이라는 수식어가 붙는 것 자체가 아이러니다. 'kitsch'는 원래 독일 남부 사투리로 '더럽히다' '함부로 내다 버리다'를 뜻하는 단어 'kitschen'에서 나온 말로, 직역하면 '쓰레기'이기 때문이다.

'키치'라는 말이 탄생한 배경은 1905년에 나온 한 소설의 줄거리에서 찾을 수 있다. 소설의 주인공은 평범한 집안 출신의 킵스라는 젊은이다. 킵스는 런던의 옷가게 점원으로 일하게 되는데, 가게를 찾아오는 돈 많은 고객들의 옷차림과 말투, 태도에 매료된다. 그러던 어느 날, 킵스의 친구가 호들갑을 떨며 신문을 들고 그를 찾아온다. 오랫동안 연락이 끊겼던 부자 할아버지가 돌아가시면서 킵스에게 유산을 남졌는데, 그의 연락처를 몰라 유산을 받아가라는 신문 광고를 낸 것이다. 뜻밖의 거금을 손에 넣게 된 킵스는 그가 일하던 옷가게에 고객으로 오던 상류층처럼 살 수 있다는 희망에 부푼다. 킵스는 옷가게로 달려가 말쑥한 새 옷을 빼입는데, 지금껏 비싼 옷을 사본 적이 없어 촌스러운 옷을 바가지 써서 비싸게 사고 말았다. 소설은 그의 모습을 이렇게 묘사했다.

'킵스는 체크무늬 울 코트를 입고, 하얀 지푸라기 중절모를 쓰고, 평생 처음 빨간 넥타이를 메고 거북 등껍질로 장식한 은 손잡이 지팡이를 들고 다녔다. 다른 사람이 봤을 때는 예전이나 지금이나 촌스럽기는 마찬가지겠지만, 스스로는 가게에서 막일하던 지난 주의 자기와는 완전히 다른 사람이 된 기분이었다. 백작으로 사는 것이 이런 기분이 아닐까 싶었다.'

또 킵스는 돈이 많아지자 자기 기준으로는 좋은 집안으로 보이는 동네 양복집 딸과 사귀었다. 집을 옮기면서도 주변 사람들이 '진짜 귀족들은 이렇게 산다더라'라며 귀띔해주면 조금의 의심도 없이 그대로 받아들여, 침실 11개에 당구장, 정원까지 갖춘 화려한 집을 짓는다. 소설에는 킵스가 하인들을 잔뜩 고용하고 여자친구에게 심한 시골 사투리로 아주 자랑스럽게 "자기야, 우리는 이제 지체 있는 사람들이야. 네가 손수 걸레질을 할 수는 없지. 품위 있게 하인에게 시키고 안주인 노릇이나 해. 네가 집안일하는 모습을 남들에게 들켜봐. 내가 창피해서 어떻게 얼굴을 들고 다니겠어?"라고 말하는 장면도 나온다.

소설가는 킵스가 많은 돈을 아낌없이 써가며 계급 상승을 시도하지만 항상 자기가 무시당하고 있다는 느낌을 받았다고 묘사한다. 어느 날 킵스는 고급 음식점에서 웨이터가 자기를 무시했다는 자격지심에 시달린다. 자기 모습이 촌스러워서 그런 것은 아닌가 싶어 다른 음식점에도 들어가지 못하고 밥까지 굶는다. 이런 열등감을 극복하려고 킵스는 계속해서 비싼 새 가구, 장신구, 옷들을 사들인다. 그러나 돈을 쓰면 쓸수록 패션도 집도 더욱 촌스러워진다. 결국 킵스는 너무 많은 돈을 낭비해 얼마 후 파산하고 여자친구도 남의 집에서 종살이를 하게 된다. 그제야 킵스는 지금까지의 귀족놀이가 다 부질없는 짓임을 깨닫는다. 이때 아주 부잣집 여자가 킵스에게 프러포즈를 하지만 결국 그는 14살 어린 시절에 장난으로 결혼을 약속했던 시골 여자친구에게 돌아가 순수한 마음으로 그녀와 결혼을 한다. 킵스는 나중에 진짜로 투자에 성공해 다시 한 번 부자가 되지만, 자기 출신성분에 맞춰 조그마한 서점을 하나 운영하며 검소하게 살면서 오히려 행복을 찾는다는 이야기다.

G. H. 웰스라는 영국 소설가는 〈킵스, 소박한 한 사람의 이야기〉라는 이 작품을 통해 당시 유럽 사회의 분위기를 단적으로 보여준다. 처음 돈을 벌었을 때 킵스의 행동이 '키치'의 전형이라고 생각하면 틀림없다.

당시 유럽 전역에는 산업혁명이 일어나 벼락부자가 된 사람들이 많았다. 그런데 이들은 번 돈의 대부분을 귀족 코스플레이에 탕진했다. 어렸을 때부터 사치스런 생활에 익숙해 세련된 소비를 하던 전통 귀족과 달리, 갑자기 부자가 된 사람들은 겨우 패션 잡지를 보고 어설프게 따라 해서 돈을 많이 들이고도 오히려 '나는 졸부요'라고 써붙이고 다니는 꼴이 된 경우가 태반이었다. 오늘날에도 서양 사람들은 잡지나 TV에 나온 유행 트렌드를 진짜 멋으로 착각하고 그런 유행에 뒤떨어지는 것을 '촌스럽다'라고 손가락질하며 놀리는 사람을 'snob'이라고 부르는데, 이것은 라틴어로 'sans nobile', 즉 '작위도 없는 놈'이란 뜻이다. 이는 귀족이 졸부가 다른 졸부를 놀린다며 그들이 알아듣지 못하는 라틴어로 무시하던 말이었다. 'kitsch'는 이런 졸부들이 사 모으던 '조잡한 예술품'을 뜻하는 단어로 출발했다.

19세기 남독일에는 화가들이 너무 많이 배출돼 그들은 일거리가 없어 먹고살 길이 막막한 상황이었다. 정통 귀족들은 점점 더 창의적인 작품을 원했는데, 그런 그림을 그릴 수 있는 천재 화가는 몇백 명 중에 한 명 있을까 말까였다. 이런 상황에서 천만다행으로 졸부라는 봉이 나타났다. 이들은 어렸을 때부터 명화 보는 데 익숙해 예술적 안목이 높은 사람들이 아니었으므로 대략 '이런 그림이 귀족 스타일이다' 싶으면 쉽게 지갑을 열었으니 남독일 미술가들에게는 고마운 고객이었던 것이다. 남독일 화가들은 명작과 비슷하게 대강 쓱쓱 그린 모조품을 졸부들에게 팔아 짭짤한 수익을 남겼는데, 전통 귀족들은 이런 조잡한 그림들을 가리켜 예술 시장을 더럽히는, 즉 'kitschen하는 쓰레기들'이라고 해서 'kitsch'라고 불렀다.

그후로 'kitsch'는 어떤 예술의 디자인 철학이나 창의성에 대한 이해 없이 겉모습만 베낀 싸구려 모조품, 또는 손으로 정성스럽게 만들던 고급 물건을 겉모양만 흉내 내 기계로 마구 찍어낸 것을 비꼬는 단어로 널리 쓰였다. 우리나라처럼 급속하게 경제발전을 이룬 나라에는 유난히 키치가 많다. 예식장 건물에 사용된 그리스나 로마식 기둥부터, 유럽의 성 모양을 이상하게 흉내 낸 유원지의 호텔, 콘트리트나

벽돌 질감을 종이에 프린트한 벽지, 나뭇결 무늬의 장판 등이 모두 키치다. 또 유럽 전통 수제품을 겉모습만 대강 베껴 '유럽 귀족 풍'이라며 중저가에 파는 많은 브랜드들도 '키치'에 속한다.

귀족들이야 자기들이 좋아하는 스타일을 함부로 만들어 가치를 낮추는 '키치'를 지독하게 싫어하지만 모든 사람들이 '키치'를 나쁘게만 본 것은 아니다. 1950년대 미국인 화가 앤디 워홀은 왜 아름다움의 기준이 꼭 고전에 해박한 유럽 귀족 몇 명에 의해 좌우되는가가 불만이었다. 그는 오히려 당당하게 '돈벌이 잘 되는 것이 최고의 예술이다'라고 주장하며 귀족 미학에 반기를 들었다. 심지어 워홀은 마릴린 먼로를 형광색 실크 스크린에 찍은 그림도 미술품이라며 비싸게 내다 팔았다. 이때부터 키치와 예술 사이의 경계가 사라지기 시작했다. 1980년대 마돈나 같은 가수들이 전통 귀족의 '우아함'에 완전히 반대되는 형광색 플라스틱 팔찌, 가위로 자른 청바지, 미키 마우스 티셔츠, 번쩍번쩍하는 레깅스에 농구화나 등산화, 군화같이 용도에 맞지 않는 신발로 매치하는 패션을 유행시키면서 'kitsch'는 귀족들의 고리타분한 스타일에 반항하는 젊은이들의 스타일로 그 의미가 바뀌었다.

덕분에 19세기 유럽인들과 달리 우리 한국인들은 '키치'로 뒤덮인 나라에 살지만 그것을 오히려 당당하게 우리 스타일로 잘 소화한다. 요즘 우리나라에서는 앤디 워홀의 작품이 큰 사랑을 받고 있는데, 어떻게 보면 신흥 강대국으로서 당당하게 '키치'를 즐길 수 있게 해준 예술가에게 끌리는 것은 당연하다고 하겠다.

Karaoke, Orchestra

가라로 하는 오케스트라, 가라오케

아시아에서 발명돼 전 세계로 퍼진 단어 중 하나가 바로 노래방을 뜻하는 '가라오케karaoke'다. TV 모니터에 비친 가사 내용을 보며 거기서 흘러나오는 반주에 맞춰 노래를 부를 수 있는 기계인 '가라오케'는 일본에서 발명되었지만 지금은 세계적으로 아시아 놀이 문화의 대명사가 되어 큰 인기를 얻고 있다. 서양 곳곳에도 가라오케 바들이 있는데, 우리의 노래방과 차이가 있다면 노래방은 아는 사람들끼리 모여 노래를 부를 수 있고 서양의 가라오케 바는 지독한 음치라도 바에 온 모르는 사람 수백 명 앞에서 마음 놓고 노래 솜씨를 뽐낼 수 있다는 것이다. 'karaoke'는 일본어와 고대 그리스어가 이상하게 혼합돼 만들어져 영어 단어로 자리 잡았는데, 직역하면 '텅 빈'이라는 뜻의 일본어 'がらんと가란토'와 고대 그리스로 극장 무대 앞 합창석을 뜻하는 'orchestra오케스트라'가 합쳐져 '합창석이 비었다'라는 뜻이다.

일본인들은 제2차 세계대전에서 미국에 패한 다음 미국 군정의 지배를 받았다. 이때 많은 일본 단어가 미국으로 흘러들어갔다. 미국인들도 일본어로 자살공격을 뜻하는 '카미카제', 두꺼운 솜으로 된 요를 뜻하는 '후톤', 큰 폭풍을 뜻하는 '타이푼'을 발음되는 그대로 사용하고 있다. 하지만 일본인들은 여기서 더 나아가 영어와 일어를 짬뽕해서 미국에는 없는 신조어를 만들어 우리나라에까지 전파했다. 예를 들어서 샐러리맨, 키 홀더, 모닝 콜, 호텔 프론트 같은 말인데, 영미 본토에는 없는 이런 일본식 영어 단어들을 오늘날 우리나라 사람들도 쓰고 있다. 그런데 'karaoke'는 인기가 매우 높아 이 단어가 오히려 미국으로 역수출되어 영국과 미국인들도 거리낌 없이 쓴다.

지금 우리는 orchestra를 '관현악단'을 뜻하는 단어로 알고 있는데, 이는 실제로 공연장 무대 앞에 푹 파인 공간을 말한다. 17세기 이후 오페라 공연 때 관현악단이 그 공간 안에 대기하고 있다가 장면에 맞는 음악을 연주하게 된 후로 '오케스트라에서 공연하는 악단'으로까지 의미가 확장되어 관현악단을 '오케스트라'라고 부르게 된 것이다.

무대 앞 빈 공간인 오케스트라가 처음 생긴 것은 지금으로부터 약 2,500년 전인 고대 그리스 시대다. 아마 오늘날 드라마나 영화를 배경음악 없이 보라고 한다면 너무나 지루해서 아무도 보지 않을 것이다. 명절마다 '드라마'로 불리던 연극 공연을 즐기던 고대 그리스인들 역시 분위기 있는 배경음악이 드라마의 꽃이라고 생각했다. 당시에는 제대로 된 음향기기가 없어서 무대와 객석 사이에 푹 꺼진 공간을 만들고 그 안에 합창단을 대기시켰다가 극의 내용에 맞춰 춤과 노래로 분위기를 띄우도록 했다.

orchestra는 '솟구쳐 오르다'라는 뜻을 가진 고대 그리스어로 '해가 뜨는 곳', 즉 '동방'이라는 뜻의 'orient오리엔트', 처음 식물이 땅을 뚫고 나오는 자리를 뜻하는 'origin오리진'과 같은 뿌리 단어다. 종종 속된 말로 필 받으면 '확 올라온다'고 말하듯, 고대 그리스인들의 극장에서는 무대 앞 공간에 대기 중이던 합창단들이 노래와 춤으로 감정의 소용돌이를 만들어 관객들의 필을 확 솟구쳐 오르게 했기 때문에 무대 앞 푹 꺼진 공간을 '오케스트라'라고 불렀다고 한다.

그로부터 약 2,000년이 지난 17세기부터 유럽인들의 엔터테인먼트 취향은 연극에서 오페라로 바뀌었다. 하지만 공연장 모양은 고대 그리스 시대의 연극 극장과 크게 달라지지 않았다. 단지 오케스트라에 합창단 대신 관현악단을 대기시켰기 때문에, 점차 관현악단을 '오케스트라'라고 부르게 되었다.

orchestra를 일본어와 뒤섞어 Karaoke라는 단어로 만들어 사용한 사람은 1971년 이노우에 다이스케라는 일본인 드럼 연주자였다. 다이스케는 일본의 한 술집에서 악단의 드럼 연주자로 일했다. 어느 날, 단골손님인 한 사업가가 그에게 회사 야유회 때 연주를 해달라고 부탁했다. 하지만 사정이 여의치 않았던 다이스케는 자신이 연주한 반주를 테이프에 담아 가져가게 했다. 이후 다이스케는 악보를 외워서 연주하지 않고 직접 기계로 연주할 수 있는 방법은 없을까 고민하다가 가라오케라는 기계를 만들게 되었다.

일본인들은 새로운 기술을 거리낌 없이 받아들여 기술 응용 상품을 다른 민족보다 수월하게 받아들이는 것으로 유명한데, 이런 사고방식이 새로운 문화를 만든 셈이다.

하지만 고전 예술을 사랑하는 한 사람으로서 '가라오케'라는 말을 들으면, 신나게 노래를 부르며 노는 이미지가 떠올라 즐거우면서도, 한편으로는 수천 년 동안 라이브 예술가들의 숨결을 느끼게 해준 '오케스트라'를 비워놓고 컴퓨터 반주가 그 자리를 대신하게 되면서 그야말로 '텅텅 비어있는 합창석'의 모습이 동시에 떠올라 서글프기도 하다.

Prestige

한 나라를 무릎 꿇게 한 마법사

비행기에서 가장 비싸고 넓은 좌석을 '프레스티지prestige급 좌석'이라고 한다. VIP 카드나 상품도 '프리스티지'라고 표현하는 경우가 많다. 보통 학식이든, 권력이든, 경제력이든 남들이 부러워할 만큼의 두각을 나타내는 사람을 가리켜 '프레스티지가 있다'라고 말한다.

그렇다면 과연 세상에서 가장 프레스티지가 있는 직업은 무엇일까? 원래의 뜻으로 생각해보면 바로 이은결 같은 마법사다. 먼 옛날 'prestige'는 '마술쇼'를 뜻하는 단어였기 때문이다.

역사상 가장 유명한 마술사를 꼽으라면 후디니라고 말할 수 있을 것이다. 1912년 뉴욕 사람들은 후디니의 마술을 보려고 강변으로 구름처럼 몰려들었다. 강 위에 보트가 한 척 떠있고, 갑판 위에 수갑과 족쇄를 찬 후디니가 서있다. 빽빽하게 강변을 메운 관중 앞에서 조수들이 후디니를 조그마한 나무통에 옷을 구겨 넣듯 쑤셔 넣는다. 그러고는 나무통과 보트를 튼튼한 밧줄로 묶더니 나무통을 물속으로 힘껏 던진다. 나무통은 후디니가 안에 갇힌 채로 물속으로 꼬르륵 가라앉는다. 약 1분 후, 후디니는 마치 아무 일도 없었던 듯 유유히 강 위로 머리를 드러냈다. 강변을 메운 관중의 환호성이 터졌다. 조수들이 밧줄을 잡아당겨 나무통을 꺼내 안을 보여주니 통 안에는 아직도 못이 그대로 박혀있고, 후디니가 찼던 것으로 보이는 수갑과 족쇄가 들어 있다.

이처럼 난이도 높은 위험한 마술쇼로 세계적 명성을 얻은 후디니도 마술쇼의 원조는 아니었다. 후디니라는 이름은 그의 본명이 아니었는데, 그보다 약 50년 전에 프랑스에 살았던 선배 마술사 로베르-후댕의 기술과 이름을 빌린 것이었다. 후댕은 원래 프랑스 시골에 살던 명품 시계 장인이었다. 어느 날 서점에서 시계 만드는 새로운 방법을 다룬 교재를 사 온 후댕은 포장을 풀자 무척 화가 났다. 책방에서 실수로 자기가 산 시계 교재 대신 마술 교재를 준 것이었다. 후댕은 호기심에 마술 교재를 읽다가 점점 마술 연습에 빠져들었다. 시계를 만들다가 조금 한가하다 싶으면 길거리로 나가 지나가는 사람들에게 책에서 배운 마술을 보여주는 새로운 취미까지 생겼다. 이렇게 해서 마술에 완전히 빠져든 후댕은 지금까지 마술사들이 사용해온 단순한 눈속임보다 더 멋진 마술을 하고 싶다는 꿈이 생겼다. 그는 내친 김에 파리로 이사 가서 극장을 구한 다음, 시계 만들면서 배운 기술로 톱니바퀴, 철사, 용수철 같은 것들을 응용해 새로운 마술 도구들을 만들었다.

후댕의 마술을 보려고 많은 사람들이 극장으로 몰려들었다. 후댕은 관중석의 아주머니들 중 한 명에게 손수건을 빌려달라고 했다. 후댕이 관객이 빌려준 손수건을 손 안으로 뭉쳐 넣고 문지르자 손수건이 점점 작아지면서 사라졌다. 이번에는 자기 앞에 놓아둔 달걀을 꺼냈다. 당시 손수건을 달걀에서 꺼내는 마법은 흔히 볼 수 있었기 때문에, 관객들은 후댕 역시 그렇게 할 것이라고 생각했다. 그러나 후댕의 손에서 달걀이 터지더니 하얀 가루만 남았다. 달걀 옆에 있는 레몬을 건드리자 그것 또한 가루로 변했다. 그 옆에 있는 오렌지 역시 건드리자 가루로 변했다. 어리둥절한 관중 앞에서 후댕은 유유한 표정으로 흩어진 가루들을 유리 실험관 안에 모두 주워담았다.

그때 후댕의 조수 한 명이 조그마한 오렌지나무 한 그루를 무대 위로 들고 왔다. 후댕은 가루를 모아 담은 실험관에 알코올을 넣고 불을 붙였다. 오렌지나무에 그 불을 대자 닿는 곳마다 오렌지가 열렸다. 후댕은 "맛있게 드세요!"라고 소리치며 나무에서 오렌지를 따 관중석으로 던졌다. 얼떨결에 오렌지를 받아든 관중은 미심쩍은 기분으로 오렌지 껍질을 벗겼는데, 그것은 놀랍게도 진짜 오렌지였다. 마침내 나무에 오렌지 한 개만 남았다. 후댕이 그 마지막 오렌지를 툭 하고 치자 오렌지가 반으로 쫙 갈라지면서 관중석 아주머니가 빌려준 손수건이 튀어나왔다고 한다.

당시에 후댕은 마술 공연을 할 때 파리 신사들처럼 몸통이 아주 긴 모자와 꼬리 달린 상의를 입고 나왔는데, 이것은 전통이 되어 오늘날 마술사들 역시 종종 이런 의상을 입곤 한다.

후댕의 신기한 마술쇼에 대한 소문을 접한 프랑스 황제 나폴레옹 3세는 당장 그를 궁전으로 불러오도록 했다. 그 당시 프랑스는 북아프리카로 쳐들어가 오늘날의 알제리를 정복했다. 그러자 알제리의 독립운동가들은 국민들에게 마술을 보여주면서 '이것이 프랑스인들을 쫓아내라는 알라의 계시'라고 선동했다. 곧 여기저기서 반란이 일어나 프랑스군을 괴롭혔다. 나폴레옹 3세는 프랑스에는 더 강한 마술사가 있으니 덤비지 말라는 뜻으로 즉시 후댕을 불러 알제리 마술사들과 한판 대결을 벌이도록 했다.

후댕은 알제리 공연에서 그 나라 사람들을 단숨에 사로잡을 아이디어를 생각하다가, '이빨로 총알 잡기' 마술을 개발했다고 한다. 이후 알제리에서는 프랑스 마술사들은 총알도 멈출 수 있다는 소문이 돌았고, 이에 기가 질린 알제리 사람들은 아예 독립운동을 포기하고 조용히 프랑스에 복종하게 되었다고 한다.

후댕이 살던 시대만 해도 일반인들은 마녀를 몹시 두려워했다. '주술'을 뜻하는 'magic'이라는 단어는 함부로 입에 올리지도 못했다. 그래서 마술쇼를 'magic show'라 부르지 못하고 'pre+stringere 영어로 '끈'을 뜻하는 'string'' '눈앞을 묶는다', 즉 'prestige'라고 했다. 진짜 악마와 소통하는 마술이 아니라 단지 가볍게 눈을 속였을 뿐이라는 뉘앙스였다. 또 '빠르다'를 뜻하는 'presto'와 '손가락'을 뜻하는 'digit 디지털은 원래 손가락으로 숫자를 세었기 때문에 나온 말'이 합쳐져 생긴 단어라는 이론도 있다.

후댕이 알제리 사람들을 한방에 기죽였듯이 마술, 즉 'prestige'처럼 남이 '어떻게 했지?'라며 어리둥절해할 정도의 놀라운 일을 해낼 수 있으면 남들은 그것이 속임수인 줄 알면서도 어쩔 수 없이 나를 따르게 되고 나의 위상도 올라간다. 그래서 원래 '눈속임'을 뜻하던 'prestige'는 '위상' '위신'을 뜻하는 단어로 변하게 되었다.

오늘날에도 많은 사람들이 명예욕에 눈이 멀어 여러가지 거짓말을 한다. '눈속임'을 뜻하던 'prestige'라는 단어가 오늘날 '위상'으로 의미가 변한 것을 보면 권력과 거짓말은 옛날부터 떼려야 뗄 수 없는 관계였다는 것을 말해주는 것이 아닐까?

Sandwich

모래사장 공작님의 샌드위치

지금도 나이 든 영국인들은 세계를 재패했던 대영제국 시절의 영광을 잊지 못한다. 내 영국인 친구의 할아버지도, 공항에서 한 외국인이 툭 치고도 사과 없이 지나치자 "내가 어렸을 때 세계지도를 펴면 세상이 온통 핑크색당시 지도에 영국 영토를 칠하던 색상이었지."라고 말씀하시며 고개를 절레절레 흔드셨다.

지금으로부터 200년 전만 해도 할리우드 영화 〈캐리비안의 해적〉에 나올 법한 거대한 영국의 범선들이 당시 영국의 식민지였던 미국, 캐나다, 인도, 이집트, 싱가포르, 홍콩, 호주, 뉴질랜드 등에서 노예, 설탕, 향료, 후추, 금, 은, 보화들을 가득 싣고 대양을 가르며 영국으로 향했다. 대영제국 무적함대의 총책임자는 '1등 해군대신'이라는 아주 높은 직책이었다. 1700년대 말에는 존 몬테규라는 사람이 이 중요한 직책을 맡았는데 당시 몬테규의 권세는 하늘을 찔렀다.

이런 중요한 자리에 앉았던 사람은 무척 성실하고 똑똑했을 것 같지만 현실은 그렇지 않았다. 그 당시 유럽 귀족들은 왕을 따라 사냥을 나가거나 무도회에 참석해서 왕을 즐겁게 해주면 이런 자리 정도는 얻을 수 있었다. 몬테규는 당시 대부분의 영국 귀족들이 그랬던 것처럼 도박꾼으로 명성이 자자했다. 그는 24시간 동안 연속으로 도박을 즐길 정도의 도박광이었다. 그가 하루 온종일 도박을 하느라고 밥 먹을 시간조차 낼 수 없자, 하인에게 빵 두 조각 사이에 고기를 끼워 오라고 해서 그것을 먹으며 도박을 했다고 한다.

존 몬테규의 조상은 대대로 모래로 뒤덮인 해안가의 한 마을을 다스리던 백작 가문이었다. 몬테규의 영지가 '모래 덮인 해안'이라고 해서 'sand+beach', 즉 'Sandwich샌드위치'라고 불렀다고 한다. 당시 백성들은 지위가 높은 사람의 성과 이름을 함부로 부를 수 없었으므로 몬테규를 '샌드위치 백작님'이라고 불렀다. 이후 빵 두 개 사이에 고기를 끼워 먹는 것을 '샌드위치 백작처럼 먹는 것'이라고 해서 '샌드위치'라고 불렀다. 평민들이야 항상 이런 식으로 식사를 때웠겠지만, 영국 1등 해군대신이 럭셔리 카지노에서 먹는 영국 귀족 음식으로 알려지자 전 세계적으로 인기를 얻었다.

몬테규는 불성실한 노름꾼치고 자신의 이름을 사방팔방에 많이도 남겼다. 남태평양에는 '샌드위치 군도'라는 조그마한 무인도군이 있고, 또 알래스카 부근에도 '몬테규 섬'이 있다.

몬테규는 몹시 불성실했지만, 운 좋게도 쿡 선장이라는 뛰어난 부하 직원을 두어 이처럼 세계지도에 이름을 많이 남길 수 있었다. 이탈리아에 콜럼버스가 있고 포르투갈에 마젤란이 있다면, 영국에는 쿡 선장이 있었다. 쿡 선장은 전설로 떠돌던 '남쪽 대륙'을 찾아 항해를 떠났던 특이하고 재미있는 인물이다.

콜럼버스가 아메리카 대륙을 발견한 이후로 유럽에는 대항해 시대가 열렸다. 새로운 땅을 찾으면 거기서 나온 새로운 귀한 자원들을 독점하고 어마어마한 영토도 차지할 수 있었다. 아직 세계지도가 없던 시대의 유럽인들은 옛 사람들의 책을 읽고 어느 방향으로 항해해야 할지를 결정하곤 했다. 그런데 르네상스 시대에 처음으로 세계지도를 만든 사람들은 아주 단순한 생각으로 지도를 그렸다. 지구는 둥근데 적도 위쪽에 유럽, 아시아 같은 큰 대륙들이 몰려있으면 무게 중심이 맞지 않아 지구가 뒤집힐 수 있다고 생각한 것이다. 그들은 지구가 뒤집히지 않고 있으므로 남쪽에도 분명 유럽이나 아시아만 한 큰 땅이 있을 거라고 믿었다. 아직 발견이 되진 않았지만 틀림없이 남쪽에 있을 것으로 믿은 이 전설의 땅은 한낮에 해가 남쪽에서 가장 밝게 비치기 때문에 라틴어로 '빛나다'라는 뜻을 가진 '오로라'의 나라, 즉 'Australia오스트레일리아'라고 불렀다. 쿡 선장은 이 미지의 땅 오스트레일리아를 발견하려고 남태평양을 수십 번 왔다 갔다 했다고 한다.

그러나 쿡 선장은 남쪽 대양에서 유럽이나 아시아만 한 대륙을 발견하지는 못했다. 쿡 선장이 죽은 지 몇십 년 후, 남태평양에 떠있는 섬 중 가장 큰 섬을 '오스트레일리아'라고 불러 대륙으로 인정하기로 하고 더 큰 대륙을 찾는 것은 포기했다. 그 섬이 바로 오늘날의 오스트레일리아, 즉 '호주'다.

쿡 선장은 콜럼버스처럼 신대륙을 발견하지는 못했지만 태평양에 떠있는 수많은 섬을 방문해서 그곳에 살고 있는 다양한 원시 부족들을 만나 그들의 문화를 생생한 기록으로 남겼다. 우리가 지금 머릿속에 '원시인' 하면 떠올리는 이미지의 대부분은 쿡 선장의 기록물에서 나왔다고 해도 과언이 아니다. 풀잎으로 중요 부분만 가리고, 알몸에 문신을 하고 다니는 식인종의 이미지 역시 쿡 선장의 〈남태평양 일기〉에서 나온 것이다.

쿡 선장은 남태평양의 이 섬 저 섬을 돌며 현지 원주민들과 친해지려고 많은 노력을 했지만 쉽지는 않았던 모양이다. 섬마다 문화가 달라 각각의 금기 사항을 제대로 지키기가 어려웠기 때문이다. 한번은 쿡 선장이 무인도의 한 원시 부족인 통가족과 함께 밥을 먹게 되었는데, 앉아서 같이 먹자고 하자 그들이 절대로 안 된다며 "tapu!"라고 대답했다. 쿡 선장은 나중에 이 'tapu'가 조상신이나 귀신이 싫어하므로 절대로 하면 안 된다는 의미의 말이란 걸 알게 되었다.

쿡 선장의 일지를 통해 'tapu'를 'taboo타부'라는 영어로 만들어 '어떤 깊은 종교적, 도덕적인 이유로 함부로 입 밖에 내는 것마저 금지되어 있는 것', 즉 시체 훼손, 수간, 근친상간 등 사회적 절대 금기를 뜻하는 단어로 쓰이게 되었다.

쿡 선장은 하와이 섬도 발견했는데 애석하게도 이곳에서 생을 마감했다. 쿡 선장이 하와이에 도착하자, 그곳 원주민들은 쿡 선장 일행을 썩 달가워하지 않았다. 하와이 원주민들은 쿡 선장 일행이 잠든 사이에 그들의 배를 훔쳤다. 쿡 선장은 하와이 추장을 납치해서 배와 교환하자고 제안할 생각이었지만 이를 하와이 원주민들에게 발각당하면서 계획이 수포로 돌아갔다. 오히려 쿡 선장은 바닷가로 돌아가던 중 뒤에서 다가온 하와이 원주민들의 곤봉에 맞아 쓰러졌다. 하와이 원주민들은 쓰러진 쿡 선장을 단도로 마무리해 그의 목숨을 완전히 끊어버렸다.

귀족으로 태어난 샌드위치 백작이 런던에서 샌드위치를 다음 세대의 음식 문화를 바꾸어나가고 있을 때, 평민으로 태어난 쿡 선장은 태평양을 누비며 원주민들을 만나 인간에 대한 새로운 시각을 제시하고 있었으니 사람마다 타고난 운명은 따로 있다는 말이 맞는 것 같다.

Humanities

'전쟁'과 '계급'으로 알아본 이야기 인문학

Cardigan

카디건 백작의
귀족밀리터리룩, 카디건

빵에 고기를 끼워 먹어 유명해진 샌드위치 백작은 게으른 도박꾼이었다. 하지만 그는 대영제국시대 영국 남자들의 전형적인 모습을 보여주었을 뿐이다. 패셔너블한 스웨터 이름이 된 '카디건 백작'에 비하면 샌드위치 백작은 착한 모범생이었다.

송혜교 가방, 김태희 바지, 영부인 커피처럼 유명 인사의 이름이나 별명을 붙여 판매되는 물건들이 많다. 하지만 150년 후 우리의 후손들은 '송혜교 가방'을 메면서도 송혜교가 누군지 전혀 모를 수 있다. 오늘날의 우리도 날씨가 쌀쌀해지면 셔츠 위에 'cardigan카디건'이라는 스웨터를 걸치지만, 카디건 백작을 기억하는 사람은 거의 없다.

카디건 백작은 세계를 정복하고 '대영제국에 해질 날 없다'며 떵떵거리던 19세기의 영국에서, 그것도 어마어마한 돈과 권력을 가진 집안에서 7명의 누이를 가진 외동아들로 태어났다. 우리는 이런 식으로 운 좋게 태어난 사람을 두고 흔히 '은수저를 물고 태어났다'고 하는데, 카디건은 은수저가 아닌 금수저를, 그것도 하나가 아니라 세트로 입

에 물고 태어났다고 말해도 모자랄 정도의 행운아였다

아버지는 어린 카디건을 명문 기숙사 고등학교에 입학시켰다. 카디건은 아기 때부터 뭐든지 자기 마음대로 해왔기 때문에, 학교에서 친구와 싸움이 나면 바로 주먹다짐에 들어갔다. 또 당시의 학교는 대영제국의 신사라면 친구와 갈등이 생겼을 때 남자답게 정정당당한 싸움으로 해결하라며 싸움을 장려하는 편이었다. 카디건은 친구와 싸우다가 손가락이 부러졌는데, 꼭 런던에 있는 유명한 의사에게 가서 치료를 받아야 한다고 우겨 학교를 빠지는 바람에 결석 처리를 받았다. 아버지는 아들에게 친구와 다툰 것에 대해선 아무런 훈계도 하지 않고 오히려 학교 당국이 자기 아들을 결석 처리한 것이 마음에 안 든다며 아들을 자퇴시켜버렸으니, 카디건을 얼마나 오냐오냐하며 키웠는지 알 수 있다.

당시 영국에서 귀족으로 태어난 사람은 입학 시험 없이 옥스퍼드 대학에 들어갈 수 있었다. 카디건은 옥스퍼드에서 2년 정도 공부하다가 자기 적성과 맞지 않는다며 중퇴했다. 아버지는 부랴부랴 돈을 주고 카디건에게 국회의원직을 사주었는데, 그는 나라의 어려운 문제에 대해 결정을 내리기 싫다며 게으름을 피우다가 당에서 쫓겨났다.

또한 당시 영국 귀족은 사관학교 출신이 아니어도 부모의 출신성분에 따라 장교가 될 수 있었다. 결국 카디건은 영국의 식민지였던 인도에 가서 장교 생활을 하게 되었다. 카디건은 군 생활이 어렸을 때 읽었던 기사도 소설의 내용과 똑같을 것이라 착각했다. 그는 기사의 후예인 기마병이 옷을 후질구레하게 입으면 안 된다며 거금의 사비를 들여 최고의 패션 디자이너에게 군복을 맞춰 입었고, 장교들이 식사를 할 때는 꼭 제대로 된 와인을 곁들여 먹어야 한다며 비싼 와인을 상자째로 구입해 매끼마다 마셨다. 자기 말을 잘 안 듣는 장교는 군법으로 처벌하기보다는, 옛날 기사들의 방식으로 얼굴을 장갑으로 때리며 결투를 신청했다고 한다. 그렇게 황당한 군 생활을 계속하던 카디건은 갑자기 영국이 러시아와 격전을 치르던 크림 전선으로 발령이 났다.

1850년대 영국은 축축하고 음산한 흑해지역에서 러시아를 상대로 언제 끝날지 모르는 지루한 전쟁을 하고 있었다. 바로 크림 전쟁이었다. 카디건이 생활하게 될 외진 전쟁터는 3년간 군인들이 하수구도 없는 땅에 친 텐트에서 살다가 영양실조와 질병으로 죽어나가는 곳이었다. 크림 전쟁에 참가했던 한 병사의 일기를 보면 당시의 참혹했던 생활에 대해 알 수 있다.

'모국에서 보급품으로 치즈처럼 납작하게 누른 초콜릿을 보내줬다. 다행히 초콜릿이 불에 탄다는 것을 알고 그것을 잘게 쪼개서, 주변에서 주운 돌로 바람을 막고 불을 붙였다. 장작을 보내주지 않아, 온기를 유지할 수 있는 유일한 방법이었기 때문이다.'

이렇게 몸이 얼고 굶어서 병에 걸린 병사들은 영국 정부에서 얼기설기 만든 야전병원으로 보내졌다. 이 야전병원에는 백의의 천사 나이팅게일이 환자를 돌보고 있었다. 나이팅게일이 영국으로 보낸 편지를 보면 1,000명의 환자가 화장실도 없는 방에서 20개의 요강을 돌려쓰고, 침대가 모자라 벌레가 득시글거리는 바닥에 내던져진 환자는 2주 정도 지나야 겨우 치료를 받을 수 있었다고 쓰여있다. 절단 수술로 잘린 부상병들의 팔과 다리는 병원 밖으로 던졌는데, 환자들은 들개가 몰려와 자기 팔다리를 뜯어먹는 광경을 보고 있어야 했다.

카디건은 이런 처참한 꼴이 보기 싫다며 바다에 개인 비용으로 구입한 럭셔리 요트를 띄워놓고 아침 10시가 되어서야 슬슬 병영으로 올라가서 병사들과 한두 시간을 보낸 뒤 다시 요트로 돌아갔다. 그러던 중, 카디건의 기마대에게 '대포 쪽으로 돌격하라'는 장군의 진격 명령이 떨어졌다. 사실 산꼭대기에서 지휘를 하던 장군은 적군이 영국 대포를 공격하니 가서 도우라고 명령한 것이었다. 그런데 계곡에 있던 카디건의 눈에는 바로 앞에 있는 러시아 대포밖에 안 보였다. 기마병에게 대포를 공격하라니, 이것은 자살하라는 말과 같았다. 하지만 전쟁 중에 내려진 명령은 반드시 따라야 하는 법, 카디건은 600명의 부하를 이끌고 러시아 대포를 향해 말을 달렸다. 영국 시인 테니슨은 당시 상황을 이렇게 묘사했다.

오른쪽에서도 포, 왼쪽에서도 포, 앞에서도 포가
천둥처럼 으르렁거렸다.
포탄과 파편이 회오리치고
말과 영웅들이 넘어지며 죽어갔다.
하지만 잘 싸운 몇 명은
죽음의 아귀와 지옥의 목구멍을 빠져나왔다.

카디건의 기마대는 거의 전멸했지만 카디건은 운 좋은 사나이답게 살아 돌아와 졸지에 영웅이 되었다.

전쟁터를 떠나 영국으로 돌아온 카디건은 사회계를 누비며 자기가 병사들과 함께 진흙 위에 텐트를 치고 살았다는 과장된 무용담을 만들어 떠들고 다녔다. 시간이 지나면서 점차 카디건이 병영의 텐트 속에서 추위를 견디느라 뜨개질 조끼를 걸치고 다녔다는 소문이 돌았고, 기업들은 돈벌이를 위해 뜨개질 조끼에 '카디건'이라는 이름을 붙여 마구 찍어냈다. 카디건은 죽어가는 아내를 병원에 처박아놓고 다른 여자와 연애하다가, 와이프가 죽어 묻힌 무덤의 흙이 채 마르기도 전에 그 여자와 결혼을 하는 등 여전히 제멋대로 살았지만 아무도 그가 형편없는 군인이었다는 말을 할 수 없었고, 여왕마저 그에게 계속 국방부의 중책을 맡겼다. 그가 바로 대영제국의 귀족, 즉 '젠틀맨'이었기 때문이다.

150년이 지나 카디건의 이름은 잊혀지고 대영제국의 오만도 사라졌지만 영국 신사의 이름인 cardigan 그리고 sandwich는 우리 일상에서 전혀 다른 것을 지칭하는 말로 자리 잡았다. 그런데 세계 최초의 프리랜서도 영국의 '신사'였으니, 피도 눈물도 없는 존 호크우드 장군이란 사람이었다. 어떤가, 영국의 기사계급인 '젠틀맨'이 아직도 매너 있는 사람들이라고 생각되는가?

Freelancer

원조 프리랜서, 존 호크우드 장군

언어의 역사에 큰 획을 그은 세 명의 영국인을 뽑으라면 도박꾼 샌드위치 백작, 허풍쟁이 카디건 백작 그리고 도살자 호크우드 장군을 뽑겠다. 호크우드는 원조 freelancer프리랜서다. 한 회사에 소속되지 않고 여러 회사의 업무를 돈 받고 처리하는 것을 'freelancer 프리랜서'라고 하는데, 옛날에 프리랜서는 돈 받고 전쟁을 대신 치러주는 용병 집단이었다.

중세기에 프랑스와 영국은 백년 전쟁이란 지루하고 끔찍한 전쟁을 치렀다. 전쟁이 끝나고 평화가 찾아오자 두 나라의 국민들은 안도의 한숨을 쉬었지만, 한편으론 먹고살 일이 걱정되어 긴 한숨을 쉬는 사람들도 많았다. 그들은 전쟁이 워낙 오래 지속되어서 아장아장 걸을 때부터 전쟁터를 누비며 승마와 칼싸움만 몸에 익혀 싸움밖에는 할 줄 모르는 사람들이었다. 전쟁이 끝났으니 그들은 영락없는 실업자 신세였다. 프랑스와 영국 양측에서 전쟁터를 누비던 퇴역 군인들은 새로운 삶의 길을 찾으려 전쟁으로 단련된 몸과 말을 이끌고 프랑스 중심부에 있는 부르고뉴로 모여들었다.

이들 중에는 영국인 존 호크우드라는 기사가 있었다. 호크우드는 원래 영국에서 최하층민에 속하는 무두장이의 아들이었다. 무두장이란 가죽으로 말고삐나 안장 같은 것을 만드는 사람을 말한다. 호크후드는 영국 왕실이 하층민도 백년 전쟁에 나가 공을 세우면 기사 작위를 내리고 귀족이 되도록 해준다는 소문을 듣고 무일푼으로 전쟁이 벌어지고 있던 프랑스로 건너가면서 파란만장한 인생의 막을 열었다.

호크우드가 백년 전쟁 참전을 위해 프랑스로 건너갔을 때 영국군 사령관은 무시무시한 에드워드 왕자였다. 지금도 많은 유럽 사람들은 그를 '원조 흑기사'라고 말한다. 에드워드 가문의 문장에는 시커먼 방패에 하얀 깃털 3개가 새겨져 있었다. 당시의 기사들은 방패에 자기 가문의 문장을 새기고 전투복 색상을 거기에 맞췄기 때문에, 에드워드는 갑옷과 투구까지 검은색으로 깔맞춤을 했다. '흑기사' 에드워드는 프랑스 군대와 교전하는 대신 민가를 습격하고, 논과 밭을 불태웠으며, 농민들을 학살하고 부녀자들을 겁탈했다. 에드워드는 프랑스 군대가 그 일로 화가 나서 민간인들을 도우러 달려오면, 자기들이 유리한 지형에 미리 진을 치고 기다렸다가 습격해 큰 승리를 차지한, 기사도라고는 눈곱만큼도 없는 치사한 사람으로 유명했다. 오늘날까지 에드워드는 '블랙 프린스'라는 별명으로 불리는데 용맹한 호크우드는 금세 이 흑기사 에드워드의 오른팔이 되었다. 그 공로로 무두장이의 아들인 그는 기사 작위까지 받게 되었다. 하지만 전쟁이 끝나고 더 이상 호크우드가 쓸모없어지자 에드워드가 이끄는 영국 왕실 군대는 호크우드를 프랑스에 버려두고 슬그머니 영국으로 철수했다.

전쟁이 끝나고 프랑스에 남게 된 호크우드는 퇴역 군인들이 프랑스

부르고뉴에 모여 회사를 차린다는 소문을 듣고 그곳으로 달려갔다. 유럽은 마을마다 왕이 있어서 늘 전쟁이 벌어지고 있었다. 백년 전쟁으로 단련된 군인들은 이런 전쟁에 매우 유용했다. 호크우드는 부르고뉴에서 마음이 맞는 기사들과 무리를 지어 함께 돈 받고 전쟁을 치러주는 용병으로 여러 전쟁터를 누볐다. 우리도 '전우는 한솥밥을 먹는다'고 하듯이 원래 군대는 '빵pan을 같이cum 먹는다'고 해서 'cum+pan+ia', 즉 'company컴퍼니'라고 불렸다. 오늘날 회사를 뜻하는 '컴퍼니'의 어원이다. 이때 부르고뉴에 모인 퇴역 군인들은 주인 없는 '자유로운free 군대'라고 해서 'free company'라 불렸다고 한다.

호크우드는 부르고뉴에서 용감한 퇴역 군인들을 몇 명 모아 '백기사 군단The White Company'이라는 회사를 차렸다. 이후 그는 이탈리아와 스페인, 프랑스를 넘나들며 용병 장군으로 이름을 날리면서 큰돈을 벌고 많은 전투에서 전설적인 이야기를 남겼다.

물의 부피는 리터로 재고 신발은 켤레로 세듯, 군주나 도시가 용병을 고용할 때는 '창'이라는 단위로 셌다. 적진을 공격하려면 창을 든 숙련된 기사 한 명과 그를 활로 지원사격 해줄 궁수 몇 명, 이들의 말과 갑옷을 유지보수 해줄 병력이 팀을 이루어야 했는데 보통 6~9명이 한 팀이었다. 용병 한 팀이 모여야 기사로 대표되는 '창 한 자루'의 전투력을 얻을 수 있기 때문에 한 팀을 '1창', 즉 'lance'라고 불렀다. 나중에 'free company'라는 단어와 'lance'가 합쳐져서 'freelance'가 되었는데, 이 두 단어를 합쳐 사용한 사람은 엉뚱하게 19세기 스코틀랜드의 소설가였다.

스코틀랜드의 문호 월터 스콧의 소설 〈아이반호〉에는 중세 용병들이 등장하는데 스콧은 이들에게 멋진 이름을 붙여주고 싶었다.

중세에는 국가로부터 기사 작위를 받을 때 기사의 팀, 즉 'lance'를 상징하는 창을 자기가 소속된 국가만을 위해 쓴다는 서약식을 했다. 하지만 용병들은 이런 의식을 할 필요가 없기 때문에 창이 자유롭다고 해서 'free lancers'라 불렸다고 한다. 'free company'와 중세시대 군인을 세던 단위인 'lance'를 합쳤으니 완벽한 표현이었다.

스콧의 소설은 당대의 문학도들에게 큰 인기를 끌었다. 스콧이 살던 시대에도 대부분의 문학도들은 빼어난 소설이나 에세이를 쓰려고 취직은 하지 않았다. 대신 생계를 위해 잡지나 신문에 기고를 해서 원고료를 벌어야만 했다. 낮은 원고료에 비해 일이 많아 대체로 비참하게 살았지만 정신은 현실보다 강한 법, 문학도들은 자기들이 취직을 못한 것이 아니라 호크우드처럼 주인 없이 자유롭게 생계비를 벌 수 있으니 오히려 세상을 더 넓게 보고 더 흥미진진한 인생을 살 수 있게 된 것이라며 스스로를 중세 용병, 즉 '프리랜서'라고 부르며 힘을 얻었다. 'freelancer'는 오늘날 모든 자유 직업인들을 지칭하는 의미로 확장되었다. 물론 요즘에도 자기 신세가 처량하다고 한탄하는 프리랜서들이 많다. 그러나 호크우드가 흑기사 에드워드를 도와 프랑스의 밀밭을 태우고 민간인을 내리쳐 기사 작위를 얻었던 1300년대 중반부터, 프리랜서의 삶은 영화처럼 잔인하면서도 흥미진진했고, 그래서 사람들은 프리랜서를 항상 무서워하면서도 부러워했던 것 같다.

Spam

스팸 깡통과 광고 메일

제2차 세계대전은 역사에 여러가지 굵직한 흔적들을 남겼다. 그 내용에 대해서는 이 책보다 훨씬 더 진지한 책에서 찾아보면 된다. 하지만 우리의 삶과 밀접하면서도 좀 유머러스한 결과에 대해서는 여기서 설명하겠다. 그것은 바로 이 전쟁으로 깡통에 넣어 파는 햄의 일종인 'SPAM스팸'이 광고 문자나 이메일을 뜻하게 된 이유다.

누군가 미국이 제2차 세계대전에서 이긴 가장 중요한 이유를 대라고 한다면 나는 주저 없이 깡통 햄인 '스팸'을 포함시킬 것이다. 사람은 종종 고기를 먹어야 제대로 힘을 쓸 수 있다는 사실은 누구나 다 알 것이다. 제2차 세계대전에 참전한 미국 정부도 세계 방방곡곡에서 싸우고 있는 젊은 군인들에게 고기를 먹이는 일이 큰 숙제였다. 미국이야 워낙 땅덩이가 넓어서 본토에는 먹을 것이 남아돌았지만, 본토에서 수천 킬로미터 떨어진 외지에서 싸우는 병사들에게 썩지 않게 고기를 배달하는 것은 그리 간단하지가 않았다. 게다가 국가도 돈을 쌓아두고 있는 것이 아니어서 수백만 명에게 고기를 먹이려면 비용도 만만치 않았다. 정부에게는 값싸고 썩지 않는 고기가 무기만큼이나 중요했다.

그때 마침 미국의 '호멜'이라는 식품회사가 너무 질기고 비계가 많아 팔리지 않는 돼지고기의 어깨살을 깡통조림으로 만들어 포장하는 방법을 개발했다. 뼈와 연골을 발라내지 않은 돼지고기 어깨살을 잘게 으깨서 말리면 하얀 가루로 변한다. 거기에 식초, 소금, 인공 조미료, 방부제를 넣고 반죽하면 살색 젤리가 되는데, 이것을 깡통에 넣고 눌러서 포장하면 몇 년이 지나도 절대로 썩지 않으면서, 일반 햄과 색상이나 질감이 비슷해 병사들이 고기로 착각할 만한 식용품이 되었다. 상품 가치가 없는 고기로 만들었기 때문에 가격도 무척 쌌다. 여기에 들어간 매콤한 조미료 때문에 호멜 식품사 관계자들은 이 상품을 'spicy ham'이라고 불렀는데, 이를 줄여서 'SPAM'이 되었다고 한다. 돼지 어깨살이라서 'shoulder of pork and ham'을 줄여 'SPAM'이라고 불렀다는 주장도 있다.

미국 정부는 일반인이 소금과 지방 함량이 높은 스팸을 자주 먹으면 건강에 해를 끼칠 수 있지만, 군인들이야 워낙 땀을 많이 흘리고 열량 소모가 많으니 오히려 도움이 될거라 판단하고 전 세계 미군기지에 스팸 깡통을 넉넉하게 보급했다. 이후 호멜은 하루아침에 벼락부자가 되었고, 미군들은 독일군이나 일본군에 비해 몇 배 많은 고기를 섭취할 수 있게 되었다. 잘 먹는 군인들이 잘 싸우기 때문에, 스팸이 제2차 세계대전을 승리로 이끌 수 있었다고 주장하는 역사가들도 많다.

제2차 세계대전은 전 세계를 폐허로 만들었다. 미군들은 지나는 길목마다 먹을 것이 없어 굶주리는 민간인들을 만났다. 미군들은 대부분 배낭에 비상식량으로 쓸 스팸이 넉넉히 넣고 다녔기 때문에 굶주린 민간인들을 만나면 마음껏 나눠줬다. 배가 고파 먹는 음식은 무조건 맛있는 데다가, 스팸은 짭짤한 인공 조미료가 많이 들어있어 금세 중독되었다. 그래서 제2차 세계대전이 끝난 후에도 미군 기지가 있던 나라에서는 스팸이 인기 식품이었다. 미군 해군기지가 있던 하와이에서는 오늘날까지 맥도날드에서 스팸 버거들을 팔 정도로 이곳 사람들은 스팸 없이는 살 수 없다고 한다. 오늘날 하와이는 미국에서도 비만과 심장병이 가장 많은 지역으로 꼽히는데 그 원인을 조사해보니 스팸을 너무 많이 먹어서라는 결과가 나왔다. 아직도 미군 기지가 남아있는 우리나라도 오늘날까지 명절에 스팸 선물세트를 팔 정도로 스팸은 인기 상품이다.

섬나라 영국도 마찬가지였다. 전쟁이 끝난 후 제대로 소를 길러 품질 좋은 고기를 먹을 수 있게 될 때까지 음식점 주인들은 미국에서 값싼 스팸을 수입해 손님들에게 제공했고, 가난한 어린 시절 스팸 맛에 익숙해진 노동자 계급들은 쭉 스팸만 찾았다.

1970년대 영국에서 '몬테파이톤'이라는 코미디 그룹이 큰 인기를 끌었는데, 말도 안 되는 황당한 상황극으로 웃음을 주는 것이 특기였다. 이들이 만든 한 비디오 영상에서 몬테파이톤 멤버들이 싸구려 음식점에 갔다. 그런데 그곳의 모든 음식에 다 '스팸'이 들어있었다. 그들이 사 먹을 만한 것이 없다며 고민하는 동안 갑자기 바이킹들이 음식점에 쳐들어와 "SPAM, SPAM, SPAM, SPAM!"이라며 가사가 'SPAM'만 되풀이되는 노래를 부른다.

한 컴퓨터 해커가 이 코미디 비디오를 보고 다른 해커들에게 일종의 바이러스를 유포했다. 이 바이러스 파일을 열면 컴퓨터가 작동을 멈추고 프린터에 'SPAM, SPAM, SPAM, SPAM'이라고 찍혔다. 이 바이러스 파일이 작동을 시작하면 컴퓨터 전원을 뽑기 전에는 멈춰지지 않았다.

그 이후로 컴퓨터 프로그래머들은 인터넷에 떠다니는 정체 모를 프로그램이나 메시지, 원하지 않는 쓰레기 코드들을 'SPAM'이라고 부르게 되었다. 또 이메일이 몇 명의 프로그래머들의 손을 떠나 점차 대중화되면서 이메일을 통해 들어오는 광고 메시지라는 의미로도 발전했다.

제2차 세계대전 덕분에 깡통 통조림 브랜드가 인터넷 시대에까지 이름을 남기게 되었으니 역사라는 공은 동그래서 어디로 튈지 그 누구도 모른다.

Robot

체코 노비들이 로봇으로 변한 사연

미래 사회를 이끌 첨단 기술 중 하나가 바로 '로봇robot' 기술이다. 그런데 첨단 중의 첨단 기술로 생각되는 로봇도 사실 전혀 새로운 것은 아니다. '로봇'이라는 말은 중세 때부터 있었다. 중세 유럽에서 가장 잘나가던 두 나라를 꼽으라면 프랑스와 오스트리아다. 유럽 각국의 왕들은 로마가 멸망한 이후에도 자기 나라가 로마제국의 정통 후예라고 뽐내고 싶어 했는데, 당시 오스트리아의 왕이 '로마제국의 황제'라는 직함을 공식적으로 인정받을 정도로 오스트리아는 강성했다.

우리나라도 그랬듯, 강대국 사이에 끼어있는 나라는 피해를 많이 보게 된다. 오스트리아의 옆 나라 체코 역시 그랬다. 오스트리아는 체코를 정복하고 남의 땅을 멋대로 나눠 가졌으며, 원래 그곳에 살던 체코인들에게 농사일까지 시켰다. 조상 대대로 내려온 자기 땅에서 열심히 농사를 지어 추수한 곡물들을 오스트리아인 주인에게 고스란히 바치고 굶어야 하는 체코인들도 많았다. 체코인들은 여행이나 이사도 마음대로 할 수 없었고, 결혼하거나 사업을 시작할 때도 반드시 오스트리아인 주인에게 천문학적인 세금을 지급하고 허락을 받아야만 했다. 체코의 노비들은 나라의 아버지, 즉 임금님이 없어서 아버지 없는 고아처럼 서럽게 산다고 생각해 스스로를 '고아'라고 불렀다.

원래 옛 체코인들은 아버지가 없어서 이집 저집 팔려다니는 고아를 'rabota라보타'라고 불렀다. 여기서 중세 체코 말로 '노비'를 뜻하는 'robot'이라는 단어가 나왔다.

이 체코 말이 영어로 들어와 '기계 인간'이라는 뜻으로 쓰이게 된 것은 우리나라에는 잘 알려지지 않은 한 인기 연극 때문이었다. 1920년, 카렐 차페크라는 체코 출신 공상과학 극작가는 멀지 않은 미래에 사람과 똑같은 인조 인간이 개발돼 이들을 노예로 사용할 수 있게 될 거라는 기발한 연극 대본을 썼다. 간단한 줄거리를 소개해 보겠다.

극중 인물 로섬은 해상 생물학자다. 그는 생체 세포로 여러 실험을 하다가, 인간의 명령을 고분고분 잘 듣는 인조인간 만드는 방법을 터득했다. 처음에는 인조인간에게 사람이 해야 할 온갖 지저분한 일을 다 맡길 수 있어 인간들의 삶이 아주 편해졌다. 그런데 점차 인조인간이 인간들보다 더 똑똑해져서 반란을 일으키고 오히려 인간이 인조인간의 노예가 된다. 차페크는 체코 사람이어서 이 '인공 노예'를 체코어로 '노비'를 뜻하는 'robot'이라고 불렀다. 이 연극은 유럽에서 대 히트를 치고 미국에서도 큰 인기를 끌었는데, 그때 'robot'이라는 단어가 영어로 들어와 '인조인간'을 뜻하게 되었다.

'robot' 앞에다 a를 붙이면 'arbot' → 'arbeit', 즉 '아르바이트'가 된다. 아르바이트의 원래 의미가 '노비가 하는 일'이라는 뜻이므로 저임금 비정규 노동을 가리키는 말로 사용되었을 것이다. 아르바이트 하면서 노예가 된 기분이 든다면 단어의 의미 자체가 '노예'를 뜻해서일지도 모른다.

체코 사람들은 동유럽에 넓게 분포되어 있는 '슬라브' 민족에 속한다. 체코 사람들뿐만 아니라 동유럽의 슬라브인들은 오래 전부터 국력이 약한 탓에 노예 생활을 많이 했다. 오죽하면 'Slav'라는 단어가 '노예'라는 뜻인 'slave'로 진화했을까?

Slave

슬라브족 노예, 슬레이브

한국 사람들은 스스로를 '한의 민족'이라고 부른다. 그렇다면 유럽의 한의 민족은 슬라브족일 것이다. 슬라브족이 자리 잡은 동유럽은 세 개의 강대국으로 둘러싸여 있었다. 서쪽으로는 '신성로마제국'이라고 불리며 떵떵거리던 오스트리아가, 남쪽으로는 그리스 로마 문명의 후예인 동로마제국이, 동쪽으로는 동방의 무적 군대로 명성을 떨치던 터키가 도사리고 있었다.

세 나라 모두 영토나 자원, 노예가 필요하면 만만한 슬라브족의 땅으로 불쑥 쳐들어가 그들을 괴롭혔다. 슬라브 남자들은 건장하고 힘이 셌으며, 여자들은 피부가 하얗고 얼굴이 예뻤다. 그래서 주변 강대국 사람들은 슬라브족의 마을에 쳐들어가 동네 사람들을 납치해서 남자들은 일꾼이나 싸움꾼으로, 여자들은 노리개나 몸종으로 내다 팔았다. 오늘날까지 우리나라 남자들이 술 한잔 걸치면서 '러시아에서는 김태희가 밭 갈고 송혜교가 소 몬다'는 농담을 하는데 슬라브족의 이런 명성은 중세 때부터 자자했다. 특히 터키의 술탄들은 금발의 슬라브 여자들을 데려와 궁녀로 삼는 것을 큰 자랑으로 여겼다. 또 힘 세고 덩치 좋은 슬라브 남자들을 아무것도 모르는 어린 나이에 납치해다가 혹독한 훈련과 세뇌 교육으로 인간 병기로 만들어 자기 근위대로 쓰기도 했다. 터키인들은 걸핏하면 말 타고 인근 슬라브족 마을로 달려가 마치 동물을 사냥하듯 그물로 여자들을 납치해서 술탄에게 조공으로 바치거나 흑해 부근에 있는 대규모 노예시장으로 데려가 벌거벗긴 채 경매에 붙여 비싼 돈을 받고 팔았다.

노예 사냥이 돈이 된다는 소문이 퍼지자 전 세계에서 싸움깨나 하는 불량배들이 몰려들어 슬라브족 사냥에 나섰다. 심지어 스웨덴에 사는 '북유럽의 폭군' 바이킹족까지 2,000킬로미터나 떨어진 러시아 남부 지역까지 배를 타고 와 노예 사냥 기지를 세웠다는 기록이 남아 있다. 바이킹족은 배를 잘 타는 민족이어서 노예를 주문하면 잡아다 주기만 한 것이 아니라, 서쪽으로는 스페인으로부터 동쪽으로는 오늘날의 이라크까지, 어디든 신속배달 해주는 신뢰 있는 노예 보급처로서의 인지도가 높았다. 상황이 매우 심각해지자 슬라브족은 기독교로 개종했다. 당시 기독교 국가는 다른 기독교인을 노예로 삼지 못하게 되어 있었다. 그것으로 고생스런 나날이 끝나나 싶었는데, 이번에는 동방에서 기독교가 뭔지도 모르는 칭기즈 칸의 몽골 부대가 쳐들어와 북해 연안에 노예 사냥 기지를 세우고 슬라브족을 붙잡아 수천 킬로미터 떨어진 중국까지 맨발로 질질 끌고 가서 노예로 팔아먹었다. 칭기즈 칸이 죽은 뒤에도 몽골족 노예 사냥꾼들은 아예 흑해 북쪽에 노예 무역으로 먹고사는 '크림한국Cremean Khanate'이라는 나라까지 세웠다. 이 나라는 시베리아 벌판에 사는 슬라브족을 납치해서 터키에 팔아 짭짤한 무역 수익을 챙겼는데, 이들이 이 시절에 너무 많은 슬라브족을 잡아다 노예로 팔아넘기는 바람에 시베리아가 초토화되어 지금 처럼 사람이 거의 살지 않는 빈 땅이 되었다고 한다. 심지어는 터키인들마저 크림한국에 노예 기지를 차린 몽골 노예상들의 잔인함에 질려 그들에게 '벌판의 싹쓸이꾼'이라는 별명을 지어주었다고 한다.

게다가 슬라브족 정치가들도 불량배들이 자국 국민들을 노예로 사냥해 가는 것을 막아주기는커녕 돈을 받고 슬그머니 도와주고 개인적으로 지분을 챙겼다. 우리나라 드라마 〈프라하의 여인〉의 촬영지이기도 했던 체코의 프라하는 원래 별 볼 일 없는 조그마한 도시였는데, 터키와 아랍 상인들이 슬라브 노예들을 사고파는 대규모 노예시장을 유치해 번 돈으로 아름다운 성당과 성을 지어 오늘날 관광 명소가 되었다고 한다.

하지만 역시 슬라브 민족의 숙적은 그리스 로마 문명의 전통 후예인 동로마제국이었다. 동로마 황제 중 바실리우스라는 사람은 속임수와 수완이 뛰어난 정치꾼이었다. 강적인 터키에게 덤볐다가 패하면 자국민들에게 망신을 당해 쫓겨날 것이 뻔하기 때문에, 가끔 슬라브족을 괴롭히고는 자국민들에게 자신이 마치 대단한 전쟁에서 이긴 것처럼 선전을 하곤 했다. 그는 특히 잔인한 폭력 영화가 없던 이 시대에 피에 목마른 대중들의 갈증을 해소해 주는 것으로 권력을 유지했다. 그 방법 중 하나를 소개하면 이렇다. 바실리우스는 불가리아에서 1만 5,000명의 슬라브족을 납치해서 100명씩 모아 99명의 눈을 뽑았다. 그리고 눈을 뜬 한 명이 나머지 99명을 끌고 집으로 돌아가도록 했다. 동로마제국의 대중은 이런 잔인한 구경거리를 즐겼다. 이처럼 이웃 강대국들이 슬라브 민족을 만만히 보고 자주 노예나 노리개로 납치해 갔기 때문에 'Slav'라는 단어가 아예 '노예'라는 뜻으로 발전해 영어 'slave'가 되었다.

물론 슬라브 민족도 계속 당하고만 있지는 않았다. 드디어 1400년대에 발칸반도에 블라드라는 장군이 나타나 슬라브인들을 모아서 터키에 반격을 가했다. 그 동안 쌓인 것이 많은지라 블라드 역시 터키인들을 잔인하게 다뤘다. 포로가 잡히면 꼬치처럼 말뚝에 꿰어서 적군들이 왔다 갔다 하는 길목에 세워놓고 천천히 말려 죽였다. 이런 꼴을 당하지 않으려면 우리 땅에 오지 말라는 일종의 경고였다. 블라드 장군은 스스로를 '용의 후손'이라고 불렀는데 '용'을 뜻하는 'dragon드래곤'은 슬라브어로 '드락'이다. 그래서 사람들은 블라드를 드락의 아들, 즉 '드라큘라 백작'이라고 불렀다. 다른 강대국 사람들은 당하기만 하던 동유럽이 갑자기 이런 식으로 반격을 가하자 적반하장으로 분노하며 '야만적'이라고 손가락질을 했고, 드라큘라가 피를 빨아먹는 이상한 괴물이라고 소문을 내, 오늘날의 뱀파이어 전설을 탄생시켰다.

우리나라 사람들도 일본 사람들이 '조센진'이라고 부르면 굉장히 불쾌한 욕으로 알아듣는다. 사실 이 말은 그냥 '조선사람'을 뜻하는 단어이지만 과거 일본과의 안 좋은 역사 때문에 예사롭게 들리지 않는 것이다. 마찬가지로 슬라브족은 자기 민족 이름이 '노예'라는 뜻이 될 정도로 한이 많다. 한에 관한 한 우리 민족과 통하는 구석이 많다고 할 수 있겠다.

Croissant, Vienna Coffee, Booting

크루아상, 비엔나 커피와 함께 발명된 컴퓨터 부팅

중앙 유럽 사람들은 두 강대국 사이에 끼어 오랫동안 온갖 고생을 다 했다. 오스트리아 사람들이 주변 나라 농민들을 인간 취급조차 하지 않았기 때문에, 체코 말로 '노비'라는 뜻의 robot이 심부름을 해주는 인조 인간을 뜻하게 되었다고 했다. 그리고 남쪽의 터키는 또 얼마나 많은 중앙 유럽 사람들을 잡아 노예로 부렸는지, 중앙 유럽의 한 민족 이름인 'Slav'가 발음이 바뀌어 'slave', 즉 '노예'가 되었다. 결국 중앙 유럽의 리더였던 오스트리아와 터키 두 나라는 누가 중앙 유럽의 우두머리가 될 것인가를 가지고 크게 한판 붙게 되었다. 두 나라의 전쟁에서 재미있는 단어가 많이 나오는데, 프랑스 빵인 'croissant크루아상' 'Vienna coffee비엔나 커피' 그리고 컴퓨터를 켠다는 뜻인 'booting부팅' 등이다.

터키는 중앙 유럽을 독차지하고 싶어 몇 번이나 오스트리아로 쳐들어갔지만 오스트리아도 만만하지 않았다. 200년 동안 끊임없이 엎치락뒤치락하며 수많은 전쟁을 치렀지만 그 끝이 보이지 않다가, 드디어 결전의 순간이 왔다. 터키 황제는 터키 제국의 최정예 군인들을 모조리 출동시켜 오스트리아의 수도 비엔나를 포위하고 1683년 총공격을 감행했다. 그러나 예상을 뒤엎고 비엔나 사람들과 옆 나라에서 도와주러 온 폴란드 기사들이 단단히 힘을 합쳐 터키 군대를 박살냈다. 결국 터키는 유럽을 다스리겠다는 꿈을 접을 수밖에 없었다.

'비엔나 전투'로 불리는 이 전쟁은 재미있는 일화를 많이 남겼다.

하나는 프랑스 고유의 빵으로 알려진 '크루아상'에 관련된 것이다. 'croissant'은 원래 음악시간에 '점점 세게 연주하라'라는 뜻으로 배운 이탈리아어 'crescendo크레센도'의 프랑스식 발음이다. 말 그대로 풀이하면 '점점 커진다' '자라난다'라는 뜻이다. 프랑스 사람들은 초승달이 점점 커져 반달이 되기 때문에 초승달도 '크루아상'이라 불렀다. 다시 말하면 '크루아상'은 '초승달 빵'이다. 전설에 의하면 비엔나 전투에서 승리한 오스트리아 사람들이 '우리가 터키를 먹어버렸다'는 것을 자축하기 위해 터키 국기에 그려진 초승달 모양의 빵을 만들어 이웃끼리 돌려 먹었다고 한다. 프랑스 사람들은 오늘날까지 '크루아상'과 비슷한 빵은 모조리 '비엔나 식빵La viennoiserie'이라고 부른다.

두 번째는 모차르트의 유명한 〈터키 행진곡〉 이야기다. 터키 군대는 전쟁을 하면서도 싸우는 병사들 옆에서 악사들이 나팔, 북, 심벌즈로 신 나는 음악을 연주해 병사들의 사기를 북돋는 전통이 있었다. 비엔나 전투에서 터키군이 패배해 철수하자 오스트리아의 승전을 기리기 위해 푹스라는 작곡가가 〈1683년 비엔나 전투의 추억들〉이라는 작품에 터키 멜로디를 사용했는데 이때 터키 풍 곡을 작곡하는 유행이 생겨 모차르트도 덩달아 〈터키 행진곡〉을 작곡했다고 한다.

또 다른 이야기는 'Vienna coffee'의 유래다. 터키 사람들은 커피를 무척 좋아해서 전쟁터에까지 커피콩을 잔뜩 들고 왔다. 터키군은 오스트리아에서 철수하면서 비엔나에 어마어마한 양의 커피를 그냥 두고 철수했다고 한다. 한 비엔나 시민이 터키군이 남겨두고 간 커피를 거둬들여 비엔나에 첫 커피숍을 냈는데 커피의 쓴맛을 없애려고 크림과 꿀을 넣었다. 여기서 '비엔나 커피'가 시작되었다고 한다.

하지만 가장 웃긴 이야기는 '컴퓨터를 켠다'는 뜻인 'booting'이라는 단어의 유래다.

비엔나 전투가 끝난 후, 유럽 국가들은 오스트리아의 리더십 아래로 똘똘 뭉쳐 유럽에서 아예 터키를 몰아내려고 전쟁을 계속했다. 그러던 중 독일의 '문차우젠 남작'이라는 괴짜 사나이가 나타났다. 문차우젠 남작은 어렸을 때부터 비엔나 전투의 무용담을 책으로 읽으며, 자기도 크면 군인이 되어서 터키군을 혼내주겠다는 꿈을 품었다. 문제는 문차우젠이 성인이 되었을 때 막상 조국인 독일은 터키와 전쟁 중이 아니었다는 것이다. 정상적인 사람이라면 이런 어린 시절에 꾸었던 허황된 꿈을 적당히 포기했겠지만 문차우젠은 정상적인 사람이 아니었다. 당시 터키와 가장 격렬히 싸우던 나라는 러시아였다. 그는 터키군과 직접 싸워보려고 자기 나라도 아닌 러시아 군대에 장교로 자원 입대했다.

문차우젠 남작은 아름다운 해변에 있는 사령부로 발령받아 아주 편한 군 생활을 했다고 기록되어 있다. 말만 군인이지 전쟁이라곤 단지 터키 전선에 몇 번 출장을 갔다 온 정도였다. 그런데 전쟁터에 다녀오기만 하면 마치 터키군을 혼자 다 물리친 것처럼 말도 안 되는 이야기들을 지어내 떠들고 다녔다. 이를 테면 그가 자기 혼자 터키군의 화약

고에 숨어들어 화약을 전부 폭발시켰는데, 화약이 어찌나 많은지 자기를 달까지 날려 보내 달에서 돌아오느라고 고생했다는 터무니없는 이야기였다. 비엔나 성벽에서 쏘는 대포알에 매달려서 터키군의 기지에 침투했다는 등 말도 안 되는 그의 거짓말은 계속 이어졌다. 여러 거짓말 중에서 가장 많은 사람을 웃게 한 이야기는 늪에 빠졌을 때 손으로 자기 머리카락을 스스로 잡아당겨서 빠져나왔다는 이야기였다.

그래서 오늘날까지도 심리학에서 타인의 관심을 모으려고 계속 말도 안 되는 이야기를 지어내는 정신병을 '문차우젠 신드롬'이라고 부른다. 또 논리학에서는 외부의 힘이 필요한데 내부에서 해결하려고 발버둥 치다가 일을 더 키우는 것을 늪에 빠져 자기 머리카락을 스스로 끌어올렸다는 말에 비유해 '문차우젠 딜레마'라고 한다.

200년 후, 컴퓨터 엔지니어들은 이런 문차우젠 딜레마에 빠져 있었다. 그들은 버튼 하나만 누르면 컴퓨터가 알아서 내부에 전기를 돌려 작동되는 기술을 발명하려 했는데, 문제는 꺼져 있는 컴퓨터가 어떻게 스스로를 작동시키냐는 것이었다. 이것은 자는 사람에게 스스로를 깨워 일어나라는 격이었다. 흥미롭게도 미국에선 문차우젠 남작의 이야기가 왜곡되어서 머리카락이 아니라 자기가 자기 부츠를 끌어올려 늪에서 빠져나왔다고 전해졌다. 컴퓨터 과학자들은 버튼 하나로 컴퓨터를 켜는 기능을 마치 문차우젠과 부츠 이야기같이 말도 안 되는 것이라며 '부츠를 잡아당기다', 즉 '부팅'이라고 불렀다고 한다. 마침내 실제로 컴퓨터가 버튼 하나를 인지하면 스스로를 깨우는 기술이 개발되었고, 오늘날까지 컴퓨터나 휴대폰이 켜지는 것을 '부팅한다'라고 말한다.

전쟁은 끔찍하다. 멀쩡한 사람들이 줄줄이 죽어나가고, 삶의 터전이 박살나고, 가족이 생이별을 하고, 노예로 팔려가기도 한다. 하지만 전쟁은 후세 사람들에게 맛있는 vienna coffee와 croissant을, 모차르트의 〈터키 행진곡〉 같은 명곡을, 그리고 버튼만 누르면 컴퓨터가 켜지는 첨단 기술을 개발하게 하는 중요한 아이디어를 선물하기도 한다. 미국 작가 올슨 웰스는 이렇게 말했다. "르네상스 시대의 이탈리아는 30년 동안 전쟁, 테러, 살인의 피비린내 나는 역사를 겪었다. 그러면서도 미켈란젤로, 다 빈치를 길러내고 르네상스에 앞장섰다. 반면에 스위스에서는 형제애가 넘쳐나 500년 동안 민주주의와 태평성대를 누렸다. 그래서 세상에 남긴 게 뭐냐? 뻐꾸기 시계?"

아, 그런데 참고로 말씀드리면 뻐꾸기 시계를 발명한 사람은 스위스 사람이 아니라 미카엘 딜거라는 독일의 장인이었다.

Pay

명예에도 값을 매길 수 있다

코미디의 단골 메뉴 중 하나가 자동차 접촉 사고다. 자동차 접촉 사고가 나면 양측 자동차 운전자가 뒷목을 잡고 나와 서로 더 손해를 많이 봤다며 다툰다. 옥신각신한 끝에 손해 정도에 맞춰 배상금이 합의되면 싸움을 그치고 헤어진다. 그런 광경을 보면 많은 사람들이 "요즘 인심이 야박해져서…."라며 혀를 찬다. 그렇다면 옛날에는 손해를 봐도 무조건 잘못을 눈감아주었을까? 이웃끼리 웬만한 생활 도구들은 다 돌려 쓰고 밥도 함께 지어 먹던 아주 먼 옛날이라 할지라도 손해를 입고도 참는 사람은 없었던 것 같다. 돈을 지급하는 것을 'pay페이'라고 하는데 이 'pay'는 원래 '평화', 즉 'peace'를 뜻하는 라틴어 'paxpeace의 어원'에서 나왔다. 어원적으로 보면 지금처럼 일을 시키고 그 대가로 돈을 지불하거나 물건 값으로 돈을 내는 것이 아니라, 자동차 접촉 사고처럼 손해 본 사람에게 몇 푼 쥐여주고 평화를 유지한다는 뜻이었다. 경제인류학자들은 심지어 돈의 개념이 없던 시대에도 배상금은 있었다고 말한다.

영국 서쪽에 아일랜드라는 또 다른 섬나라가 있다. 중세에 이곳 사람들은 이웃 사촌이란 말처럼 서로 사이좋게 살았다고 한다. 마을 사람끼리 항상 먹을 것을 나눠먹고, 농기구나 조리 기구도 서로 빌려주고 빌려 썼다. 대장장이가 식칼을 만들면 돈 받고 판 것이 아니라 필요한 이웃에게 공짜로 줬다. 나중에 대장장이가 큰 행사에 돼지 한 마리가 필요하면 이웃집에서 돼지 한 마리를 얻어 가는 식이었는데, 모두가 '그냥 이웃끼리는 돕고 사는 것'이라고만 생각할 뿐 누구도 그 돼지가 전에 준 식칼 값이라고 생각하지 않았다. 겉보기에는 참 후하고 좋은 세상이었다. 그래서 역사를 깊이 모르는 사람들은 '옛날이 좋았다'라고 회고할 수 있다.

하지만 중세 사람들이 모두 관대하고 인심이 좋았다는 생각은 큰 착각이다. 당시 사람들은 단지 '돈'에 대한 집착이 없었을 뿐이다. 그 이유는 슈퍼나 백화점 같은 것이 없었으므로 돈이 있어도 아무 짝에도 쓸모가 없어서였다. 중세 사람들에게 재물에 대한 개념은 지금과 많이 달랐다. 당시에는 동네 사람들 사이에서 평판이 좋을수록 어려움에 처하면 언제든지 도움을 받을 수 있어 평판이 곧 재산이었다. 누가 내 평판을 깨뜨리는 뒷담화를 하고 다니면 내 재산을 파괴하는 것과 같았다. 그래서 만약 뒷담화 사실을 알게 되면 즉각 그 사람 집으로 달려가 당장 내 무너진 평판을 물어내라고 따졌다. 시비가 커지면 소송을 해서 배상금을 받았다. 지금은 돈이 재산이기 때문에 어떻게 명예를 돈으로 계산하냐며 이런 옛날 이야기를 웃어넘길 수 있지만 당시 아일랜드 법정에는 명예 손상을 입은 사람의 자식의 수, 농사짓는 땅의 크기, 그 동네에서 몇 대째 살았는지 등의 거주 경력, 자식들 중 범죄자는 없는지 등을 복잡하게 계산해서 그 사람에게 물어줄 '명예 값'을 계산하는 표까지 비치되어 있었다.

예를 들면 누군가가 왕의 뒷담화를 하다가 들통이 나서 왕이 법정에 이의를 제기하면 소 21마리로 명예 값을 갚아야 한다는 식으로 사건에 따라 물어줄 명예 값이 정해져 있었다. 흥미로운 것은 실수로 왕을 죽이고 물어주는 몸값 역시 소 21마리였다는 것이다. 명예를 잃으면 다 잃는다는 옛말이 있는데, 왕에게는 체면과 목숨의 값이 같다는 의미가 아니었을까 싶다.

이런 옛날 이야기를 들으면 왕의 목숨 값이 겨우 소 21마리밖에 안 되었다니 옛날에는 사람 목숨 값이 참 싸기도 했다는 씁쓸한 생각이 든다.

중세 아일랜드에서 한 집안의 가장이 지켜야 할 체면에 가장 큰 영향을 미치는 요소는 도둑에게서 가족을 보호하는 것과 딸의 순결을 지키는 능력이었다고 한다. 그래서 누군가가 자기 집에 들어와 도둑질을 하면 훔쳐간 물건 값보다도 '제 집도 못 지키는 놈'이라는 나쁜 평판이 더 큰 문제였다. 만약 물건 훔친 도둑을 붙잡으면 법정은 훔친 물건 값의 7배를 물어주어야 할 뿐만 아니라 도둑의 딸을 피해자의 집에 여종으로 보내고 순결을 뺏도록 해서 도둑의 집안 역시 '딸도 못 지키는 놈'이라는 똑같은 불명예를 안겨주는 법까지 있었다.

경제인류학자들은 시장경제가 생기기 이전에는 이렇게 억울한 사람의 분을 풀어주는 것이 거래의 주요 목적이었기 때문에 평화, 즉 'pax'라는 단어가 'pay'가 되었다고 믿는다.

'pax' 자체도 재미있는 어원을 가지고 있다. 등에 메는 가방인 'backpack백팩'에서 'packing'의 원래 뜻은 '꽉꽉 눌러 담다' 인데, 담배를 툭툭 치는 것도 '패킹'한다고 말한다.

원래 'pax'는 '평화'라는 뜻이기 이전에 강한 나라가 약한 나라들을 꽉 잡아 꼼짝 못하게 한다는 뜻이었다. 로마시대에는 로마가 전 세계를 정복하고, 다른 나라들이 로마에게 꽉 잡혀 함부로 날뛰지 못하니 전쟁이 없었다. 로마 사람들은 그 전성시대를 'Pax Romana'라고 불렀는데, '로마가 다른 국가들을 빽빽하게 'pack'해서 평화를 유지하던 시대'인 것이다. 'Pax Romana' 때에는 작은 나라들이 로마가 무서워 감히 전쟁을 일으키지 못했기 때문에 'pax'가 점차 전쟁이 없다, 즉 '평화'를 뜻하는 'peace'로 발전했다고 한다.

프랑스 옛말에 '계산이 반듯하면 우정도 반듯하게 간다'라는 말이 있다. 돈을 서로 명확하게 주고받는 것은 매정한 것이 아니라 좋은 인간관계의 기본이란 뜻이 되겠다.

Honor, Honest

살인이 명예로운 일이었던 시대

동양의 문화와 서양의 문화가 가장 다른 점 중 하나가 'honor', 즉 '체면'이라고 생각하는 사람들이 많다. 그러나 동양 사람들에게만 체면이 중요한 것은 아니다. 사람이 모여 사는 곳이라면 남의 눈을 의식하지 않고 살 수 없는 법이다. 서양 사람들도 동양인 못지않게 체면을 중요시해서 자신의 명예를 손상시킨 사람에게 배상금을 받는다는 전통에서 'pay'라는 단어가 나왔다. 하지만 서양과 동양이 생각하는 체면에는 큰 차이가 있다. 그 차이를 설명하기 위해 체면 때문에 아들을 죽여야 했던 한 아버지의 이야기를 소개하려고 한다.

프랑스 남쪽에 있는 코르시카 섬은 바닷바람이 육지까지 소금을 싣고 와 농사가 잘 안 되고 무성한 잡초 사이마다 벌거벗은 돌들이 불쑥불쑥 솟아있는 아주 거친 땅이다. 지금으로부터 100년 전, 이 섬에 마테오 팔콘이라는 농장주 한 명이 살고 있었다. 어느 날 마테오 팔콘은 외출 후 집에 돌아와 놀라운 광경을 목격하게 되었다. 경찰이 자기 집에 몰래 들어와 숨어 있던 범죄자를 체포해 가는 모습을 본 것이다. 팔콘은 집에 경찰이 왔다 갔다 하는 모습을 보자 무슨 일인가 싶어 조심스럽게 집 안으로 들어갔다. 그런데 어디서 났는지 아들은 상당히 고가로 보이는 시계를 가지고 있었다. 팔콘은 아들에게 시계가 어디서 났는지 단단히 캐물었다. 아들은 부인했지만 조금 전 잡혀간 범죄자가 집 안에 숨겨준 대가로 시계를 준 것이 확실했다.

그제야 팔콘은 범죄자가 경찰에게 체포되어 집을 나가면서 자기 집 대문에 침을 뱉으며 "이 집은 체면이 없는 가문이다!"라는 저주를 퍼부은 이유를 알게 되었다. 아들이 범인에게 시계를 받고 집에 잘 숨겨주겠다고 약속을 하고는, 경찰이 오자 배신하고 범죄자의 위치를 알려주었던 것이다. 서양 사회에서 약속을 어긴다는 것은 가문의 체면을 손상시키는 가장 'honor' 없는 행위였다. 팔콘은 아들을 숲속으로 끌고 가 자기 총으로 쏴 죽이고 가문의 명예를 되찾아야 했다. 프로스퍼 메리메라는 프랑스 소설가가 쓴 〈마테오 팔콘〉의 줄거리다. 그만큼 서양인에게도 체면을 지키는 것은 사회 생활의 중요한 덕목이었던 것이다.

〈마테오 팔콘〉의 줄거리처럼 'honor', 즉 서양인들이 생각하는 '체면'은 자기 입으로 한 번 약속한 일은 죽더라도 반드시 지키는 '언행일치'였다. 그래서 'honor'에서 나온 'honest'를 우리는 '정직'이라고 번역하는데 사실은 의미가 많이 다르다. 의미가 어떻게 다른지를 이해하려면 로마라는 조그마한 도시국가가 전 유럽을 제패한 제국으로 성장한 이야기부터 알아두는 것이 좋다.

고대 유럽에는 지금처럼 규모가 큰 '국가'라는 개념이 없었다. 마을이 각기 독립된 국가나 마찬가지였다. 그래서 전쟁도 양쪽 마을의 장정들이 벌판에 모여 집에서 들고 나온 농기구로 패싸움하는 것이 고작이었고, 힘센 장정 한두 명에 의해서 전투의 승패가 결정났다. 그 동네 최고 장사는 마을을 지키는 방패 역할을 했기 때문에 모든 마을 사람들의 선망의 대상이 되었는데, '마을을 지키다'를 뜻하는 'sero'에서 'hero'가 나와 '영웅'이라는 의미로도 쓰인다.

이런 시대에 로마 군대의 전투 방식은 획기적이었다. 로마 군대는 앞뒤로 10명, 양 옆으로 10명씩 줄을 맞춰 서서 100명을 사각형 한 단위로 묶어 한 몸처럼 움직였다. 바깥쪽에 선 군인들은 규격에 맞춰 만든 빨간 사각형 방패로 대열의 앞뒤 양 옆을 봉쇄해 적군이 그 안으로 끼어들지 못하게 했다. 교전이 시작되고 적군이 화살을 쏘거나 표창을 던지면 대열 가장자리에 선 군인들은 재빨리 대형을 좁히고, 가운데 선 군인들은 머리 위로 방패를 들어올려 지붕을 만들었다. 적군이 대형을 향해 진격하면, 톱니바퀴 달린 기계처럼 일제히 방패를 벌리고 빈틈으로 칼을 내밀어 적군을 무찌른 다음 신속하게 방패를 닫아 거북이처럼 대열을 오므려 적군의 공격을 차단했다. 집에 있는 낫이나 곡괭이 같은 농기구들을 들고 전쟁터로 달려나온 다른 나라 사람들 눈에, 네모난 붉은 방패와 방패를 맞대고 100명씩 사각형으로 줄을 맞춰 저벅저벅 다가오는 로마 병사들의 모습은, 아마 산에서 자기를 향해 굴러 내려오는 바위를 보는 듯한 기분이었을 것이다. 로마는 이 전투 방식으로 세계를 정복했지만, 여기에도 허점은 있었다. 대원 중 단 한 사람이라도 발을 못 맞추면, 그 뒷사람도 발이 걸려 줄줄이 넘어져 100명이 통째로 전멸당할 수 있었다. 만약 대열에서 단 한 명이 겁을 내며 도망치면 방패 사이에 뚫린 구멍으로 적군이 밀고 들어와 속수무책으로 도륙을 당할 수도 있었다. 그래서 로마 군인들은 훈련을 자주 했는데, 군인들을 줄 세워놓고 '좌향좌' '우향우' '앞으로 나란히' '뒤로 돌아'를 반복시켜 여러 명이 한 번의 명령에 따라 한 몸처럼 움직일 수 있는 전투기술을 연마시켰다. 지금도 많은 나라의 학교나 군대에서 협동심을 길러주기 위해 이런 방식의 훈련을 하는데 사실 이것은 원래 로마 제국의 특이한 전투기술이었다.

그러나 전쟁은 목숨이 오가는 살벌한 일이어서 이렇게 철저한 훈련을 받고도 도망치는 군인이 생길 수 있었기 때문에, 로마 군대는 한 명이라도 도망가거나 실수를 하면 연대책임을 물렸다. 예를 들어 한 명이 발을 잘못 맞춰 대열이 흩어지면 100명의 대원 중 무작위로 10명을 뽑아 즉각 사형에 처했다. 또 아들이 병영에서 도망치면 집으로 쫓아가 부모를 사회적으로 매장시키거나 길거리에서 돌팔매질로 죽였다. 게다가 로마는 이 100명의 군인을 이곳 저곳에 전략적으로 배치해서 협동 전략으로 적군을 쳐부수던 최초의 부대다. 한 팀이 임무를 제대로 완수하지 못하면 옆 대열 군인들도 모두 연이어 전멸당할 수가 있었다. 그래서 이들에게는 목숨을 잃는 한이 있더라도 자기가 한 번 맡은 일은 끝까지 실행하는 것이 매우 중요한 덕목이었다. 모든 남자들에게 이것을 반드시 지키도록 한 것이 로마라는 작은 도시 국가가 대제국으로 성장한 비결인 것이다.

자기 한 명의 실수로 가족이나 친구, 동료들이 죽거나 사회적으로 매장당할 수 있었기 때문에, 로마 남자들은 전쟁터에서 용기를 잃지 않고 자기가 맡은 일을 끝까지 수행할 수 있도록 해달라고 군인 정신의 신인 오노스에게 열심히 빌었다. 여기서 서양인들은 남에게 온정을 베풀거나 어려움을 덜어주는 것보다 자기가 한 번 맡은 일, 자기가 일단 뱉은 말에 대해서는 무슨 일이 있어도 지키는 것을 체면과 동격으로 여겼다. 그래서 '오노스 앞에서 당당한 것'이라는 뜻인 'honor'는 '용기' '투지' '정직' '사회적 평판'을 동시에 뜻하는 단어가 되었다. 서양에서 쓰는 'honor'와 여기서 파생된 'honest'는 우리나라에서처럼 '정직하다', 즉 '잘못을 감추지 않고 고백한다'는 의미보다 자기가 한 번 뱉은 말, 한 번 맺은 계약은 죽더라도 지킨다는 의미로 쓰인다.

앞에서 소개한 프랑스 소설 〈마테오 팔콘〉에 나오는 아버지가 경찰에게 거짓말을 해서라도 아들이 범인과 한 약속을 지키기를 바랐던 심정은 바로 이런 것이었다. 아들이 범죄자에게는 자기 입으로 숨겨준다는 약속을 했기 때문에 이를 반드시 지켜야 가문의 '체면'을 지킬 수 있지만, 경찰에게는 어떤 약속도 하지 않았기 때문에 법을 어기더라도 범인을 숨겨주고 거짓말을 해야 'honor'를 지키는 것이라고 생각한 것이다. 그래서 아버지에게는 아들이 범인과의 약속을 어기고 경찰에게 범인 은신처를 알려준 용서 받을 수 없는 비겁한 놈이니 죽이지 않을 수 없었던 것이다.

Privacy

명예를 포기한 사람들의 '프라이버시'

서양 사회에서 명예는 아들을 죽여서라도 회복할 만큼 중요했지만, 돈벌이를 위해서 명예를 포기하고 사는 사람들이 있었으니 바로 사업가들이었다. 일반인들은 그들이 돈을 벌기 위해서 아예 공공 생활을 포기하고 혼자만을 위해 사는 사람들이라며 손가락질했다. 옛날 사람들은 '사적인 일', 즉 '사업' 또는 '사생활'을 얼마나 무시했는지, 못을 뽑거나 문짝 같은 것을 뜯어낼 때 사용하는 쇠지레 'pry프라이'에서 사생활을 뜻하는 외래어 '프라이버시privacy'가 나왔다. 이 단어는 본래 단체생활을 할 자격을 박탈당해 헌 문짝처럼 뜯겨나갔거나, 못처럼 뽑혀나간 사람을 의미했다. 지금은 모든 민영 사업을 '사업', 즉 'private business'라고 부르지만, 맨 처음 직업에 'private'이라는 단어가 붙은 경우는 '영국 해적'을 뜻하는 'privateer프라이버티어'였다. 옛날 사람들은 사업을 해적에 비유했다는 뜻이다.

privateer들이 맹활약하던 때는 영국의 문호 셰익스피어를 후원한 엘리자베스 여왕이 나라를 다스리던 1500년대다.

이때 유럽의 초강대국은 스페인이었다. 스페인 선장 한 명이 용감하게 대서양을 건너갔다가 우연히 멕시코를 발견했는데, 땅을 파기만 하면 금이 쏟아져 나왔다. 스페인 왕은 보고를 듣자마자 배를 보내 스페인으로 금을 실어오도록 했다. 그때부터 몇 달에 한 번씩 멕시코에서 파낸 금은보화를 가득 실은 스페인의 거대한 범선들이 떼 지어 영국 앞바다를 지나 네덜란드의 항구에 닻을 내리곤 했다. 네덜란드에는 좋은 은행들이 많아 이곳에 그 모든 금을 말 그대로 '입금'시키려는 것이었다. 금으로 가득 찬 배가 자기네 앞바다를 줄지어 지나다니는 모습을 가만히 구경만 하고 있을 영국인들이 아니었다. 영국의 사업가들은 투자자를 모아 배와 대포를 구입하고, 선원들을 고용해 아예 스페인 배를 털어 돈을 버는 '해적 주식회사'를 세웠다. 심지어 사업 내용으로 멕시코에서 금을 싣고 오는 스페인 배를 약탈한다는 계획을 국가에 명확히 신고하고 사업자 등록증을 내기까지 했다. 분명한 범죄 행위를 사업 목적으로 하는 회사에 공식 허가를 내준 영국 정부는 도대체 무슨 생각을 하고 있었을까?

내막은 이렇다. 당시 영국 엘리자베스 여왕에게는 배다른 언니가 있었다. 엘리자베스는 이 언니와 왕좌를 두고 치열하게 다투다가 결국 자기가 왕위를 차지했는데 언니의 추종자들이 반란을 일으킬 것이 두려워 언니를 외진 곳으로 귀양 보내고 런던 근처에는 얼씬도 못하게 했다. 이 이복언니의 외가가 바로 그 막강한 스페인 왕실이었다. 강대국 스페인이라는 든든한 배경을 가진 이복언니는 지속적으로 스페인에게 엘리자베스 여왕을 혼내주고 자기를 구조해 달라는 SOS를 보냈다. 따라서 엘리자베스 여왕은 스페인을 끔찍이 싫어했다. 그래서 스페인이 손해 보는 일이라면 해적질이든 도적질이든 모두 허가해

주었다.

엘리자베스 여왕은 조용히 해적 집단을 불러 스페인 전함을 아무리 많이 털어도 불법행위로 처리하지 않겠다는 약속까지 했다고 한다. 영국인들은 이들을 국가 군대에 들어가지 않고 사적으로 움직이는 사람들이라고 해서 'private'한 사람들, 즉 'privateer'라고 불렀다. 국가가 국민에게 마땅히 제공해주어야 할 물건이나 서비스를 개인 투자가나 전문 경영인들에게 맡겨 민영 회사를 운영하며 해결하도록 하는 것을 'private sector'라고 말하게 된 것은 이 이후다. 그러니까 자본주의 경제의 원조는 해적 경제인 셈이다.

오늘날까지 수많은 할리우드 영화와 대중 소설, 동화에 등장하는 드레이크 선장, 월터 랄레이 선장 같은 사람들이 바로 엘리자베스 시대에 영국에서 활약하던 '프라이버티어'들이었다. 이 해적들은 금을 가득 실은 스페인 배를 포착하기만 하면 어찌나 끈질기게 붙들고 늘어졌는지 한번 물면 개처럼 절대로 놓지 않는다고 해서 'sea dogs', 즉 '바다 개'라는 별명까지 얻었다. 영국 문학에서는 드레이크 선장 같은 사람을 용감하고 모험심 강한 영웅으로 포장하지만 영국 경제역사가 데이비드 그레버 박사의 기록은 영국 해적의 전혀 다른 삶의 모습을 보여준다.

당시 영국에는 빚지고 못 갚으면 파산으로 처리한 것이 아니라 사형에 처하는 엄격한 법이 있었다. 이 무서운 법 때문에 빚을 진 사람들은 그것을 제때 못 갚을까 봐 벌벌 떨며 살아야 했다. 해적 회사 임원들은 이런 사람들에게 접근해서 스페인 배 한 대만 털면 큰돈을 벌 수 있기 때문에 빚을 한 번에 갚을 수 있다며 배를 타라고 꼬드겼다.

하지만 장사꾼들이란 이윤 안 남는 장사는 안 하는 법. 해적선에서 돈을 벌어 빚 갚으려던 사람들은 빚을 갚기는커녕 더 많은 빚을 지고 말았다.

일단 배에 오르자 식사, 무기, 장비 어느 것 하나 회사가 제공해주는 것이 없었다. 보물선 한 대만 털면 빚을 한 번에 다 갚을 수 있다며 장비와 식량을 비싼 가격에 외상으로 팔았다. 또 당시의 배는 워낙 속도가 느려서 몇 달씩 배 안에서 기다려야 겨우 스페인 배 한 척을 만날 수 있었다. 해적 회사는 지루함에 지친 선원들에게 럼주를 싸게 팔아 모두 알코올 중독자로 만든 다음 점차 술값을 올렸다. 돈이 없으면 나중에 스페인 보물선을 털어 받은 돈으로 갚으라며 외상으로 술을 무한정 마실 수 있게 했다. 빚 갚으러 왔다가 오히려 더 큰 빚을 지게 된 선원들은 만에 하나 맨손으로 집에 돌아가게 되면 딱 사형감이므로 배에서 내리지도 못하는 노예 신세가 되었다. 그래서 스페인 배를 만날 때마다 이번 한탕으로 모든 빚을 다 갚지 못하면 어차피 사형당한다는 생각에 죽기 살기로 달려들었다. 이런 빚쟁이들의 활약으로 영국은 마침내 스페인을 꺾고 유럽 최고의 항해 제국으로 떠오르게 되었는데, 결국 스페인이 항복하자 영국은 privateer들에게 상을 주기는커녕 범죄자들이라며 그들을 모조리 국외로 추방했다. 이들은 조국을 떠나 캐리비안으로 이주해서 그곳의 해적이 되어 영국 상선을 털기 시작했다. 오늘날까지 미군에서는 군대의 가장 낮은 계급인 이병과 일병을 'private'이라고 부르는데, 국가에서 운영하는 군 조직의 일부로 보기에는 너무 '사사로운' 존재들이라는 뜻으로 봉건시대에 붙여준 이름을 그대로 쓰는 것이다.

개인private과 국가기관이 시작부터 서로 배신하면서 관계를 맺기 시작한 서양의 경우, 아직도 국가와 개인의 관계가 껄끄러운 편이다. 보통 서양인들은 공공기관이 자기 사생활에 대해 잘 아는 것을 끔찍하게 싫어하며 목숨을 걸고 'privacy'를 보호한다. 요즘 우리나라도 개인주의 시대가 되어 사람들이 이기적이 되었다며 혀를 차는 사람들이 많지만, 서양 사람들은 첫 만남에서 "결혼하셨어요?"와 같은 사생활 관련 질문을 던지면 "It's private."이라고 말하며 정색할 정도로 사생활은 개인의 성역이다. 심지어 배우자가 질투심으로 상대방의 이메일이나 휴대폰을 열어보는 것도 프라이버시 침해로 중대한 이혼 사유가 된다. 그에 비해 우리나라에서는 공무가 아닌 사적 업무를 뜻하는 '사사롭다'라는 단어가 '별 볼 일 없다'는 의미로 쓰이니 사생활을 바라보는 동서양의 정서에 아직도 많은 차이가 있는 셈이다.

Prince

프리미엄 있는 사람,
프린스

몇 년 전 영국 엘리자베스 여왕의 손자인 윌리엄과 캐서린 미들턴의 로열 웨딩이 전 세계의 주목을 받았다. 영국과 별 인연이 없는 외국인들도 TV에 나온 결혼식 장면을 보고 '내 평생에 본 가장 아름다운 결혼식'이라며 감동의 눈물을 흘렸다.

〈왕자와 거지〉 〈신데렐라〉 같은 동화를 읽고 자란 우리에게는 왕자, 공주에 대한 환상이 많다. 자기 딸을 '프린세스princess'라고 부르는 딸 바보 아버지들도 많다. 그러나 원래 'princess'는 '공주'라는 뜻이 아니다. 그리고 'prince프린스'라는 단어도 '왕자'라는 뜻이 아니다.

사실 'prince'는 의외로 인문학적 깊이가 배어있는 아주 미스터리한 단어인데, 어디에 붙이느냐에 따라 의미가 변하는 영단어계의 트랜스포머다. 예를 들면 세기의 미녀 그레이스 켈리와 결혼한 'The Prince of Monaco'는 모나코의 왕자가 아니라 국왕이다. 또 영국의 왕자는 'The Prince of England'가 아니라 애매하게도 옆 나라 이름을 붙인 'The Prince of Wales'다. 학교에서 르네상스 시대의 가장 중요한 책이라고 배운 마키아벨리의 〈The Prince〉의 한국어 제목은 '왕자론'이 아니라

'군주론'이다.

이 변덕스런 단어는 버릇없다며 어른들의 미움을 톡톡히 받던 고대 로마의 한 젊은이가 자기 스스로를 부르던 단어에서 출발했다.

예수가 살았던 시절의 고대 로마에 옥타비아누스라는 젊은이가 있었다. 그는 너무나 오만 방자해서 어른들이 특히 싫어했다. 하지만 옥타비아누스에게는 믿는 구석이 있었다. 바로 로마인들의 사랑을 독차지하고 있던 카이사르 장군이 자기 양아버지였던 것이다. 게다가 카이사르 장군이 죽고 난 후 어마어마한 유산까지 차지했다. 그는 또 로마 귀족 중에서 머리가 가장 좋다고 소문난 재원이었다. 결국 옥타비아누스는 카이사르가 살해당한 후 자기를 미워하던 어른들을 차례로 제거하고 로마 최고의 권력자가 되었다. 옥타비아누스는 로마의 왕이나 마찬가지였다.

하지만 스스로를 민주국가의 국민으로 믿었던 로마인들은 '왕'이라는 호칭을 끔찍하게 싫어했다. 옥타비아누스의 양아버지 카이사르도 괜히 '왕'이라는 호칭을 들먹였다가 민주운동가들로부터 칼에 맞아 죽었다. 옥타비아누스는 '왕'이 아닌 다른 호칭을 만들려고 고민하다가 그냥 '로마에서 제일 잘나가는 시민'이라는 호칭은 별 문제가 없지 않을까라고 생각했다. 라틴어로 '제일'이 'premier프리미어'인데, 축구선수 박지성이 활약하던 영국 프리미어 리그는 제일 실력 있는 선수들만 뛰는 리그라고 생각하면 이해가 쉽다. 옥타비아누스는 자신이 로마 시민 중 제일이다, 즉 '프리미어하다'라는 뜻에서 스스로 '프린스'라고 불렀다고 한다.

그런데 이상한 부작용이 생겼다. 우리나라 기업가들이 '사장'보다는 폼 나 보이는 영어 타이틀인 'CEO'를 좋아하는 것처럼, 시골 동네를 다스리는 수백 명의 북방 야만족 추장들이 죄다 스스로를 '프린스'라고 부르기 시작한 것이다. 로마가 멸망한 다음 이 추장의 후예들이 유럽에 수천 개의 나라를 세웠는데, 그 때문에 '프린스'는 '조그마한 나라의 군주'라는 뜻으로 변했다. 오늘날까지 중세 추장들의 후손이 다스리고 있는 모나코, 리히텐슈타인, 안도라 같은 조그마한 나라들은 국왕을 '프린스'라고 부른다.

'prince'라는 단어를 우리가 왕자로 이해하게 된 것은 1300년대 영국 왕실의 사기극 때문이다.

중세 영국 서쪽에는 웨일스라는 조그마한 나라가 있었는데, 당연히 웨일스 출신 프린스가 대대로 나라를 다스려 왔다. 우리와 일본이 그렇듯 이웃 나라끼리는 원래 앙숙이 되는 경우가 많다. 영국과 웨일스도 사이가 나빠 끊임없이 전쟁을 했다. 결국 영국이 이겨서 웨일스를 정복했지만 영국 왕은 웨일스를 직접 다스릴 자신이 없었다. 언어와 문화도 다르고 국민들의 개성이 너무 강해 영국의 법을 잘 안 지킬 뿐 아니라, 왕이 잠깐 자리를 비우면 독립을 하겠다며 반란을 일으킬 것이 뻔했다. 그래서 웨일스라는 나라를 영국에 통합시키지 않고 웨일스의 우두머리, 즉 '프린스'를 영국 왕이 정한다는 조건으로 독립을 보장해주기로 했다.

이 시대의 영국은 에드워드라는 성격 고약한 왕이 다스렸다. 어느 날 웨일스에서 사신이 찾아왔다. '프린스' 자리가 공석이 되어 후계자를 임명해야 하니 추천해달라는 것이었다. 사신은 만약 영어밖에 못하는 영국 사람이 웨일스의 지도자가 되면 신하들과 언어가 안 통해서 나라가 제대로 안 돌아갈 테니 반드시 웨일스에서 태어난 사람을 '프린스'로 골라달라는 웨일즈 백성들의 간곡한 부탁을 전했다. 에드워드는 알겠다며 쉽게 약속을 하고 사신을 돌려보냈다.

마침내 웨일스의 새로운 '프린스'의 대관식날이 되었다. 에드워드왕은 웨일스 '프린스' 후보를 데리고 웨일스의 수도 콘웰에 나타났다. 웨일스 사람들은 깜짝 놀랐다. 웨일스에서 태어난 사람을 '프린스'로 정하겠다고 약속한 왕이 자기 아들을 후보로 데려온 것이다. 웨일스 사람들은 약속을 지키라며 아우성을 쳤다. 그러나 에드워드왕은 뻔뻔하게 이렇게 대답했다고 한다.

"나는 웨일스에서 태어난 사람을 '프린스'로 임명하겠다고 약속했지, 웨일스 핏줄을 가진 사람을 임명하겠다고 약속한 적은 없네. 지난번에 당신네 독립군들이 폭동을 일으켜 내가 그것을 진압하려고 직접 온 적이 있지 않나? 그때 임신한 왕비가 같이 와서 전쟁터에서 낳은 아들이 바로 내 장남인 이 사람일세. 그러나 분명 내 아들은 웨일스 출신이네."

에드워드왕이 못된 속임수로 자기 아들에게 웨일스를 떼어준 이후로 영국 왕의 장남이 계속 웨일스를 다스리는 전통이 생겼다. 오늘날에도 엘리자베스 2세 여왕의 아들 찰스 황태자의 공식 명칭이 '찰스 웨일스 군주Charles, Prince of Wales'다. 이후 영어가 국제 공용어가 되면서 사람들이 영국 왕의 아들이 무조건 받게 되는 웨일스 군주 직함을 '왕자'라는 뜻으로 잘못 받아들여서 'Prince'라는 단어가 '왕자'가 된 것이다.

'대영제국은 역사 속으로 사라졌지만 영어는 남아있다'는 말이 있는데, 영국 왕의 아들 딸을 부르는 호칭을 오늘날 우리 역시 사랑하는 자녀를 부를 때 가져다 쓰게 되었으니, 영국 사람들이 로열 웨딩 때 '영국의 왕실은 세계의 왕실이다'라며 목에 힘줄 만도 하다.

Classic

계급 있는 음악, 클래식

언젠가부터 우리 사회에 '유전무죄' '무전유죄'라는 말이 자주 쓰인다. 지금은 민주주의 시대이니까 돈 없고 배경 없는 사람도 공평하게 대우해야 한다는 주장이 대세지만, 고대 로마인들은 돈과 권력 가진 사람은 당연히 남다른 대우를 받아야 한다고 믿었다. 심지어 노는 문화에도 급을 정했는데, 유럽 문화의 자랑 '클래식 음악'도 사회 계급을 뜻하는 'class'에서 나온 것으로 어원적으로는 '귀족 음악'을 뜻한다.

요즘 우리사회에서 '유전무죄'란 말이 많이 거론되는 경우는 정치인 자녀들의 군 복무 문제에 관해서다. 평범한 가정 출신의 청년들은 꼬박 2년 동안 흙과 먼지를 뒤집어쓰며 국방의 의무를 다하는데, 국회의원 아들 등 고위직 자녀들이 의무에서 슬그머니 빠져나가는 경우가 많아 청문회를 할 때마다 병역비리는 단골메뉴가 되어왔다.

하지만 로마시대에 비하면 군 복무 2년은 약과다. 로마 남자들은 자그마치 20년이나 군 생활을 했다. 물론 돈 많은 집 아들도 예외 없이 입대는 했다. 하지만 오히려 소풍을 앞둔 학생처럼 입대를 기다렸다고 한다. 당시에는 아버지가 상원의원이면 훈련이나 전투 경력이 전혀 없는 10대 신병도 장군 계급으로 입대했기 때문이다. 장군은 부대에 가족뿐만 아니라 종들까지 데려올 수 있었다. 전투에 직접 나가지 않으면서도 부대가 승전하면 모든 영광은 장군이 독차지했다. 그래서 돈 많은 집 아들들은 군대 갈 나이가 되면, 좋은 옷가게에 가서 폼 나는 장군복을 맞추고, 엄마 손을 붙잡고 멋진 말과 캠프 장비를 사러 다녔다. 거꾸로 가난한 부모를 둔 청년들은 20년 내내 지금으로 치면 이병으로 복무해야 했는데, 승진이라는 것도 없었다. 16세 장군이 30세 병사에게 개인적인 심부름을 안 했다고 채찍으로 때리는 것도 합법이었다.

로마의 6대 왕 세르비우스 툴리우스는 있는 집 부모들이 자기 아들을 군대에서 더 높은 자리에 배치시키려고 뇌물경쟁을 하자 화가 났다. 그래서 부모의 재산 정도에 따라 로마인의 신분을 5계급으로 나누어버렸다. 동화 10만 냥이 넘는 자산가인 1급부터, 동화 1만 냥을 가진 5급까지로 나눈 것이다. 이때부터 1급은 아들을 장군으로 입대시킬 수 있는 등 자산 규모에 따라 입대하는 아들의 계급을 미리 알 수 있게 되었다. 그런데 가장 낮은 계급에 속하는 이들의 재산 동화 1만 냥을 지금 돈으로 계산해 보면, 당시 세계의 수도로 불리던 로마 시내 복판에 4,000평 정도의 땅을 매입할 수 있는 정도의 돈이다. 지금으로 치면 뉴욕에 건물 하나 가진 준재벌 정도의 자산가였던 셈이다. 한 마디로 로마 정부는 그 정도 돈 없는 사람은 아예 인간으로 쳐주지 않았다는 이야기다.

왕이 돈으로 신분을 나누자 이 5계급 안에 들지 못한 가난한 로마 시민들이 반발할 것이 두려웠는지 왕은 돈은 없지만 최소한 '자식

부자'라는 의미에서 이들에게 새로운 계급의 이름을 지어주었다. 라틴어로 '자식'이 'proles'였으므로 이들을 '자식 부자', 즉 '플로레타리proletarii'라고 했는데 오늘날 우리나라에까지 이 단어가 외래어로 들어와 공장 노동자 등 서민층을 '프롤레타리아proletariat'라고 부른다.

20년 동안 군 복무를 해야 했던 로마 청년들은 우리나라 청년들이나 그 여자친구들처럼 '영장'이라는 말만 들어도 온몸의 피가 얼어붙는 기분이었을 것이다. 그나마 우리나라에선 영장을 받으면 미리 입대 일정을 알 수 있어, 군대 가기 전에 여자친구와 미리 여행도 다녀오고 친한 친구들과 송별회라도 한 다음에 입대를 할 수 있다. 그러나 로마 청년들은 언제 입대할지 미리 알 수조차 없었다. 어느 날 갑자기 마을에 병무청 직원이 나타나 소집 대상자 명단을 들고 이 골목 저 골목 쑤시고 다니며 고래고래 이름을 소리쳐 불러 군대 갈 사람들을 직접 데려갔다. 사람들은 이 명단을 사람을 부르는, 즉 'call' 하는 명단이라고 해서 'calare라틴어로 소리치다' → 'classus'라고 했다. 이 명단에는 입영 대상자 이름이 계급순으로 적혀있었는데 계급 순서가 아버지의 재산에 따라 결정되었기 때문에 'class'는 '사회 계급'을 뜻하게 되었다.

로마의 계급 의식에 비하면 우리나라 조선시대의 양반들은 민주적으로 보일 정도로 로마의 계급 차별은 끔찍했다. 심지어는 평민 남녀가 짝을 지으면 '결혼'이라는 표현을 쓰지 않고 '교미'라는 표현을 쓸 정도였다. 로마의 후예인 유럽 사람들은 세상의 모든 것에 계급을 만들었다. 예를 들어 학교에서는 선배와 후배는 서로 '계급'이 다르다고 해서 자기가 속한 학번이나 학년을 'class'라고 불렀는데, 실제로 선배는 후배를 귀족이 평민 대하듯 무시했다. 이때 선배가 후배들 군기 잡는 문화가 일본을 통해 한국으로 전해져 오늘날까지 남아있다. 같은 '계급'이 아닌 선배, 후배 간에는 심지어 같은 방에서 수업을 받을 수조차 없어서 'classroom'을 만들어 각기 다른 방에서 교육시켰다.

음악이나 영화처럼 즐기는 문화도 철저히 '급'을 나눴다. 로마 시대 하층민인 '프롤레타리아'는 5개의 계급에 낄 수 없었기 때문에 부자들을 '계급 있는 사람들', 즉 'classicus'라고 불렀다. 그래서 처음에는 로마의 상류층이 즐기던 〈플루타르크 영웅전〉같은 책을 'classicus'가 읽는 책이라고 해서 'classic'이라고 불렀다. 오늘날에도 'classic'은 '고전 서적'을 말하는데, 여기서 고전이란 특히 그리스, 로마 귀족들이 쓰고 읽은 책들을 뜻한다. 미술을 공부하는 사람들은 '고전주의' 또는 '클래식한 스타일'이라는 말을 많이 쓰는데, 이것은 원래 옛날 그리스, 로마 귀족들이 입던 옷, 살던 집의 분위기나 아이디어를 빌려온 것을 말하는 단어였다. 마찬가지로 왕이나 귀족을 위해 쓰여진 음악을 '천박한' 대중음악과 분리하기 위해 로마 상류층인 'classicus들의 음악'이라고 부르던 전통에서 'classic 음악'이라는 단어가 생기기도 했다. 오늘날 우리나라 사람들은 인기 있는 예술작품이나 음악을 선호하는 데에 비해, 유럽 상류층들은 자기들끼리만 알아보는 작품, 음악, 패션을 선호하는 것도 '클래식'과 '대중' 예술을 철저히 나누던 이런 전통해서 나온다.

이렇게 예술에서도 급을 나누던 유럽 사람들에게 가장 심한 욕은 '평범하다'였다. 한국과 반대로 유럽에서는 오늘날 영어로 '평범하다'를 뜻하는 거의 모든 단어가 욕으로 쓰이는데 하나씩 짚어보자.

Mean

평민이라는 단어가 잔인한 놈이 된 사유

황희 정승 같은 위인이 심지어 소가 마음 다치는 것까지 신경 썼다는 일화가 지금까지 회자될 정도로, 우리의 선조들은 윗사람이라면 마땅히 아랫사람을 배려할 줄 알아야 한다고 가르치고 배워왔다. 하지만 서양인들은 귀족과 평민은 같은 인간이 아니라 마치 개와 고양이처럼 서로 전혀 다른 종으로 취급해, 계급이 다르면 서로 잔인하게 대하는 것을 당연시해왔다. 지금까지도 'You have no class너는 계급이 없다' 또는 'You are low class' 등의 표현은 '너는 가난하다'라는 단순한 의미가 아니다. 가족을 중요시하는 우리나라식으로 표현하자면 '애비 에미도 못 알아볼 천한 놈'처럼 '근본이 없다' '천박하다' '더럽다' '교육 수준이 낮다' '교양이 없다' 등 수많은 욕의 의미가 복합적으로 담긴 아주 잔인한 표현이다.

문화를 연구하는 학자들은 유럽인들의 계급 차별 전통은 아주 오래되었다고 말한다. 역사학자들은 지금으로부터 약 3,000년 이상을 거슬러 올라가면 유럽인과 인도인의 조상이 같은 종족이라고 믿는데, 그 증거 중 하나가 두 민족의 문화 모두 계급 차별이 엄격했다는 것이다. 바꾸어 말하면 이미 3,000년 전에도 이들에게는 사람 사이의 계급이 명확히 나누어져 있었다는 것인데 그 흔적이 오늘날 인도에 남아있다. 인도는 지금도 가장 하층민을 '불가촉 천민'이라고 해서 동네 우물도 사용 못하게 하고, 그들의 어린 자식들이 길에 고인 더러운 물을 마시다가 말라리아나 괴혈병에 걸려 죽어도 다른 계급 사람들은 거들떠보지도 않는다.

오늘날 우리는 서양인들을 민주적 사고가 앞선 사람들로 믿지만, 사실 서양인들의 계급 차별 의식은 오늘날까지 언어 속에 뿌리 깊이 남아있다. 그래서 '정상이다'가 칭찬이고 '별나다'가 비난인 우리의 표현과 달리 영어로는 여전히 '평범하다'가 최고의 욕으로 쓰인다.

예를 들면 남을 괴롭히는 '나쁜 사람'을 뜻하는 'mean'은 원래 고기를 중간 정도 굽는 것을 뜻하는 'medium미디엄'과 사촌 단어다. 또 오늘날 수학 용어로 '평균'을 뜻하기도 한다. 그러나 서양에서는 옛날부터 중간에 대한 이미지가 너무 안 좋아서, 평민들은 제대로 교육을 받지 못해 약자를 괴롭히는 동물적 본능을 주체하지 못하는 나쁜 사람이라는 의미에서 'mean'이 '나쁜 사람'을 뜻하는 단어로 발전했다.

상스러운 욕설 함부로 내뱉기, 짝짝 소리 내어 껌 씹기, 점잖은 자리에서 계속 돈 이야기 하기 등의 저속한 행동을 모두 영어로 'vulgar'하다고 표현하는데, 이 단어는 라틴어로 '귀족이 아닌 일반인' 또는 '널리 퍼지다'를 뜻하는 'vulgus'에서 왔다. 즉, 대다수가 하는 행동은 천박하다는 뜻이다.

반면에 영미인들은 눈에 띄게 똑똑하거나 신기한 경험을 많이 해본 사람에게 'extraordinary'하다며 박수를 보내는데, 이 단어의 첫 부분에 나오는 '주류가 아니다'라는 의미가 담긴 'extra'에 주목해 보기 바란다. 사실 'ordinary'는 '규칙'을 뜻하는 'order'에서 나온 말인데 이에 따르면 'extraordinary'는 '규격에 안 맞는 사람'이라는 말이다. 우리나라에선 욕으로 쓰일 법한 표현이지만 영미에서는 극찬으로 쓰인다.

또 '특권'을 뜻하는 'privilege'는 남들과 떨어져 있음을 뜻하는 'privacy'와 사촌 단어로, '남들이 함부로 나에게 접근할 수 없다' '평범한 사람과 나는 분리되어 있다'를 의미한다. 즉, 평민들은 알지도 못하고 이해할 수도 없고 그들과 최대한 멀리 떨어진 것을 'privilege', 즉 '특권'이라고 생각한다는 것이다. 그래서 유럽의 마케터들은 유럽인들에게 뿌리 깊은 이 특권 의식에 맞춰 한정판, 초청 판매 같은 'private sales'로 명품의 명성을 유지하며 일은 적게 하고 수익은 크게 내는 방법을 연구한다.

이런 역사적 이유로 서양인들은 사람들이 우글우글 많이 모인 곳에서 아무하고나 부비며 지내는 환경을 끔찍이 싫어한다. 그리고 우리는 음식을 너무 골라 먹으면 까다롭다며 비난을 하지만 유럽인들은 오히려 주는 대로 말없이 넙죽넙죽 잘 받아먹으면 음식을 골라 먹을지도 모르는 무식한 인간이라며 무시한다. 그래서 'discriminating차별할 줄 안다'이라는 영어 표현의 숨은 뉘앙스는 '식견이 높다'이고, '고르다'라는 뜻의 'choice'가 'choice meat'처럼 형용사로 쓰일 때는 '나쁜 것은 다 걸러내고 질 높은 것만 따로 골라놨다'는 뜻이다.

우리가 부러워하는 서양인들의 '개성'은 알고 보면 우리가 가장 싫어하는 '인간 차별'에서 나온 셈이다. 단어 하나하나에 차별 의식이 깊숙이 배어있는 곳이 바로 서양인 것이다. 그래서 오늘날에도 유럽인들은 비싼 카페에 갔는데 단체 급식용으로 사용되는 플라스틱 쟁반을 주면서 자기 마실 커피를 직접 가져다 마시라고 하거나 국립 오페라 극장 같은 클래식한 장소에서 대중음악을 그럴 듯하게 편곡해 연주하는 등 'class' 섞는 것을 몹시 싫어한다.

얼마 전 한 한국 사업가가 유럽으로 출장 가 파트너와 성공리에 계약을 하기로 약속하고 그의 집에 초대받아 가서 안주인에게 아주 흔한 미국산 A1 소스 좀 달라고 했다가 계약이 깨졌다는 보도를 보았다. 안주인은 자기처럼 수준 있는 사람 집에서 감히 슈퍼에서 파는 '아무나 먹는 소스'를 달라고 한 것을 모욕으로 느낀 것이다. 그분이 바로 이런 서양의 뿌리 깊은 계급 차별 의식을 이해하지 못해 낭패 본 케이스라고 하겠다.

물론 우리 생각으로는 괜히 쓸데없는 일로 생트집 잡는 행동으로 보일 수 있지만 서양 문화가 세계를 제패하게 된 데에는 이런 까탈스러움이 한몫 한 것을 누구도 부인하지 못한다. 항상 옆 사람보다 더 멋진 옷차림, 더 고결한 철학, 대중은 이해 못하는 클래스 있는 작품을 내놓아 남들을 무시하며 살고 싶은 욕망이 명품, 명작, 명기 등의 원천이라는 것은 틀림없는 사실이다. 그래서 지금도 옳고 그른 것, 아름답고 추한 것, 받아들일 문명과 절대로 그럴 수 없는 것 등을 철저히 가려내 '차별'하던 관습이 서양 문명의 핵심 역량이라고 주장하는 서양의 지성인들이 많다. 새롭고 유명한 것이라면 비판 없이 무조건 받아들이는 요즘 세상을 보면 그들의 클래식한 주장에도 일리는 있다.

어쨌든 20세기 초에 유럽에서 성장한 프랑스 철학자 데리다 같은 사람은 '언어를 근본적으로 바꾸지 않는 한 민주주의는 실현될 수 없다'는 주장을 펴 주목받기도 했다. 그는 민주시민이라면 어원학을 제대로 공부하고 모든 단어들을 해체해서 그 안에 담긴 지독한 차별적 의미를 읽어내 자기 방어를 할 줄 알아야 한다고 주장했다. 그래서 동양인들 중에는 데리다의 책을 읽으면 도대체 무슨 말을 하려는 것인지 이해하지 못하겠다고 불평하는 사람들이 많은데, 필자가 등잔불 밑에 앉아 그런 어려운 책들을 읽으며 알아듣기 쉽게 요약하고 있으니 여러분은 한결 쉽게 선진 민주시민이 될 수 있을 것이다.

Humanities

6장

‘인간심리’로 알아본 이야기 인문학

Magic

기원전 고대의 학벌주의

인간은 여러 가지 이유로 다른 사람을 차별한다. 차별은 사람의 본성이어서 우리나라만 해도 오랫동안 양반, 상놈으로 계급을 나눠서 차별하던 제도를 없앴더니 그 외의 별별 차별이 다 생겨서 어떤 면에서 오히려 차별이 더 심해졌다. 인종 차별, 성 차별은 물론, 학벌 차별, 외모 차별, 키 차별, 출신 지역 차별, 사는 동네 차별, 경제력 차별 등 그 종류도 참 다양하다.

KBS TV 프로그램인 〈개그 콘서트〉에서 '4가지'란 코너가 한동안 인기를 끈 것에서 알 수 있듯 사람은 심하게 차별을 받으면 기분이 상해서 그에 대해 반발한다. 그러나 내가 차별당하는 것은 싫은데 은근히 남 차별하는 것을 즐기는 것이 인간의 본성이니 어쩌겠는가? 차별받기 싫으면 반발심 사지 않고 상대방이 자발적으로 무릎 꿇고 내 밑에 서게 하는 전통적인 방법을 선택하면 된다. 그것은 바로 지식 차별이다.

우리나라의 부모들은 소위 'SKY' 대학을 나와야 행세할 수 있다며 자식이 유치원 시절부터 스펙을 쌓게 하려고 몸살을 앓는다. 하지만 약 3,000년 전 고대 페르시아 지식인들의 지식 차별에 비하면 지금 우리의 학벌 차별은 약과다. 고대 페르시아에는 '마지'라고 불리는 지식인들이 있었다. 이들은 지식 독점을 위해 자기들이 읽는 책들을 어찌나 꽁꽁 깊이 감춰놓고 일반인들의 접촉을 막았던지 '마지의 비밀'이 '마술'을 의미하는 영어인 'magic'의 어원이 되었을 정도다.

페르시아는 기원전인 고대시대에 세계 최고의 선진국 가운데 한 곳이었다. 당시 페르시아의 수도는 바빌론이었다. 다른 민족들은 수돗물을 사용한다는 것은 꿈도 꾸지 못하고 강물이나 우물에서 물을 길어서 먹던 시절이다. 그런데 바빌론에 살던 페르시아 사람들은 옥상에 물 펌프를 설치해서 아름다운 정원을 가꿨다고 한다. 고대 그리스 사람들이 와서 이 정원을 보고 얼마나 신기해했는지 이것이 세계 7대 불가사의 중 하나라며 감탄했을 정도다. '마술이란 자기가 이해 못하는 과학을 뜻한다'라는 유명한 말이 있듯, 페르시아에 비해 한참 미개한 그리스 촌놈들이 보기엔 옥상에 정원이 있고 거기에 꽃이 만발한 것은 당연히 마법으로 보였을 것이다.

페르시아의 그 놀라운 기술력은 '마지'라고 불리는 괴짜들의 머리에서 나왔다. 마지는 이상한 행동을 많이 했다. 그들은 주로 뻬쭉한 탑을 지어놓고 그 꼭대기에 처박혀 별만 보고 살았고 외출은 거의 하지 않았다. 부득이하게 외출을 하더라도 일반인과는 절대 말을 섞지 않았다. 그렇다면 이들은 도대체 무엇을 하는 사람들이었을까?

어원으로 풀어보자. 페르시아에서 온 단어 '마지'는 '힘이 세다'라는 의미로 지은 트럭 이름 'mighty마이티', 또 능력 갖춘 사람을 뜻하는 'master마스터', '만들다'를 뜻하는 'make메이크' 등의 현대 영어 단어와 친척이다. '마지'는 말 그대로 무언가를 만들어낼 수 있는 힘, 즉 '능력을 가진 사람'을 뜻한다. 페르시아의 '마지'는 무언가를 'make'하는 방법을 'master'한 사람들, 즉 지금의 공학도였던 것이다.

'마지'는 천체에 밝아 매일 해와 달을 관찰해서 날씨가 언제 따뜻해지고 언제 추워지는지를 예측할 수 있는 '달력'이라는 괴이한 것을 만들어서 사용했는데, 이 달력이 바로 마지 계급의 권력을 받쳐주는 핵심 노하우였다. 심지어 페르시아의 왕들도 언제 농사를 짓고 언제 추수를 해야 하는지, 또 언제 전쟁에 나가야 하며 언제 홍수를 조심해야 하는지 등 앞으로 해야 할 일을 일일이 마지에게 물어보고 결정했다고 하니, 이들이야말로 '아는 것이 힘이다'는 말을 실천한 사람들인 셈이다. 또 마지는 '숫자'라는 이상한 문자로 계산이라는 것을 할 줄 알아서, 페르시아 황제가 수로를 파거나 길을 지을 때 사전에 여기에 필요한 노동력이나 장비 같은 것을 척척 알려주었다. 그래서 황제도 마지의 동의 없이 마음대로 큰 공사를 시작하거나 전쟁에 나가는 것을 두려워했다고 한다.

요즘은 누구나 공부만 열심히 하면 공대에 들어가 공학을 공부할 수 있고, 사회에서도 과학이 발달해야 나라가 발달한다며 이공계 진학을 장려하는 분위기다. 그런데 마지는 이와는 정반대로 자기들이 알고 있는 비밀은 해와 달이 알려준 것이고, 자질 없는 사람들이 함부로 이런 공부를 하면 미쳐서 자살하게 된다고 겁을 줘 공학 공부를 적극적으로 막았다. 책도 절대로 사본을 만들지 않았고 탑 꼭대기에 있는 금고에 넣어 꼭꼭 잠가놓았다가 그들만의 복잡한 신고식을 통과한 제자 한두 명에게만 보여줬다. 심지어 자기들이 가진 수학이나 과학

기술을 외부에 공개하지 않고 철저히 비밀에 부쳤기 때문에, 아직 과학이라는 것을 전혀 모르던 주변의 미개한 나라, 특히 호기심 많던 고대 그리스인들은 마지가 높은 탑 위에 올라가 별과 달의 신과 소통을 할 줄 알아서 미래를 예지하는 초능력을 갖게 되었다고 믿었다고 한다. 그래서 그리스어로 마지가 하는 일, 즉 'magikos'라는 그리스 단어가 '초능력'을 뜻하게 되었고, 영어로 들어와 'magic'으로 쓰인다.

마지는 왜 자신들의 지식을 그토록 깊숙이 꽁꽁 숨겨두었을까? 마지는 아무리 뛰어난 지식도 아는 사람들이 많아지면 그 지식으로 돈과 권력을 거머쥐기 어렵다는 것을 알았다. 현재를 살아가는 우리들은 모두 수천 년 전 페르시아의 마지가 발명한 달력과 시계를 쓰고 있다. 지금은 누군가가 날짜와 시간을 알려준다고 그에게 돈과 직위를 주는 사람은 아무도 없다. 그러나 이전에는 그것이 왕마저 무릎 꿇게 할 수 있는 권력이고 돈이었으니, 나보다 다른 사람들이 많이 무식할수록 지식으로 기득권을 지키기가 쉽다는 것을 마지는 잘 알고 있었다.

지금으로부터 약 1,300년 전 이슬람교도들이 페르시아를 정복했다. 그때 페르시아의 마지 집안 후손 중 알-코리즈미라는 사람이 이라크 바그다드에 이슬람교도들이 새로 세운 연구소인 '지식의 집'이라는 곳을 찾아갔다. 알-코리즈미는 페르시아의 핵심 기술인 마지의 비법을 여기서 처음으로 인류에게 공개했다. 그 핵심 비법이란 것이 사실 지금 우리나라 초등학생들도 다 배우는 방정식이었다. 그래서 오늘날까지 방정식으로 문제를 푸는 방법을 알-코리즈미의 이름을 따서 'algorism알고리즘'이라고 부르는 것이다.

누구든 인터넷이나 책에서 자기가 원하는 정보를 얻을 수 있는 지금은 공부가 얼마나 고맙고 소중한 것인지를 잊게 된다. 그러나 옛날 기득권 지식인들은 일반인들이 공부를 해서 자기들의 권리를 넘보지 못하도록 수단과 방법을 가리지 않고 일반인들의 공부를 방해했다. 처음 서양에 인쇄기가 소개되었을 때도 기득권 지식인들은 "와, 편리하다!"라는 반응보다 "이 사람 저 사람 다 책을 읽으면 세상이 어떻게 되겠느냐?"며 인쇄기 사용을 금지시키기 위해 별별 노력을 다 했다. 우리나라도 마찬가지여서 누구나 쓰기 쉽고 배우기 쉬운 한글이 소개되자 글을 읽을 줄 알던 사대부 계층이 한글을 없애려고 갖은 로비와 정치 음모를 꾸며댔다는 이야기도 있다.

그래도 지식은 인간이 사는 데 있어 매우 중요한 것이기 때문에 누군가가 알게 되면 공기처럼 퍼져나간다. 오늘날 모든 공대생들은 알고리즘으로 컴퓨터 그래픽도 만들고, 새로운 휴대폰도 디자인하며 비행기도 띄운다. 그러니 태평양에 떠 있는 작은 섬들에 흩어져 사는 원주민들이 알고리즘으로 디자인한 비행기를 보고 'magic'이라며 비행기 신을 모셨다던데, 비행기는 마지의 비밀을 응용해서 만든 기술의 결과물이니 그들이 제대로 본 것이다. 미국 공상과학 소설가 아더 클락은 "마술이란 우리가 충분히 이해할 능력이 없는 과학이다."라고 말했는데, 그만큼 지식은 '마법' 같이 신기하고 멋진 것이라는 뜻이겠다. 지식의 홍수 시대에 허우적거리는 우리는 오히려 지식을 귀찮아하는데 마지의 이야기는 '초심으로 돌아가 공부의 소중함을 알라'는 일침을 놓는다.

Royal Road

공부의 왕도

일반인은 기상에 관해 아무것도 모르던 수천 년 전, 페르시아의 마지들이 날짜 가는 것과 기후 등을 알 수 있게 해주는 달력 하나를 만들어 온갖 권력을 휘어잡았던 것처럼, 아무리 시시한 지식도 남이 모르는 것을 알면 부귀영화를 누릴 수 있어서 예로부터 '아는 것이 힘'이라는 말은 진리로 통한다. 하지만 남이 모르는 것을 나만 안다는 것은 쉽지 않기 때문에 3,000년 전에도 야망이 있는 사람들은 해외로 유학을 갔다. 지식을 쌓기 위해 새로운 연구를 하는 것보다 이미 아는 것이 많은 나라로 건너가 그곳의 학문을 배워 귀국하면 모국에서 크게 행세할 수 있었기 때문이다. 자녀들을 해외로 유학 보내서 성공한 나라가 바로 고대 그리스였다.

우리는 고대 그리스가 '서양 문물의 꽃'이라고 믿고 있지만, 사실 기원전의 페르시아인들이 볼 때 당시의 그리스는 뱃사공과 양치기 몇 명이 모여 사는 초라한 변방 국가에 불과했다. 페르시아 제국은 동쪽으로는 인도, 서쪽으로는 그리스, 남쪽으로는 아프리카의 수단 사이에 있는 어마어마한 땅을 다스리던 대제국이었다. 따라서 많은 그리스 청년들이 선진 문물을 배우기 위해서 '마지'의 나라인 페르시아로 유학을 떠났다. 물론 당시 최고 선진국이던 페르시아 사람들이 그리스 야만인들에게 제대로 된 지식을 가르쳐줄 리 없었지만, 어설프게 주워 들은 지식만으로도 그리스에 돌아와 책을 써서 엄청나게 출세한 사람들이 꽤나 있었다. 우리 딴에는 위대한 그리스 철학자의 책이라며 읽는 고전 중에는 페르시아 사람들이 보았을 때 "저것도 책이냐?"라며 콧방귀를 뀌었을 책들이 많다. 그중 대표적인 예가 당시 페르시아로 유학 다녀온 고대 그리스의 헤로도토스라는 사람이 쓴 역사책이다. 이 책은 얼마나 인기가 높았던지 헤로도토스가 고안한 표현법들이 크게 유행하기도 했는데, 이 표현법들은 심지어 한국말에까지 흘러들어와 '왕도' '비가 오나 눈이 오나' 등의 관용적 표현으로 쓰이고 있다.

페르시아로 유학 간 헤로도토스가 가장 놀란 것은 그 넓은 페르시아 전체를 커버하는 우편 시스템이었다. 페르시아의 다리우스라는 황제는 세계 최초로 우편 시스템을 발명했는데, 얼마나 효율적이었는지 자동차도 기차도 없던 시대에 지금의 터키에서 편지를 부치면 1주일 만에 이란까지 도착할 정도였다고 한다. 당시 사람들 눈으로는 인터넷이나 스마트폰이 처음 나왔을 때만큼이나 신기한 발명품이었을 것이다.

이 우편 시스템을 만들기 위해 다리우스 황제는 세계 최초로 고속도로를 놓았다. 다리우스 황제는 수천 킬로미터씩 떨어져 있는 페르시아의 대도시들을 모두 포장도로로 연결하도록 했다. 서울-부산 거리의 7배가 넘는 약 3,000킬로미터에 걸쳐 불타는 사막과 험한 계곡,

높은 산을 모두 뚫고 포장도로를 놓는 일은 지금의 기술력으로도 그리 간단한 일이 아니다. 이 도로 공사는 페르시아의 가공할 만한 기술력을 보여주는 단적인 예라며 현대 공학도들도 혀를 내두른다. 역사가들은 이 고대 페르시아 우편 도로를 '왕들의royal 전령이 말을 달린ride 곳'이라고 해서 'The Royal Road왕도'라고 부르게 되었다. 이것이 세계 최초의 고속도로이자 우편배달 시스템이다.

왕도가 '쉽고 빠른 방법'이라는 현대와 같은 의미로 쓰인 것은 초등학교 때 우리의 골머리를 앓게 한 그리스 수학자 유클리드 덕분이라고 전해진다. 이집트에는 프톨레미라는 그리스 출신의 왕이 있었다. 프톨레미는 모국인 그리스보다 문화와 지식 수준이 훨씬 높은 이집트 사람들을 다스려야 했다. 그는 유식한 이집트의 신하들이 자기를 무시할까 봐 겁났다. 그래서 신하들이 예산 보고를 하거나 건설 프로젝트를 가지고 오면 말귀를 알아들을 정도의 수학 공부는 해두어야겠다는 생각을 했다. 하지만 본토 이집트 지식인에게 직접 수학을 배우는 것은 부담스러웠던지, 모국인 그리스에서 기하학의 아버지로 불리는 유클리드를 이집트 왕궁으로 불러들여 수학 개인 지도를 받기 시작했다. 그러나 기하학 공부는 만만치 않게 어려웠다. 수학 공부에 지친 프톨레미는 유클리드에게 "수학을 조금 더 쉽게 이해하는 구체적인 비법은 없나?"라고 물었다. 유클리드는 "전하, 기하학 공부에는 페르시아의 왕도 같은 빠른 길은 없습니다."라고 대답했다고 한다. 이것이 우리나라에는 '공부에는 왕도가 없다'로 바뀌어 전해져, KBS TV에서는 〈공부의 왕도〉라는 프로그램이 생겨 필자도 출연한 적이 있다.

우리가 일상생활에서 관용적으로 쓰고 있는 표현 중에는 페르시아

우체국에서 나온 숙어들이 은근히 많다. '어떤 상황에도 굴복하지 않고'라는 뜻으로 쓰이는 숙어 '눈이 오나 비가 오나'도 그중 하나다. 페르시아로 유학 온 그리스 시골 학생 헤로도토스는 페르시아의 우편 시스템이 너무나 신기했다. 헤로도토스는 "역시 선진국이야!"라고 감탄하며 자기 책에 '눈이 오나 비가 오나 해가 내리 쬐나, 페르시아 우체국의 편지 배달 속도는 느려지지 않았다'라고 기록했다. 나중에 미국 우체국장이 헤로도토스의 책을 읽고 이 문장을 미국 우체국 본부 현관에 새겨놓은 이후로 이 문장은 세계적으로 유명해졌다. 그러나 사실 이 표현은 헤로도토스 특유의 과장법이다. 헤로도토스는 '역사학의 아버지'라고 불리지만, 말만 역사지 사실 고증도 없고 과장은 또 어찌나 심했는지 '역사 왜곡의 아버지'로도 불린다. 상식적으로 봐도 중동 사막에 있는 '왕도'에 눈이나 비가 몇 번이나 내린다고 이런 문장을 썼을까 의문이다.

조그마한 지식을 어설프게 배워 악용하는 사람들도 많았지만 어쨌든 페르시아와 이집트 같은 당대 최고의 선진국으로 유학 가서 그들의 앞선 지식을 열심히 배워다가 이것을 자기 방식으로 융합시킨 그리스인들은, 자기들만의 독특한 문화를 만들어 서양 문명의 기초를 만든 공로를 지금까지 인정받고 있다. 조금 배웠다고 잘난 척하고 허풍 떠는 사람을 무작정 보기 싫어할 것만은 아닌 것이, 이 또한 새로운 것을 배우기 위해 거쳐야 하는 하나의 과정이기 때문이다. 그래서 미국에서는 대학교 2학년 학생들을 '조금 더 안다고 거들먹거리는 학년'이라고 해서 '지식'이라는 뜻의 'sophia'와 '더'라는 뜻의 'more'를 합쳐 'sophomore'라고 부른다. 이런 것은 심지어 겸손을 중요시하는 우리 선조들도 인정했던 것이 아닌가 싶다. 우리 선조들은 벼는 익을수록 고개를 숙인다고 했는데 이 말을 뒤집어 보면, 익기 전에 무럭무럭 자라고 있는 푸른 벼는 고개를 꼿꼿이 들고 올라오는 것이 당연하다는 뜻 아니겠냐 말이다.

Morphine, Heroine

고약한 지식 사기꾼

달력이 없었던 고대 페르시아의 일반인들은 달력을 가진 '마지' 계급에 꽉 붙들려 살았다. 마찬가지로 고대 그리스 사람들도 이집트나 페르시아로 유학을 다녀와 앞선 지식을 가진 유학파들에게 꼼짝없이 복종하고 살았다.

이렇게 지식의 힘이 막강하다 보니, 없는 지식을 있는 척 부풀려서 사기 치는 사람들이 나타났다. 특히 사람들이 가장 무서워하는 것이 죽음과 질병이다 보니, 불로장생을 약속하거나 난치병을 단기간에 치료해주겠다는 지식 사기가 점차 늘어났다.

요즘도 엉터리 건강 기능 식품을 만들어 고가에 파는 사기가 판을 치고 있고, 나이 많은 어르신들이 그런 사기꾼들의 꼬임에 넘어가 쓸모없는 건강 식품을 수백만 원어치씩 사들여 자식들을 걱정시키는 경우가 많다는 보도가 심심치 않게 나온다. 지금은 그래도 병이 났을 경우 의과 대학을 졸업하고 면허를 취득한 의사를 찾아가면 제대로 된 치료를 받을 수 있지만, 옛날에는 의사 자격증이라는 것도 명확하지 않았던 데다가, 심지어는 의사나 약장수 자신이 사기꾼인 경우도 많았다. 19세기 의사들이 잘 써먹던 수법 중 하나는 환자에게 그럴싸한 이름이 붙은 마약을 투여해 중독시킨 후, 지속적으로 마약을 팔아 돈을 챙기는 방법이었다. 그래서 마약 이름들이 은근히 수준 높은 어원에서 나온 경우가 많다.

1800년대 초 독일에 프리드리히 제르튀르너라는 약장수가 있었다. 그는 중국에서 '아편'이라는 중독성 강한 약이 유행한다는 소문을 들었다. 아편의 중독성이 어찌나 강한지 한 번 입에 대면 자기 몸이 서서히 시들어서 죽게 된다는 것을 뻔히 알면서도 하루도 아편 없이는 못 살게 된다는 것이었다. 실제로 아편을 먹으면 너무나 실감나는 환각 작용이 일어나, 자기가 마치 구름 위의 아름다운 궁전에 둥둥 떠서 미남 미녀들과 잔치를 벌이고 있다고 믿게 되는데, 환각이 끝나면 현실이 너무 시시해 보여 다시 환각의 세계로 돌아가고 싶어 자기도 모르게 다시 아편을 입에 넣게 된다고 한다. 그래서 당대의 프랑스 시인 보들레르는 아편을 '인공 천국'이라고 부르기도 했다.

아직 국가가 마약의 폐해를 제대로 몰라 법으로 규제하지 않았기 때문에, 제르튀르너는 중국에서 아편을 수입해 농축액으로 만들어 더 생생한 꿈을 꾸게 해준다고 하며 팔면 떼부자가 될 수 있겠다는 고약한 생각을 했다. 하지만 이미 유럽의 일부 계층에게는 중국의 아편 중독에 대한 소문이 돌았기 때문에 정직하게 '아편 농축액'이란 이름으로 팔면 살 사람은 거의 없을 것이었다. 그러므로 우선 멋진 브랜드 네임이 필요했다. 고민하던 제르튀르너는 그리스 신화에서 답을 찾았다.

고대 그리스 신화에 나오는 꿈의 신 모르페우스Morpheus는 하루 종일 조수들과 함께 꿈을 빚어 보자기에 넣고 이것을 나뭇가지에 걸어 놓는다. 밤이 되고 사람들이 잠들기 시작하면 보자기가 저절로 열리면서 잠든 사람의 꿈이 날아오른다. 꿈은 모르페우스의 지하 세계에서 흰색과 회색 두 개의 문을 통해 인간 세계로 나가야 한다. 하얀 문으로 나온 꿈은 행운을 가져다주는 길몽이 되고, 회색 문으로 나온 꿈은 무서운 흉몽이나 악몽이 된다.

'morph'는 원래 '모양'을 뜻하는 그리스어다. 꿈속에 나타나는 물건이나 사람은 만질 수는 없지만 눈으로는 볼 수 있는 모양으로 나타나기 때문에 꿈의 신을 형상의 신 '모르페우스'라고 부른 것이다.

당시 유럽 사람들은 그리스 로마 신화를 매우 좋아했다. 이런 사실을 잘 알았던 제르튀르너는 자기가 발명한 새로운 약의 이름을 고통을 잊고 아름다운 꿈을 꾸게 해준다는 뜻으로 '꿈의 신 모르페우스의 약', 즉 'morphine모르핀'이라고 붙였다. 멋진 이름 덕분에 약이 날개 돋힌 듯 팔려 독일에 모르핀 중독환자가 속출하자 독일 정부는 그제야 모르핀을 마약으로 지정하고 매매를 금지시켰다.

하지만 모르핀은 의학계로 들어와 좋은 일에 사용되기도 했다. 모르핀을 주사하면 통증을 잊을 수 있기 때문에 중상자는 수술 전에 모르핀 주사를 맞는다. 그래서 제1차와 제2차 세계대전에 참전한 국가는 전쟁터를 누비는 군인들에게 전투 중에 갑자기 중상을 입으면 사용하라고 미리 모르핀 약과 주사기를 나눠주었다. 세계대전 관련 영화를 보면 전투 중 심하게 부상당한 전우에게 모르핀 주사를 놔주는 광경이 자주 나온다.

하지만 전쟁이 끝난 후 심한 부상을 입어 야전 병원에서 치료를 받은 병사들의 대부분이 병원에서 너무 많은 모르핀을 주사해 마약중독자가 되었다는 사실이 밝혀졌다. 이후 일부 제약회사는 중독성 없는 모르핀 대체약품을 발명하겠다고 큰소리를 쳤다. 그 결과, 한 미국의 제약회사가 모르핀처럼 고통을 잊게 해주는 새로운 약 발명에 성공했다. 약의 이름은 '이 약만 먹으면 영웅이 된 기분이 들 것이다'라는 뜻에서 'hero영웅의 약', 즉 'heroin헤로인'이라고 붙였다. 그런데 이 약은 오히려 모르핀보다 중독성이 훨씬 강해 1970년대 뉴욕에는 헤로인 중독자들이 침을 질질 흘리며 길거리를 어슬렁거리거나, 약에 취한 채 도심 총격 사건을 일으켜 도시가 폐허가 될 뻔할 정도로 헤로인 중독이 심각한 사회 문제가 되었다.

인간의 본성은 이기적이므로 아무리 착한 사람일지라도 결정적인 이익 앞에서는 자기부터 챙기게 되어 있다. 그래서 공부를 제대로 하지 않으면 나보다 더 많은 것을 아는 사람에게 속아서 살게 된다. '인생은 전쟁'이라는 말이 있다. 옛날에는 진짜로 칼로 찔러 죽인 뒤 먹을 것, 입을 것, 집, 재산 등을 약탈해 갔고, 지금은 남이 모르는 자기만의 지식을 동원해 상대편을 교묘하게 속이고 이익을 취하는 사람들이 많은 세상이 되었을 뿐이다. 그래서 지식이라는 창을 막아주는 방패는 그보다 더 높은 지식일 뿐임을 역사는 가르쳐준다.

Passion

열정은 원래 아픈 것

고대 페르시아, 그리스, 로마인들은 '아는 것이 곧 힘이다'란 말을 굳게 믿었다. 그리고 남들이 모르는 신기한 것을 보여주고 사람들을 무릎 꿇게 만들어 대제국을 세우고 화려한 문명을 꽃피웠다.

하지만 사람이라면 훌륭한 다큐멘터리나 논리 정연한 책을 읽으면 졸립지만, 마음을 뭉클하게 만드는 드라마나 소설을 보면 자발적으로 그 안에 등장하는 인물의 말투나 행동을 따라 하게 마련이다. 그런 것을 마음을 움직이는 '감동'이라고 한다. 이 감동의 힘을 적절히 활용해서 그 막강한 로마제국을 굴복시킨 세력이 있으니, 바로 초기 기독교인들이었다.

초기 기독교는 선교사들에게 사람들을 논리로 설득하지 말고 눈물샘을 자극하는 설교로 감동을 주도록 가르쳤다. 그래서 이들은 성경 내용 중 눈물샘을 자극하는 이야기들만 따로 편집해서 각종 연극, 설교, 그림, 책을 만들어 들고 다니며 설교했다. 그리스어로 '아프다'를 뜻하는 단어는 'pathos페이소스'인데, 이런 초기 기독교 설교법을 '아픔', 즉 'pathos'를 자극한다고 해서 'passion패션'이라고 불렀다. 오늘날의 영어로도 모든 격한 감정과 열정을 'passion'이라고 말할 정도니, 초기 목사님들이 '감동 화법'에 얼마나 능통했는지 쉽게 엿볼 수 있다.

'passion'에 관한 스토리 중에서 가장 중요한 것은 역시 '그리스도의 수난'으로 번역되는 〈Passion of Christ〉다. 줄거리는 이렇다.

옛 로마제국의 한 변방 국가였던 유대인들의 나라 주데아에 예수라는 분이 나타났다. 예수는 핍박받는 자가 천국에 갈 것이고, 부자가 천국에 들어가기는 낙타가 바늘구멍 지나가기보다 힘들다는, 당시로서는 누구도 입 밖에 내기 어려운 용감한 말을 외치고 다녔다. 금세 수만 명의 가난한 사람들이 예수의 말씀을 더 듣기 위해 그 뒤를 따라다녔다.

전 세계의 부귀영화를 거머쥔 로마의 엘리트들이 '부자는 나쁘다'라고 설교하는 예수를 좋아할 리 없었다. 사람들이 떼로 뭉쳐 부자들을 공격할까 봐 겁이 났던 것이다. 로마 총독부와 주데아의 보수파들은 서로 밀약을 맺고 예수를 제거하기로 했다. 이들은 예수에 대한 헛소문부터 퍼뜨렸다. 예수가 국론을 분열시켜 나라를 어지럽게 하는 반역을 저질렀다는 것이다. 그러고는 예수에게 여러 가지 죄를 뒤집어씌워 사형을 선고했다. 로마 총독부와 주데아 보수파들은 예수를 아주 잔인한 방법으로 죽이기로 했다. 사람들이 다시는 그런 불온한 말들을 하지 못하게 하자는 뜻에서였다.

예수가 로마 병사들에게 잡혀가자 예수를 따르던 수많은 무리는 감쪽같이 자취를 감추고 단 한 명도 예수를 도우러 나타나지 않았다. 간수들은 예수의 팔을 큰 기둥에 수갑으로 채워놓고, 등을 채찍으로 때렸다. 이때 간수들은 9개의 채찍 갈기에다가 구멍을 뚫어 못과 압정을 박았다고 한다. 등에 채찍이 닿으면 못이 살에 박혔고, 채찍을 치켜들면 살점이 쭉쭉 떨어져나와 피가 강처럼 흘렀다고 한다. 채찍질이 끝나면 "네가 왕 중의 왕이라며? 왕이라면 왕관이 있어야지."라고 놀리면서 가시나무를 꼬아 만든 면류관을 머리에 씌웠는데 가시에 찔린 이마에서 흘린 피가 눈으로 흘러 들어가 눈을 뜰 수조차 없었다. 이미 너무 많이 얻어맞고 피도 많이 흘려 움직일 힘조차 남아 있지 않았지만 수백 킬로 무게의 십자가를 직접 지고 높은 언덕을 올라가야 했고, 걸음이 조금만 느려지면 병사들은 못이 살에 박히는 채찍으로 여기저기를 내리쳤다. 주데아의 서민들은 예수가 자기들 편을 들어주려다가 잔인한 고문을 당하는데도 오히려 구경꾼이 되어 예수에게 돌을 던지거나 침까지 뱉었다고 한다. 언덕 위로 올라온 로마 병사들은 십자가에 예수의 손과 발을 못박고 일으켜 세웠는데, 예수는 손과 발이 찢긴 채 그렇게 매달려 죽어갔다고 한다.

그러나 예수가 그렇게 죽은 후 아무도 자기 편을 들어준 적 없었던 가난한 사람들 사이에 예수에 대한 소문이 퍼지기 시작했다. 가난한 자들을 위해 엄청난 고통, 즉 'passion'을 감수한 예수의 아픔에 대한 이야기를 전해 들으면서, 로마의 서민들은 마치 자기 살점이 찢겨나가는 것처럼 괴로워하면서 눈물을 줄줄 흘렸다고 한다. 로마의 계획은 역효과가 나서 로마는 오히려 잔인하고 야만적인 나라로 낙인이 찍혔다. 처음에는 기독교인들을 철저히 색출해서 모조리 죽이려고 했지만, 사람들이 점점 죽음조차 두려워하지 않고 더 거센 반란을 일으키자, 로마 황제도 어쩔 수 없이 그리스도교를 국교로 받아들일 수밖에 없었다. 대제국 로마가 백만 대군도 성난 군중 앞에서는 무기력하다는 것을 처음 경험한 것이다.

그 후로 1,500년 동안 유럽에는 크리스마스를 전후로 마을마다 교회 앞마당에서 예수의 'passion' 연극을 하는 전통이 생겼다. 실감나는 장면을 연출하기 위해 배우 등에다가 돼지 피를 뿌리거나 실제로 마을 사람 중에 한 명을 십자가에 못박았다가 내려주는 곳도 있었다고 한다. 할리우드 배우인 멜 깁슨의 영화 〈Passion of Christ〉는 '그리스도의 열정'이란 뜻이 아니라 '중세식 예수 수난극'을 의미하는데, 일부 기독교인들은 예수님의 이야기가 왜 이렇게 잔인하냐며 항의했다고 한다. 이 영화는 중세 기독교 연극을 당시 정서에 따라 그대로 만든 것뿐인데 말이다.

후세의 시인들이 진정한 사랑은 그리스도가 십자가에 못박혀 죽는 것처럼 아픈 것이라며 'passion'을 '남녀 간의 불타는 사랑'이라는 뜻으로 사용하기 시작했다. 남녀 간의 열정이라는 뜻인 'passion'의 원래 의미가 '아픔'이라는 것은 우리가 사랑에 대해 알아야 하는 모든 것을 알려준다고 해도 과언이 아니다. 사실 옛날 그리스도 수난곡을 보며 눈물을 흘리던 로마인이나, 이루어질 수 없는 사랑에 관한 드라마를 보며 눈물을 흘리는 우리나 아픔, 즉 'passion'에 반응한다. 이처럼 아픔은 시대를 초월한다.

그리스 철학자 아리스토텔레스는 사람의 마음을 움직이는 데에는 '로고스logos'와 '페이소스pathos'가 있다고 했다. 'logos'라는 단어에서 '논리'라는 뜻의 'logic'이라는 단어가 나오는데, 말을 조리 있게 해서 '우아! 저 사람 똑똑하다'라고 느끼게 해 나를 따르게 하는 방식이다. 그에 비해 'pathos'는 감동을 받아 눈물을 흘리게 해서 사람을 내 편으로 만드는 방식이다. 페르시아의 '마지'와 그리스 철학자들의 'logos'를 물려받은 로마 제국이 'passion'을 앞세운 기독교인들에게 항복한 것을 보면 눈물 한 방울이 백만 대군과 천 권의 책도 녹일 수 있다는 말이 실감난다.

Icon

나를 지켜주는 괴물, 아이콘

현대인들의 삶을 바꾼 첨단 기기 중 하나인 컴퓨터 관련 용어에는 유서 깊은 고대의 종교 용어들이 많이 차용되었다. 그중 하나가 'icon아이콘'이다. 우리는 컴퓨터를 켜고 프로그램을 로딩할 때 아무 생각 없이 'icon'이라는 조그마한 그림을 클릭한다. 그런데 이 'icon'은 원래 우리를 위해 고난, 즉 'passion'을 견뎌낸 기독교 순교 영웅들의 초상화를 지칭하던 기독교 용어였다.

기독교가 처음 유럽에 전파된 때는 고대 로마 시대였다. 로마제국은 원래 제우스신을 섬겼다. 로마 정부는 제우스가 우상이라며 섬기기를 거부하던 기독교인들을 반역자로 몰아 엄청나게 잔인한 방법으로 죽였는데, 그 방법에는 기름에 끓여 죽이기, 사자 먹이로 주기, 불태워 죽이기, 철창에 가둬두고 굶겨 죽이기, 오크통 속에 넣고 죽을 때까지 언덕에서 굴리기, 또 우리가 잘 아는 십자가에 못박아 죽이기 등 온갖 창의적 방법이 다 동원되었다.

그런데 기독교 성직자들이 로마 병사에게 잡혀 이런 식으로 잔인하게 죽어간 초기 기독교인들의 수난사를 'passion수난극'이라는 눈물 스토리로 포장해서 오히려 선교에 큰 도움이 되었다고 한다. 기독교인들은 이렇게 로마의 핍박으로 목숨을 잃은 순교자들의 작은 초상화가 담긴 메달을 만들어 부적 목걸이처럼 목에 걸고 다녔는데, 이 조그마한 그림을 'icon'이라고 불렀다.

그런데 'icon'이라는 단어는 역사를 더 거슬러 올라가면 기독교가 생기기 훨씬 이전인 고대 그리스 시대부터 쓰였다.

고대 그리스 신화에는 머릿결이 무척 아름다운 'Medusa메두사'라는 미녀가 나온다. 그녀는 미모도 뛰어나 남자들에게 무척 인기가 높았다. 특히 바다의 신 포세이돈이 그녀를 매우 좋아했다고 한다. 포세이돈은 메두사를 은밀한 장소로 끌고 가 강제로 몸을 만졌는데, 그곳이 하필이면 지혜와 정조의 여신 아테네의 신전이었다. 정조의 여신 아테네는 그들이 자기 신전에서 불경한 짓을 저질렀다는 것에 몹시 화가 났다. 하지만 삼촌인 포세이돈에게는 찍소리도 못하고 애먼 메두사에게 화풀이를 했다. 아테네는 메두사의 아름다운 머리카락을 모두 뱀으로 바꾸고 얼굴도 흉측하게 만들어, 그녀를 쳐다보는 사람은 모두 돌로 바뀌게 하는 저주를 내렸다.

한편, 그리스의 한 어촌 마을에는 페르세우스라는 잘생기고 건장한 젊은 남자가 살았다. 페르세우스의 엄마는 미혼모였는데 그녀 역시 절세 미녀였다. 이 어촌 마을을 다스리는 왕은 페르세우스의 엄마를 차지하고 싶었지만, 아들이 걸림돌이었다. 어느 날 왕은 이 아들을 합법적으로 제거하려고 동네 모든 주민들에게 자신에게 말 한 마리씩을 선물하라고 명령했다. 형편이 어려웠던 페르세우스는 말이 없었으므로 왕의 명령에 따를 수가 없었다. 그는 왕을 찾아가 사정을 설명하고 "대신 원하시는 다른 선물을 구해다 드리겠습니다."라고 약속했다. 왕은 "그렇다면 메두사의 머리를 베어 와라!"라고 지시했다. 왕은 분명 페르세우스가 메두사와 싸우다가 죽을 것이니 그때 페르세우스의 엄마를 차지할 생각이었다. 페르세우스는 배를 타고 메두사가 있는 곳으로 향했다. 그러자 그의 앞에 아테네 여신이 나타났다. 아테네는 페르세우스에게 거울처럼 빛나는 황금 방패를 주면서 메두사에게 다가갈 때 방패로 자신의 얼굴을 가리라고 했다. 드디어 메두사가 나타나자 페르세우스는 아테네에게 받은 황금 방패로 얼굴을 가렸다. 메두사는 방패에 비친 자기 모습을 보고 오히려 자기가 놀라 돌로 변했다. 페르세우스는 아테네가 준 칼을 가지고 돌로 변한 메두사의 머리를 베었는데, 메두사의 잘린 상처에서 날개 달린 말인 페가수스가 튀어나와 평생 페르세우스를 태우고 다녔다고 한다. 그 다음 일은 기록마다 다른데, 그중 하나는 이렇다.

메두사를 제거한 페르세우스는 집에 돌아가면 왕이 자기에게 무슨 해코지를 할지 모른다는 것을 깨닫고 지금의 터키 중심부에 있는 조그마한 마을로 향했다. 이 마을에는 이미 메두사를 죽인 영웅에 대한 소문이 자자했다. 마을 사람들은 만약 이웃 마을에서 쳐들어와도 메두사의 머리를 꺼내 보여주면 적군이 모두 돌로 변해 금세 승리할 거라는 희망에 페르세우스를 왕으로 모셨다. 그리고 이 마을 사람들은 자신들의 마을이 메두사가 보호하는 곳이라는 것을 알리려고 집 귀퉁이마다 메두사의 얼굴을 조각으로 새겨놓았다. 메두사는 생김새 자체가 무기였기 때문에, 마을 사람들은 메두사의 그림이나 조각만 봐도 적군이 깜짝 놀라 돌로 변할 것으로 믿었던 것이다.

메두사와 비슷하게 생긴 이 조각을 'icon'이라고 불렀는데, 영어로 '유사하다'를 뜻하는 형용사 'like'와 같은 어원으로 원래는 '메두사와 비슷하게like 생긴 그림'이라는 뜻이다. 고대에는 이 마을을 'icon의 동네'라고 해서 'Iconium이코니움'이라고 불렀는데, 오늘날까지 터키어로 줄여 '코냐'라고 부르는 유명한 관광도시로 남아 있다. 그 후로 icon은 '자기를 지켜주는 신의 그림', 즉 '수호자의 얼굴이 그려져 있는 부적'을 뜻하게 되었다.

이런 전통이 있던 그리스 기독교인들은 특이한 발상을 했다. 교회에 '아이콘의 벽'이라는 것을 만들고, 인기 수난극 'passion' 스토리에 등장하는 유명 순교자들의 초상화인 icon을 벽에 수도 없이 다닥다닥 붙여서 걸어놓은 것이다. icon에 담긴 순교자마다 각각 역할이 달라서 사랑을 이루어지게 해주는 순교자, 가난을 이겨내고 열심히 일할 수 있는 힘을 주는 순교자 등이 있어 신도들은 자신이 필요로 하는 순교자 아이콘을 골라 그 앞에서 기도를 했다.

캘리포니아 공학도들은 '컴퓨터 초기 화면에 조그마한 그림을 쫙 깔아놓고 그림과 연관된 프로그램을 연결시켜 그림 하나를 클릭하면 그 프로그램이 뜬다'는 기발한 컴퓨터 기능을 발명했는데 여기에 한마디로 알아들을 수 있는 이름을 붙여주고 싶었다. 1970년대에는 공학도들도 고등학교에서 세계사를 깊이 있게 배웠기 때문에, "자! 동로마 시대 '아이콘의 벽'처럼 컴퓨터 화면에 그림이 쫙 걸려있고, 자신의 니즈에 따라 순교자를 골라 기도하는 것처럼 그림 하나를 선택하면 원하는 프로그램이 쫙 따라 나오는 기능입니다!"라고 설명했을 것이다.

그러자 투자자들과 동료들이 "아하!" 하며 금세 아이콘의 콘셉트를 이해했고, 이후 투자를 받아 모든 컴퓨터에서 아이콘을 사용할 수 있는 기술이 완성되었을 것이다. 그런 유래로 오늘날까지 컴퓨터 초기 화면에 떠 있는 작은 그림을 '아이콘'이라고 부른다.

우리는 문과와 이과가 전혀 다른 분야라고 생각하는 경향이 있다. 하지만 지금의 정보화 시대를 연 미국 캘리포니아의 공학도들은 어렸을 때 문학 소년이었던 경우가 아주 많다. 그래서 컴퓨터 용어 중에는 은근히 역사적 유래가 깊은 문학이나 신화적 단어가 많다. 오늘날 게임 캐릭터를 뜻하는 '아바타'도 인도 신화, 영어의 역사, 게임의 역사를 오가는 신나는 스토리를 가진 의미 깊은 이름이다.

Avatar

꿈의 세계라는 게임 안으로 들어가는 통로, 아바타

요즘 우리 사회에는 '창조경제'와 '학문의 융합'이 화두다. 애플 창업자 스티브 잡스가 불교에 빠져 인도까지 수행 유학을 다녀온 사실이 널리 보도된 후로 우리나라에서도 인문학과 기술의 결합이 미래의 솔루션이라고 외친다.

하지만 정말로 창조 경제의 중심지를 만든 캘리포니아 공학도들이 "우리에게는 융합이 필요하다!"라고 떠들었을까? 천만의 말씀. 실리콘 밸리를 IT의 메카로 만든 캘리포니아 1세대 공학도들은 자신을 남다른 생각을 가진 사람으로 생각하지 않았다. 이들의 성공 신화는 그야말로 '우연의 산물'이었다.

당시 실리콘 밸리는 세계적인 공학 천재들이 모여서 공부하는 스탠포드라는 대학 이외에는 아이들이 재미있게 놀 곳이 전혀 없는 무척 지루한 곳이었다. 그래서 실리콘 밸리에서 태어난 아이들은 아기 때부터 스탠포드 대학 캠퍼스 인근을 맴돌았다. 대학 내 공학도들의 실험실이나 공개 강좌에 얼씬거리면서 형들 공부하는 것을 도와주거나 대학 도서관 열람실에서 학생증 없이 읽을 수 있는 고전을 읽으며 놀

수밖에 없었다. 게다가 부모들이 워낙 바빠서 아이들이 만화책, 애니메이션, 흑인 음악, 로큰롤, 공상과학이나 판타지 장르 소설 같은 것들은 자기 마음대로 실컷 읽도록 내버려두었다. 그렇게 자라서 공학을 공부하고 기술자가 되다 보니 어릴 때 읽은 고전이나 다양한 독서에서 기발한 아이디어들이 나오는 것은 당연했다.

이런 환경에서 자라며 어마어마한 기초 인문 지식을 갖추게 된 실리콘 밸리의 공학도들은 앞 장에서 설명했듯이 문차우젠 남작의 삶에서 'booting'이라는 용어를 얻거나, 초기 기독교 순교자들의 이야기에서 'icon'이라는 단어를 찾아냈다. 또 인도 고대 신화에서 'avatar아바타'라는 단어를 차용해서 '게임 캐릭터'라는 뜻으로 사용했다.

그렇다면 1970년대의 미국 서부 캘리포니아 아이들이 왜 먼 나라 인도의 신화를 읽고 있었을까?

1700년대 영국은 긴 전쟁 끝에 결국 인도를 손에 넣었다. 인도는 진귀한 향료와 보석이 많이 나고, 찬란한 문화 유적과 예술작품, 영국보다 월등히 앞선 수학과 과학 지식을 가진 인류 문명 발상지 중 한 곳이다. 그래서 영국인들은 인도에 '대영제국 왕관의 가장 빛나는 보석'이라는 별명을 붙이고 인도 문화에 푹 빠져들었다. 런던 귀족들은 앞다투어 인도 궁전 모양의 새 집을 지었고, 런던 사교계에서는 최고로 귀한 손님에게 인도 전통 요리인 카레를 대접했다. 그러나 세계 4대 문명 발상지 중 한 곳인 인도 사람들은 워낙 조상 대대로 내려온 문화적 자부심이 깊어 정복자인 영국인들이 만든 법을 절대로 따르지 않았다. 당시의 영국인들 역시 너무나 고지식해 타협하기 힘든 사람들로 유명했으므로 양국간의 문화 충돌은 피할 수가 없었다.

인도가 영국의 식민지가 된 후 인도 현지에서 근무하던 한 영국 판사가 두 나라 사이의 갈등에 대해 이런 말을 남겼다.

"인도에는 남편이 죽으면 시신을 화장할 때 살아있는 부인도 같이 태워 죽이는 전통이 있다며, 그들이 나를 찾아와 자기들 관습대로 하게 해달라고 요구했다. 그래서 나는 '영국에도 관습이 있는데, 우리는 멀쩡한 여자를 태워 죽이는 사람을 사형에 처한다. 당신네들이 화장터를 준비하는 동안 우리는 교수대를 준비할 테니, 너희는 너희 관습에 따르고 우리는 우리 관습에 따라 행동하겠다'라고 대답했다."

이렇게 서로 문화적인 오해가 많다 보니 마침내 인도인들이 정복자인 영국인들에게 반란을 일으켜 어마어마한 사람들이 죽고 수많은 도시가 폐허로 변했다. 간신히 반란을 수습한 영국 정부는 인도의 관습을 이해할 수 있는 대법원장을 임명해 두 번 다시 이러한 반란이 일어나지 않도록 해야겠다고 생각했다. 영국 정부는 윌리엄 존스라는 사람을 인도로 파견했다.

윌리엄 존스는 대학에 입학하기도 전에 이미 고대 그리스어, 라틴어, 아랍어, 히브리어 그리고 중국의 한문까지 마스터했다고 한다. 그는 평생 13개의 언어를 완벽하게 구사했고 28개의 언어를 번역할 수 있는 어학계의 레전드였다. 영국 정부는 동양 언어에 능통한 그를 인도 대법원장으로 급히 임명해서 현지로 파견했다.

존스는 서양 문화를 제대로 이해하려면 고대 그리스 로마 신화를 제대로 읽어야 하듯이 인도 문화를 이해하려면 인도 신화를 제대로 읽어야 한다고 생각했다. 그래서 인도의 학자들을 불러들여 인도의 고대어인 산스크리트어를 배우면서 인도 신화를 공부했다. 그러던 중 이상한 점을 발견했다. 바로 산스크리트어와 영어가 이상할 정도로 닮았다는 것이었다.

고대 인도의 신들은 원래 특정한 모습 없이 하늘나라를 떠돈다. 그런데 인간 사회가 너무 부패해 손을 봐야겠다 싶으면 인간의 모습으로 변해 세상에 나타난다. 신이 이 세상에 나타나면 '신이 하늘나라에서 우리 인간들의 세상으로 내려온다', 즉 'ava아래로+tara건너다'라고 해서 'avatara'라고 불렀다. 그런데 'tara'는 영어로 '지나간다'를 뜻하는 'through'와 너무 비슷했다. 라틴어로 'trans' 역시 '지나가다'라는 뜻이었다.

존스는 산스크리트어를 공부할수록 영어와 라틴어의 공동 조상이 바로 이 고대 인도어인 산스크리스트어가 아닌가라는 생각이 들었다. 지속적인 연구 끝에 마침내 인도, 이란 그리고 서유럽 사람들은 한 민족에서 갈라져나왔다는 결론을 얻었다. 그때부터 고대 인도 유럽 어원에서 갈라져 내려온 수많은 유럽 언어들이 다 같은 뿌리를 가진 언어들이라는 것이 확인되었고, 이 언어들을 서로 비교해서 더 논리적인 어휘 정리법, 문법, 발음법 등을 정리할 수 있게 되었다. 여러분이 읽고 있는 이 책의 내용도 존스가 아니었더라면 알 수 없었을 내용들이 많다.

존스는 인도의 경전에 나온 고대 민족 이름인 '아랴'를 따서 인도, 이란, 서유럽 민족의 공통 조상을 '아리안족'이라고 불렀다. 아리안은 원래 고대 인도어로 '전사'를 뜻한다. 그래서 영국과 미국인들도 인도 신화를 자기들 조상 문화의 원조라며 아이들에게 열심히 읽혔다. 다시 말하면 존스 이후로 유럽 사람들은 인도를 먼 남의 나라가 아니라, 백인 문화 전통이 가장 잘 보존되어 있는 조상의 땅으로 생각하게 되었다는 것이다.

미국의 닐 스티븐슨이라는 소설가도 이러한 인도 조상 열풍에 따라 어릴 때부터 인도 신화를 읽으며 자랐다. 1992년 스티븐슨은 《스노 크래시》라는 공상과학소설로 유명해졌다. 인터넷이 계속 발전하다가 결국 사람들이 컴퓨터 속에 있는 가상 세계 속에서 살게 될 것이라는 예언적 소설이었다. 이 소설은 미래의 사람들이 영화 〈매트릭스〉에서처럼 실제 몸은 현실 세계에 두고 정신만 다른 세상으로 넘어가 가상의 몸속에 들어가 살 것이라고 이야기한다. 소설의 주인공이 현실 세계에서 컴퓨터 속 세계로 넘어갔다는 뜻으로 옛 인도 신화에 나오는 'avatara'라는 단어를 빌려 썼다. 이 소설이 컴퓨터 전문가가 되고 싶은 캘리포니아 쪽 공대생들에게 인기가 꽤나 높았기 때문에, 가상 현실에서 자기를 대신하는 아이콘이나 3D 캐릭터를 'avatar'라고 부르게 되었다.

물론 인문학과 기술이 융합되어서 미국의 경제를 한 단계 업그레이드시킨 실리콘 밸리의 인재들을 '우리도 키우고 싶다'라는 욕심이 나는 것은 사실이다. 하지만 실리콘 밸리라는 곳이 70년대에 가지고 있었던 청소년층의 이상한 에너지와 찌릿찌릿한 전기와 같던 아이디어의 흐름은 수천가지의 우연이 얽혀서 만들어진, 인류 역사상 딱 한 번밖에 일어날 수 없는, 말로 설명할 수 없는 '그 무엇'이라고 한다. 심지어 실리콘 밸리에서 오래 살아온 사람들도 '아무도 모르는 이유로 아이디어가 원자력처럼 날라다니던 그 황금기가 그립다'라고 말한다.

1500년대 피렌체에서 갑자기 미켈란젤로, 다 빈치 등의 미술 천재들이 줄줄이 나오고, 1800년대 초 파리에서는 빅토르 위고, 보들레르, 쇼팽 등의 천재가 나왔다. 그래서 요즘 우리나라에서도 '지식 생태계'를 만든다며 '융합'과 '창조 경제'를 앞세워 열심히 실리콘 밸리를 따라 한다. 그러나 사람이 생명을 만들 수 없듯이 지식의 황금기는 누가 일부러 만든 적이 없다. 그래서 역사 속 지식의 황금기가 더 경이롭고 멋진 것이 아닌가 싶다.

사실 실리콘 밸리의 천재들은 100년 전부터 이어져 내려온 발명의 전통을 계승한 것뿐인데, 그 전통의 시작에는 에디슨의 뼈 아픈 노력이 깔려 있었다.

Bug

에디슨이 실험 중에 발견한 버그

아이디어의 열기로 가득한 독특한 마을 실리콘 밸리에서 같은 꿈을 꾸는 수많은 동료와 함께 'HP' '애플' 같은 회사를 만들어낸 미국의 천재들은 사실 알고 보면 앞 시대의 선배들 덕을 톡톡히 봤다.

실리콘 밸리에는 복사기 회사 제록스Xerox의 최고 연구원들이 연구를 하는 'PARC'가 있었고, 뉴멕시코의 로스 알라모스에는 옛날 독일 나치 비밀무기를 발명한 연구원들이 미국으로 귀화해, 독일 응용 기술의 비법을 미군에게 이전하는 연구소가 있었다. 하지만 미군과 미국 기업들이 이런 대규모 연구에 엄청난 돈을 퍼부을 수 있었던 것은 이미 80년 전에 한 선배가 '과학이 곧 돈이다'라는 것을 몸소 입증해준 덕분이었는데, 그가 바로 발명왕 토마스 에디슨이다. 그의 엄청난 업적 덕분에 미국 대기업과 정부는 엄청난 돈을 새로운 기술 개발에 투자할 명분이 있었다고 한다.

어렸을 때부터 인문학 교육을 제대로 받고 자란 실리콘 밸리의 공학도들이 'booting' 'avatar' 'icon' 같은 단어를 인문학 안에서 차용한 것에 비해, 어려운 현실과 싸우며 신기술을 개발한 발명왕 에디슨은 단도직입적인 사람이었다. 에디슨도 많은 기술 용어들을 남겼는데, 요즘에도 우리가 많이 쓰는 단어인 'bug버그'가 그중 하나다. 보통 신 나게 컴퓨터 게임을 하거나 인터넷 서핑을 하는데 갑자기 컴퓨터가 멈추면, '버그가 났다'고 말한다.

1870년대 에디슨은 새로운 발명품을 실험 중이었다. 그런데 기계가 제대로 작동되지 않았다. 설계도를 다시 검토해 보고, 기계를 아무리 꼼꼼히 점검해 보아도 이상이 없었다. 속이 상한 에디슨이 기계를 전부 분해했는데, 그제야 전기회로 안에서 웬 벌레 한 마리가 기어다니면서 기계 고장을 일으킨 사실을 알게 되었다.

1878년에 에디슨은 다른 과학자들에게 편지로 발명에 대한 이런 조언을 했다고 한다.

'내 발명은 모두 이렇게 이루어졌다. 첫 발걸음은 항상 폭발적인 새로운 아이디어였다. 그런데 그 다음으로는 몇 달 동안 실험을 하면서 조그마한 '버그'들을 모조리 잡아내야 하기 때문에, 발명품을 상업화해서 성공하기 전까지는 더 많은 꼼꼼한 체크와 연구, 노력이 필요한 것이다.'

그 뒤부터 마치 벌레가 결함 없이 완성된 기계 안에 들어가서 고장을 내는 것처럼, 새로운 기계의 작동을 방해하는 조그마한 결함을 모두 '버그'라고 부르게 되었다.

우리도 보통 꼼꼼하게 무슨 일을 할 때 '이 잡듯이 뒤진다'라고 말하는데 에디슨도 '벌레를 모두 잡아내듯 샅샅이 확인하라'고 말했다는 점이 재미있다. 그런데 사실 어원적으로 보면 '버그를 잡는다'라는 것은 '괴물을 잡는다'라는 뜻과 같다.

원래 'bug'는 웨일스어로 '허수아비'라는 뜻이었다. 웨일스 부모들은 자식들을 혼낼 때 "자꾸 말 안 들으면 허수아비가 잡아간다!"라고 겁을 줬다고 한다. 그래서 bug는 '밤에 아이들을 납치해 가는 괴물'이라는 뜻을 가진 영단어로 첫 번째 변신을 했다.

당시는 TV나 인터넷이 없어서 어린 아이들은 어른 말이라면 무조건 믿는 순진한 시대였기 때문에, 부모가 "버그가 널 잡으러 온다!"라고 말하면 아이들은 진짜로 버그가 나타날까 봐 무서워서 잠도 제대로 잘 수 없었다고 한다. 그래서 'bug'라는 단어는 두 번째 변신을 해 '나를 잠 못 들게 할 정도로 찜찜하게 만드는 것'을 뜻하게 되었다. 그래서 오늘날도 'Do I bug you?'처럼 'bug'를 동사로 쓰면 '내가 널 찜찜하게, 신경쓰이게 하니?'라는 의미가 된다.

옛날에는 물자가 귀해서 지푸라기와 솜을 대강 비벼서 천으로 만든 껍데기 안에 쑤셔넣어 침대를 만들었기 때문에 그 안에 벌레가 많이 생겼다. 특히 지푸라기를 좋아하는 노린재라는 고약한 놈은 틈만 나면 밖으로 기어나와 침대 위에서 자는 사람을 사정없이 물었는데, 노린재에 물리면 간지럽고 피부가 부어서 잠을 설치기 십상이다. 조그만 녀석이 잠자리를 망치고 찜찜하게 한다는 의미에서 노린재를 'bedbug'라고 부르다가, 'bug'라는 단어가 점차 '모든 벌레'를 뜻하는 세 번째 변신을 했다.

여기서 에디슨의 '버그'가 탄생하는 한편, 골프 용어인 '보기bogey'도 나왔다.

영국 북쪽에 '그레이트 얄무스'라는 아주 오래된 골프장이 있다. 1800년대 말 어느 날, 토마스 브라운이라는 사람이 이곳으로 골프를 치러 갔다. 토마스 브라운은 클럽 하우스에 갔는데, 그날따라 함께 라운딩할 사람을 찾을 수가 없었다. 그는 프런트 직원과 이야기를 나누던 중 "이쪽에서 아주 잘 치는 분들은 18홀을 약 72타 정도씩 칩니다"라는 말을 들었다. 그 후로 토마스 브라운은 그 점수를 넘겨보려고 매일 골프장을 돌며 연습에 연습을 거듭했지만 여전히 '72'라는 점수는 넘기 어려운 벽이었다. 그래서 항상 자기를 이기는 망태기 괴물 'bug+man', 즉 'bogeyman'이 있는 것 같다고 해서 골프에서 파를 치지 못하고 정해진 타수를 하나 넘기면 '이놈의 망태기 괴물이 또 나타났네'라는 뜻에서 "bogey!"라고 외치게 되었다고 한다.

에디슨이 기술의 위력을 보여주었고 아인슈타인이 거기에 힘을 보태 미국 정부는 과학기술의 중요성을 깊이 인식할 수 있었다. 그래서 미국 국방부는 벨, IBM 등의 회사의 기술 개발을 적극 지원했고, 독일 나치 치하에서 일하던 뛰어난 과학자들의 죄를 묻지 않고 미국에서 연구할 수 있도록 연구소를 만들어 주었다. 그들을 이은 세대가 샌프란시스코의 제록스 연구소에 들어와 기술을 개발했고 다시 그 다음 세대인 스티브 잡스와 빌 게이츠 같은 사람이 기술 연구를 계승했다.

우리나라가 융합적 기술과 창의성으로 미래를 휘어잡아야 한다는 말은 백 번 맞지만, 미국 실리콘 밸리의 예에서 보듯 지금 우리가 심은 씨앗은 올해, 내년, 심지어는 10년 안에 꽃필 것이라고 기대하지 말고 더 멀리 바라보아야 할 것이다. 당장 결실을 거두려고 하면 부작용을 무시한 대담한 자만에 불과할 가능성이 높다.

에디슨이 발명은 99%의 노력과 1%의 영감이라고 했지, 1%의 영감이 빠졌는데 99%의 노력만 가지고 된다는 말은 하지 않았다. 그리고 그 영감은 수백 년 면면히 이어져 내려온 여러 세대의 연구자들의 내공이 스며들어서 나온 것이니, 로마가 하루아침에 이루어진 것이 아니듯 실리콘 밸리 역시 하루아침에 만들어진 곳이 아니다.

Idol

아이돌 열풍과 신드롬은 역사가 깊다

인류학에서 나온 용어가 실리콘 밸리로 들어가 기술 용어가 되기도 했지만 청소년 엔터테인먼트의 용어가 되기도 했다. 그 대표적 예가 바로 'idol아이돌'이다. 요즘 우리는 '아이돌'의 전성시대를 살고 있다. TV를 켜면 광고, 예능, 심지어 여행 프로그램에까지 '아이돌'이 안 나오는 프로그램이 없을 정도다. 청소년들이 '아이돌'을 만나면 까무러치거나 밤이 새도록 '아이돌' 연예인 집 앞이나 기획사 사무실 앞에서 쪼그리고 앉아 그들을 한 번이라고 직접 보려고 기다리는 애처로운 모습을 보면 한 마디로 '미쳤다'라고들 말한다. 그러나 사실 '아이돌'이란 고대 인도와 유럽의 종교인들이 신도들에게 종교적 광기를 불러모으기 위해 쓰던 테크닉에서 건너온 말이니, 그 정도 광팬을 두지 못한 연예인은 자신을 '아이돌'이라고 부를 자격이 없는 셈이다.

우리나라는 최근 서구 문화가 밀려들어오면서 다양한 문화 충격에 놀라고 있긴 하지만, 유럽인들 최초의 조상인 아리안 문화와 동양 문화는 이미 2,000여 년 전에 문화 충격을 주고받은 기록이 있다. 그 이유는 바로 서양인들의 '아이돌' 때문이다.

중국 전설에 의하면 기원후 64년경 한나라의 황제가 황금으로 된 귀신이 나타나는 꿈을 꾸고 깜짝 놀라 잠에서 깼다고 한다. 꿈이 너무 생생해서 해몽에 능한 신하들을 불러 그 내용을 들려주면서 "이 꿈이 도대체 무슨 뜻인고?"라고 물어보자 신하 한 명이 이렇게 대답했다고 한다.

"폐하가 보신 귀신은 저 멀리 서녘 사람들이 섬기는 '부처'라는 귀신이 아닐까 합니다."

황제는 과연 서녘 사람들이 섬기는 귀신인 부처가 자기에게 무슨 말을 하려고 나타났는지 너무나 궁금했다. 그래서 당장 사신을 뽑아 부처가 살던 서쪽 나라에 직접 다녀오도록 했다. 사신들은 실크로드를 따라 불타는 사막을 건너고, 눈으로 뒤덮인 히말라야 산을 넘어 아리아족이 사는 인도라는 나라에 도착했다. 진짜 그곳에는 부처를 믿는 사람들이 있었다. 한나라 사신이 중국으로 돌아와 동양의 첫 절인 '백마사'를 세우고 그 안에 인도에서 얻어온 불경과 불상을 안치하면서 불교가 동양으로 전파되었다고 한다.

처음에 중국 사람들은 부처를 믿는 사람들이 돌이나 금으로 부처 형상을 만들어 독특한 모양으로 지은 건물인 절에 모셔놓고, 매일 목욕을 시키고, 옷도 갈아입히고, 그 앞에서 정성을 다해 기도를 드리며 소원을 빌어서 많이 놀랐다고 한다. 사람 모양으로 신의 모형을 만드는 '아이돌' 문화를 처음 접한 것이었다.

'idol'은 원래 '보이다'를 뜻하는 단어였다. 신은 원래 보이지도 않고 만질 수도 없어서 믿기 힘들다. 그런데 조각을 딱 만들어서 눈앞에 보여주면 신의 '존재 이념', 즉 '아이디어idea'가 바로 이해된다고 해서 조각상을 'idol'이라고 불렀다. 머릿속에 보이는 '이상'을 뜻하는 'ideal'과 사촌쯤 되는 단어다. 또 'idea' 앞에 'v'를 붙이면 'videa' → 'video', 즉 '비디오'가 된다. 고대 유럽 사람들은 이 조각을 정말 예쁘고 완벽하게 만들었다. 오늘날까지도 미의 기준이 되는 8등신이 원래 그리스 사람들이 'idol'을 만들 때 적용하던 비율이었다.

또 요즘에는 'idol'의 노출에 대해서 여러 논란이 있는데, 원래 고대 그리스 사람들은 'idol', 즉 여신의 조각을 아주 섹시한 나체로 만들고 살랑살랑 바람에 휘날리는 야한 옷을 입혀놓으면 사람들이 헌금을 더 많이 바친다는 것을 깨달았다. 또 몇몇 신도들을 골라서 'idol'의 옷을 갈아입히는 특권을 주어 여신 조각의 나체를 볼 권리를 주면 신전에서 시키는 온갖 궂은 일을 다 했다고 한다. 먼 옛날에도 사람들이 예쁜 것을 보면 무조건 선망하고 섬기게 된다는 것을 잘 알고 이용해 먹은 셈이다.

인기 가수를 'idol'이라고 부르기 시작한 것은 아주 최근의 일이다. 1960년대의 프랑스는 끊이지 않는 전쟁으로 온 국민이 지쳐있었다. 제2차 세계대전이 끝난 뒤 프랑스-베트남 전쟁이 이어졌고, 바로 이어서 알제리 독립 전쟁도 치렀다. 그 암울한 시대에 실비 바르탕이라는 소녀 가수가 나타나 징병당한 프랑스 군인들의 마음을 깔끔하게 정화시켜 주었다. 이전까지 프랑스 남자들이 선호하던 여자 가수는 육감적이고 섹시했는데 실비 바르탕은 그와 정반대였다. 때 묻지 않은 여리고 맑은 소녀의 모습으로 노래했다. 그녀는 알제리의 사막과 베트남의 정글, 모래바람과 늪에서 구르며 싸우던 프랑스 군인들에게 피와 전쟁의 기억을 말끔하게 정화시켜주는 깨끗함의 상징으로 떠올랐다. 프랑스인들은 실비 바르탕이 세상 물정 모르는 순수한 '이상'적인, 즉 'ideal'한 우상으로 나타났다고 해서 'idol'이라고 불렀다. 프랑스 군인들도 실제로 자기의 이상형이 연예인으로 나타나자 정말 쓸데없는 물건도 실비 바르탕의 이름이나 사진만 붙여놓으면 모조리 사 모았고, 마치 그녀가 여신이라도 된 듯 군인들은 내무실 관물대 안에다가 그녀의 기념품으로 가득 찬 일종의 신전을 만들었다. 이것을 목격한 일본 엔터테인먼트 업계 사람들이 예술적 재능보다 사람들의 폭발적 선망의 대상을 만들어 원시 종교적 광기를 유도하는 'idol' 사업을 벌이기 시작했고, 이는 우리나라에도 들어와 'idol' 사업이 성행하게 되었다.

수많은 기술상품, TV, 인터넷에 둘러싸여 사는 현대의 우리는 기계라곤 전혀 없던 아주 먼 옛날 사람들과 많이 다를 것으로 생각하지만 'idol' 신드롬을 보면 옛날 사람들은 돌 조각 여신 앞에 넙죽 엎드려 기도하며 돈을 바쳤고, 지금은 TV 속에서 움직이는 그림을 보며 옛날과 똑같은 짓을 하고 있으니, 요즘 사람들이 옛날 사람들과 크게 다른 것도 없지 않은가 싶다.

Barbarian

나는 옳고
너는 그르다

에디슨 같은 사람의 생애가 기록된 위인전을 읽어보면 한 번쯤은 '나는 앞으로 어떤 인생을 살아야 할까?'라는 고민을 해보게 된다. 열심히 직장에 다니거나 사업을 해서 돈을 벌고 자식을 낳아 돌보다가도 가끔 '지금 내가 제대로 살고 있는가?' '에디슨처럼 인류를 위해 뭔가를 해야 하는 것이 아닌가?'라는 고민에 빠질 수 있지 않은가?

'제대로 잘 산다'는 것은 정말로 어렵다. 요즘에는 해외 이민과 여행, 유학 등이 자유로워졌고 세대차도 심해지면서 모든 사람들이 각자 '옳다'와 '그르다'라는 기준이 달라져 더욱 '나는 잘 살고 있다'라고 단정짓기가 어렵다. 심지어 부모 시대에는 옳았던 일들이 자식 세대에는 말도 안 되는 일이 되고, 어른들이 정겹게 한 말이 젊은 세대에게는 모욕으로 받아들여지기까지 한다. 식사 예절, 공부법, 인사법도 집안마다, 다니는 회사마다, 동네마다 조금씩 달라서 잘 지켜도 오해받는 경우가 많아졌다. 요즘 TV의 여러 프로그램에 한 청학동 훈장님이 자주 등장하는데, 그만큼 옳고 그름의 개념이 서로 같고 분명하던 시절을 그리워하는 분들이 많다는 뜻이 아닌가 싶다. 그렇다면 우리 함께 옛날 사람들의 지혜에서 올바른 길을 한번 찾아보자.

이처럼 여러가지 가치 기준이 혼란스러운 시대가 되고 보니 많은 사람들이 친구, 가족, 직장 동료들 간에 어려운 일이 생기면 '고전에서 길을 찾으라'며 옛 그리스 사람들의 명저를 읽어보라고 충고하는 모습을 많이 본다. 그런데 고대 그리스와 로마 시대의 사고방식을 곧이곧대로 받아들이면 오히려 더 문제를 키울 수 있다. 왜냐하면 고대 그리스와 로마 사람들은 옳고 그름의 문제를 매우 명쾌하고 단순하게 해결했는데, 그 방법은 지금의 우리들이 본능적으로 실천하는 방법과 크게 다르지 않기 때문이다. '내가 하면 로맨스, 남이 하면 불륜'이라는 말도 있듯이, 고대 그리스 로마 사람들의 옳고 그름의 기준은 철저히 '나는 항상 옳고 남은 항상 그르다'였다. 심지어 그리스 사람들은 그리스어를 뺀 모든 언어가 개 짓는 소리처럼 "바르! 바르!"라고 들린다고 해서 이 소리를 이용해 '야만인'을 뜻하는 단어 'barbarian바바리언'을 만들었을 정도이니 말이다.

고대 그리스 중에서도 아테네 사람들은 잘난 척이 가장 심해서 인근 도시들이 무척 싫어했다. 그들이 콧대가 높았던 이유는 외국물깨나 먹어본 사람들이 좀 있었다는 것이다. 아테네는 무역이 일찍 발달해 사람들이 자주 해외로 돌아다닐 수 있었다. 이집트나 페르시아에서 배워온 수학을 이용해 무거운 돌로 건물을 지을 줄 알았고, 글자라는 것을 배워 책도 한두 권 읽을 줄 알았으니, 아테네 성 밖에서 조금만 벗어나면 허름한 움막을 짓고 진흙과 하나 되어 동물처럼 지저분하게 사는 이웃 변방도시 사람들이 우습게 보였을 법도 하다.

아테네 사람들은 점차 전 유럽에서 자기들이 가장 잘났다고 생각했고, 특히 아테네어는 세상에서 가장 아름다운 언어라고 으스댔다. 그래서 아테네 사람들이 다른 마을 사람들이 하는 말을 들으면 마치 개가 '왈! 왈!' 하고 짖어대는 소리 같다고 해서 '와르와르거리는 사람들'을 뜻하는 'barbaros바바로스'를 '외국인'이라는 의미로 썼다. 아테네 사람들은 당시로서는 나름 선진 시민들이어서 벌거벗고 외출을 한다거나 장터 한가운데에서 대소변을 보는 것은 삼가는 편이었다. 그런데 아직 질서라는 개념을 모르던 성 밖 사람들은 아테네에 들어와서도 그런 무식한 행동을 거리낌 없이 했다. 그래서 'barbaros'는 '외국인'이란 뜻에 '옳고 그른 것을 가릴 줄 모르는 야만인'이라는 뜻까지 더해져서 영어로 '야만인'을 뜻하는 'barbarian'이 되었다.

이런 사고방식은 단순한 사회를 사는 데는 도움이 될 수 있다. 하지만 사회가 단순하던 고대에는 단 하루도 싸움이 없는 날이 없었다. 그래서 나와 의견이 다른 사람을 칼로 찔러 죽이는 일은 예사였다. 그러다가 서로 다투기 지겨우니 이제 그만두자고 합의를 본 후에 조금 다른 방법을 선택했는데, 바로 상대편이 내 말을 받아들일 때까지 바득바득 우기는 것이었다. 고대 그리스 사람들은 죽으면 죽었지 자기 의견을 굽히지 않았다. 그러니 고전에서 길을 찾는다는 막연한 충고를 여과 없이 받아들이는 것은 위험하다. 고전도 나에게 맞는 것을 골라서 제대로 참고해야 약이 되는 것이다.

Apologos

소크라테스의 우기기 기술

옛날 사람들이 지금처럼 수천만 명이 하나의 깃발 아래 뭉쳐 한 나라를 만들어 서로 죽고 죽이지 않고 협력하며 사는 것을 본다면 '기적'이라 할 것이다. 옛날 사람들은 몇 킬로미터 정도 떨어진 옆 마을 사람만 봐도 일단 '야만인'이라며 때려죽일 궁리부터 했으니 말이다. 남의 나라 언어를 접하면 그것을 배울 생각보다 '개 짖는 소리 같다', 즉 '바르바르거린다'라고 해서 'barbarian'이라고 했을 정도니 무슨 설명이 더 필요하겠는가?

그러다가 고대 그리스에서부터 차츰 '칼을 버리고 말로 문제를 풀자'라는 당시로서는 매우 특이한 생각을 한 사람들이 있었으니 여기서부터 서양 인문학이 시작되었다. 하지만 처음 인문학이 시작되었을 때의 사람들은 아직 미개해서, 일단 말을 시작했다 하면 무조건 나는 맞고 너는 틀리다라고 우겼다. 그러다 보니 모든 사람들이 서로 상대방을 손가락질했고, 심지어는 죽인다고 협박해도 조금도 굽히지 않고 바득바득 우기다가 기어이 죽어서 이름을 남긴 사람도 있으니, 바로 우리들이 도덕시간에 자주 들어본 이름 '소크라테스'다. 그런데 소크라테스의 고집이 세계의 인문학 씨앗이 되었으니, '갈등이 인류 발전의 원동력'이라는 말이 백번 옳다고 말할 수 있겠다.

고대 그리스는 섬으로 이루어진 나라답게 바다에 배를 띄워 무역으로 먹고살았다. 그래서 이들의 주요 관심사는 장사 잘해서 돈 많이 벌고 노예도 많이 사들여 편하게 사는 것이었다. 그런데 어느 날, 소크라테스라는 웬 괴상한 철학자가 나타나 길거리를 돌아다니며 인간은 돈이 아닌 깨달음을 위해 살아야 한다느니, 무슨 자격으로 인간이 인간을 노예로 부릴 수 있느냐 등 불편한 질문들을 해대기 시작했다. 몇몇 청년들이 소크라테스의 말에 홀려 무역을 배우는 것은 뒷전으로 미루고, 허구한 날 동네 공터에 모여 정의가 어떠니 인간의 존엄이 어떠니 하고 입방아를 찧어대자, 보수적인 어른들과 정부는 소크라테스가 순진한 청년들을 선동해서 반정부 세력을 만드는 위험한 인물이라며 잡아들이고 국론을 분열시켜 사회 불안을 조성한다는 누명을 씌워 사형 선고를 내렸다.

그런데 고대 그리스는 만약 시민권자가 사형 선고를 받더라도 그에게 충분히 변명할 기회를 주었다. 시민들이 광장에 모여 변명을 들어본 다음 그의 말에 일리가 있는지에 대한 투표를 해서 사형에 처하거나 풀어주는 제도가 있었다. 소크라테스의 친구들은 형장으로 끌려가는 그에게 그냥 시민들 앞에서 무릎 꿇고 눈물을 흘리며 죄송하다고 싹싹 빌어 목숨을 건지라고 충고했다.

하지만 소크라테스는 모든 시민들이 모인 자리에서 목소리를 높여 다음과 같은 마지막 웅변을 남겼다.

"… 많은 사람들이 당신들의 권력 앞에서 무릎을 꿇듯이 나도 당신들의 기대대로 무릎 꿇고 울면서 살려달라고 빌면 더 살 수는 있겠지만, 그렇게 바닥으로는 내려가지 않겠소. 목숨이 위태로워졌다고 해서 인간으로서의 존엄성을 버리고 천민처럼 행동할 수는 없소. 나는 내 말에 대해 반성하지 않소. 내 방식대로 말하고 죽는 것이 당신 방식대로 말하고 사는 것보다 낫다고 판단했소. 전쟁터의 군인처럼 시민도 법 앞에서 목숨 하나 부지하려고 비열해지는 것은 옳지 않소. 만약 전쟁터에 나간 젊은이가 무기를 내던지고 적 앞에 무릎을 꿇는다면 죽음은 피할 수는 있듯이, 옳고 그른 것을 가리지 않는 자에게는 항상 빠져나갈 구멍이 있소. 하지만 친구들이여, 죽음을 피하는 것은 쉽지만, 정의를 선택하는 것은 어렵소.… 그래서 이제 나는 죽음을 향해 떠날 테니, 당신들은 사악함과 불의로 가득 찬 삶 속으로 떠나시오."

소크라테스는 후세 사람들이 아테네에 대해 '소크라테스도 죽인 나라'라고 욕할 것이라는 말도 남겼다.

영화라면 소크라테스의 이런 멋진 말에 관계자들이 감동을 받고 풀어줄 수도 있었겠지만, 현실은 드라마가 아니므로 소크라테스는 곧 사약을 받고 죽었다. 소크라테스는 죽는 순간까지 얼마나 고집불통이었는지, 제자 한 명이 달려와 "억울하고 비통합니다!" 하며 눈물을 흘리자, 그를 달래주기는커녕 "모양 빠지게 계집년처럼 징징거린다!"라고 호통치며 쫓아내고 장례식에도 오지 말라고 으름장을 놓았다는 유명한 일화가 전해지고 있다. 소크라테스가 이날 시민들 앞에서 벌인 논리정연한 반론은 당시 청년이었던 후세의 철학자 플라톤이 쓴 〈소크라테스의 변명〉이라는 책으로 오늘날까지 전해진다. 이 책의 원래 제목은 'Apologos'인데, '대응하다'를 뜻하는 'apo'와 '말'을 뜻하는 'logos'가 합쳐진 것이니 '당신만 혼자 떠들지 말고 나도 한마디 합시다'라는 의미의 단어인 것이다. 지금은 'logos'의 영어형인 '~logy'가 '~학'이라는 접미사로 쓰인다. 마찬가지로 '생명bio'에 대해서 나도 한마디 하는 것은 'biology'고, '동물zoo'에 대해서 나도 한마디 하는 것이 'zoology'다.

다시 말하면 많은 사람들이 모여 서로 '내가 옳소'라며 치열하게 싸우는 것이 바로 인문학의 근원이라는 이야기다.

민주주의 국가가 빠른 속도로 발전한다는 것은 세상 사람들 모두가 다 알 것이다. 하지만 민주주의는 지켜보고 있으면 무척 답답하고 어지럽다. 소크라테스가 살던 아테네는 간접 민주국가였다. 아테네에 페르시아 사신이 페르시아 황제에게 조공을 바치라고 다녀간 적이 있다. 다른 나라 같으면 그 마을 어르신들이 대표로 대국 사신을 맞아들여 조용히 이 문제를 해결했겠지만 아테네는 달랐다. 모든 아테네 시민들이 공터로 나와 각자 자유롭게 찬반을 논하면서 시끌벅적 떠들어대고 몸싸움도 벌였다. 이 모습을 지켜본 페르시아 사신은 '이 나라 완전 개판이군'이라고 생각했다고 한다. 또 모든 시민들에게 하얀 돌, 까만 돌을 하나씩 나눠주고 항아리에 던져서 조공을 바칠 것인가, 전쟁을 할 것인가를 스스로 결정하도록 '투표'를 하는 것을 보고 페르시아 사신은 이렇게 혼란스럽고 결정이 느려서 나라가 어떻게 돌아가는지 모르겠다며 크게 놀랐다고 한다.

지금 우리 사회도 국회의원들이 자주 몸싸움을 하고 정치공작을 벌이며 패싸움을 하거나, 민생 문제로 시민단체들이 여기저기서 들고 일어나 각기 다른 자기 목소리를 내 '세상이 어지러워졌다'라고 걱정하는 사람들이 많다. 하지만 민주주의는 원래 어지러운 것이 정상이고 'apo-logos', 즉 '나도 한마디' 할 수 있을 때 민주주의가 제대로 이루어져 나라가 강해진다는 것을 이미 수천 년 전의 아테네가 확실히 보여주었다.

결국 아테네는 시민들의 투표 결과에 따라 페르시아에 조공을 바치지 않고 전쟁을 치르기로 결정했다. 페르시아는 워낙 강대국이어서 아테네를 비롯한 전 그리스 군대보다 10배가 넘는 군사들을 몰고 마라톤이라는 공터로 나와 아테네 군대와 한판 크게 붙었다. '내가 발언권을 갖는 내 나라'를 지키려고 전쟁에 나선 그리스인들은 황제의 독단적인 결정에 어쩔 수 없이 전쟁터에 끌려나온 페르시아 군대를 10:1이라는 수적 열세에 불구하고 모조리 쳐부수었다. 문득 한 미군 해병사령관의 말이 떠오른다. "자유란, 무엇보다 자유롭게 싸울 수 있는 권리다."

Justice

정의란 무엇인가

서로 옳고 그름에 대해 말로 우기다 보면 '정의란 무엇인가?'라는 말이 나올 수밖에 없다. 얼마 전에 미국 하버드 대학의 마이클 샌델 교수가 쓴 〈정의란 무엇인가?What is Justice?〉라는 책이 우리나라에서도 큰 인기를 끌었다. '정의' 같은 추상적인 문제에 관심을 갖는 사람들이 많다는 것은 우리의 지적 수준이 그만큼 높아졌다는 것이니 반가운 일이다. 사람이 현명해지기까지는 몇 개의 단계가 있다고 한다. 첫 단계는 '내가 누군가?'를 깨닫는 것, 다음 단계는 '남을 어떻게 도울까?'를 깨닫는 것, 마지막으로 가장 높은 단계는 '어떻게 하면 정의로운 사회를 구현할 수 있을까?'를 생각하는 것이라고 한다. 그러니까 〈정의란 무엇인가?〉라는 책을 읽으신 분들은 이 세 번째 수준에 다다랐다고 할 수 있다. 독자가 지금 읽고 있는 이 책도 뒤로 갈수록 수준이 높아져야 할 테니, 'justice정의'의 어원을 풀어 내용을 한 단계 업그레이드 시켜볼까 한다.

'정의'를 뜻하는 단어 'justice'는 말 그대로 번역하면 '막무가내'를 뜻한다. 직역하면 '입 닥치고 실행에 옮겨라'를 뜻하는 운동화 브랜드 나이키의 광고 카피인 'Just do it'에 나오는 'just'와 같은 어원이다. 'just'가 오늘날처럼 '정의'라는 뜻으로 변한 데에는 고대 로마 언덕 위로 끌려간 돼지에 관한 사연이 숨어있다.

고대 로마인들은 고지식할 정도로 약속을 잘 지켰다. 특별히 착해서라기보다 그럴 만한 이유가 있었다. 우리는 약속할 때 서로의 새끼손가락을 걸고, 미국 카우보이들은 손바닥에 침을 뱉고 악수를 한다. 그런데 로마가 아직 작은 부락에 불과하던 선사시대부터 로마인들은 한번 약속을 하려면 일단 장터로 나가 살아있는 돼지부터 한 마리 샀다.

두 사람은 이 돼지를 끌고 마을 뒷동산으로 올라간다. 로마 시내에는 카피톨리누스라는 언덕이 있는데 선사시대부터 그 언덕 위에 큰 부싯돌 바위가 있었다고 한다. 부싯돌은 투명하고 날카로우며 불을 켤 때 성냥처럼 사용할 수도 있었기 때문에, 고대 로마인들은 이 바위를 하느님 아버지인 '주피터의 바위'라며 신성시했다. 약속이 필요한 두 사람은 이 바위 앞으로 가서 날카로운 바위에 돼지를 힘껏 내리쳐 단번에 죽이면서 약속을 하기 이전에 다음과 같은 맹세부터 했다. "주피터 신이여, 만약 내가 지금 하는 약속을 어기면 방금 아버지 신께서 이 돼지를 죽인 것처럼, 로마를 내리쳐 멸망하게 하소서."

내가 약속을 어기면 나라가 망하게 해달라는 맹세와 함께 약속을 해야 하니, 한번 한 약속은 죽더라도 어길 수가 없었다.

고대 로마인들은 모든 약속에 주피터를 보증인으로 세웠다. 법 역시 같은 방법으로 만들었다. 새로운 법을 만들 때면 로마 시내에 사는 모든 씨족의 가장들이 참석하는 큰 회의를 열었다. 이것이 오늘날 국회의 시조인 '원로원'으로 발전했다. 참석한 씨족 대표들은 회의 시작 전에 주피터의 돌 앞에서 돼지를 던져 죽이며 투표 결과가 어떻게 나오건 무조건 따를 것이며, 따르지 않으면 지금 죽은 돼지처럼 로마 전체를 박살나게 해달라는 맹세부터 했다. 로마인들은 이후로도 죽 법과 약속을 같은 개념으로 보았고 한번 정한 약속이나 법은 자기가 죽더라도 반드시 지켜야 하는 것이 되었다. 모든 약속을 주피터의 돌이 있는 카피톨리누스 언덕 위에서 했다는 전통을 기려 미국 의회도 언덕 위에 건물을 짓고 의회건물을 'The Capitol Hill'이라고 부른다. 또 국회 내에서 한번 가결된 안건은 절대로 바꿀 수 없기 때문에 안건 통과 종료를 알리는 망치를 빼앗으려고 여당, 야당이 치열하게 몸싸움을 벌이며 소란을 떨기도 한다. 망치를 쳐서 안건이 통과됐음을 정확히 확인하는 전통은 고대 로마시대에 주피터와의 서약식이 끝나고 약속내용이 의결되면 청동 막대기로 저울을 때리면서 "모든 것이 공정하게 이루어졌다."라고 말하던 의례에서 나온 것인데, 이것은 오늘날까지 이어져 행해지고 있다.

이렇게 약속을 꼭 지켜야 했기 때문에 '더도 말고 덜도 말고 고지식하게 딱' 등을 뜻하는 'just'에서 '법대로' 또는 '정의롭다'라는 뜻의 'just'가 나왔다.

주피터 앞에서 약속을 꼭 지키겠다는 맹세를 한 것이 곧 법이었으니 '법대로', 즉 'justice'는 용서나 융통성과는 거리가 멀다. 로마인 누구 한 사람이라도 주피터 앞에서 한 맹세를 어기면 바위에 맞아 부서져 죽은 돼지처럼 주피터가 로마인 전체를 잔인하게 죽일 것이니 법을 어긴 사람은 무조건 국가와 신성한 주피터 신에 대한 반역자가 되는 것이었다.

로마의 법이 얼마나 준엄하고 무서웠는지, 나라의 최고 지도자도 법에 따라 자기 자식을 죽여야 했다. 로마의 귀족들은 왕의 독재가 너무 심해지자 왕 없는 일종의 민주국가를 세우려고 혁명을 일으켰다. 그 결과 탄생한 것이 '공화정'이다. 브루투스는 공화정 건국에 큰 공을 세운 지도자였다. 그는 주피터 신 앞에서 공화정 세우는 것에 성공하면 축출당한 왕과 그를 옹호하는 모든 사람들을 가차 없이 처벌할 것을 맹세했다. 브루투스는 혁명에 성공했고 로마 공화정의 최고 지도자가 되었다. 그런데 당황스럽게도 자기의 두 아들이 왕실과 내통하고 있다는 사실이 밝혀졌다. 브루투스는 눈물을 머금고 자기의 두 아들을 사형시켰다.

지금도 세계 모든 법정에는 정의의 여신 조각상이 서있다. 이 여신의 한 손에는 두 사람의 입장을 재는 저울이 들려 있다. 로마 시대의 여신은 눈을 가리고 거대한 칼도 들고 있었다. 이것은 법이란 사람을 눈으로 보아 구분하지 않고 안 지키면 모조리 칼로 내리쳐야 한다는 의미를 담고 있었다. 로마 법전에는 'Let justice be done, may sky fall 하늘이 무너지더라도 법은 집행된다'이라는 말이 쓰여있는데, 법을 지키기 위해 모든 것을 포기한 제임스 본드의 비극적 모습을 그린 〈007 스카이폴〉의 제목이 여기서 나왔다는 설도 있다.

서양인들이 생각하는 정의는 모든 사람에게 무조건, 인정사정 봐주지 않고 똑같이 법을 적용시키는 것을 말한다. 그러나 계약서나 법대로 실행하면 약자에게 불리한 경우가 많다는 것을 알게 된 후세의 로마 변호사들은 'just'는 '법 그대로' 집행되야 하지만 법이 '옳을' 때만 그렇다며, 빚을 받기 위해 그 사람의 생계 수단을 빼앗는 것 같은 잔혹한 계약은 법대로 집행되면 안 된다고 주장했다.

그때부터 서양에서는 재판에서 과연 이 법을 집행하는 것이 옳은지 그른지에 대한 열띤 논쟁을 벌이는 문화가 생겼고, 약한 자들을 지나치게 잔인한 법으로부터 보호해주는 법률가가 존경받는 직업으로 부상했다고 한다.

사실 모든 인문학은 '옳고 그른 것'을 가리는 과정을 연구하는 학문이기도 하다. 우리가 '인문학'이라고 부르는 모든 학문들은 '사람은 어떻게 살아야 하는가?'에 대한 이치들을 말하고 있는데, 현대에는 경제학이 '잘사는 방법'을 가르쳐주듯이 그리스 로마 신화는 단순히 재미있는 이야깃거리를 제공하는 것이 아니라 '똑바로 사는 기준'을 설명하고 있다. 그래서 고대 로마의 신 중의 신인 주피터의 이름이 가진 어원은 우주의 질서를 뜻하는 '하늘'과 집안의 질서를 뜻하는 '아버지'가 합쳐져서 '하느님 아버지', 즉 우주와 집안의 법칙을 지키는 무서운 신이라는 의미를 담고 있다.

Jupiter

주피터의 어원은 '하느님 아버지'

인류는 서로 자기가 더 옳다며 칼을 휘둘러 싸우기도 했고 쌍지팡이를 짚고 우기며 치열한 말싸움을 벌이기도 했다. 우리가 흔히 쓰는 단어 속에는 그런 역사의 흔적들이 고스란히 스며있다. 그래서 단어의 역사야말로 인간 지식이라는 복잡한 지식 그물망의 실마리다. 그렇다면 어원학과 인문학의 시작은 어디서부터일까? 단어의 고향을 찾아가보면 인간의 정신적 고향인 하늘에 도착한다. 거기서 우리는 모든 인류가 한 형제임을 확인할 수 있다.

영국의 학자 윌리엄 존스는 영어, 라틴어, 이란어, 힌두어가 다 하나의 뿌리에서 나왔다는 것을 깨달아 '어원학'의 창시자가 되었다. 하지만 그 전에도 고대 그리스와 로마 신화들을 읽으면서 '그런 기발한 아이디어들이 다 어디서 나왔을까?'라고 궁금해하며 그리스 로마 신화의 뿌리를 찾아 유럽 민족의 정체를 밝혀보려는 학자들이 있었다. 그중 한 사람인 프랑스의 어느 학자가 주피터의 의미는 단순히 '하느님 아버지'라는 뜻이며, 모든 민족은 자기가 하늘에서 왔다고 믿는다는 큰 발견을 했다.

영국인 존스가 인도에 도착하기 100년 전, 아브라함 앙케틸-뒤페롱이라는 프랑스 학자가 인도에 도착했다. 그의 아버지는 아들에게 나중에 성직자가 되어 안락하게 살라고 수도원 학교에 보내주었다. 수도원 학교에서는 성직자라면 구약성서를 원본으로 읽을 수 있어야 한다며 히브리어를 가르쳐줬는데, 부작용이 생기고 말았다. 앙케틸-뒤페롱은 신앙에는 관심이 없고 오히려 구약성서에 나오는 전쟁 이야기, 이스라엘 왕들의 연애담, 고대 중동문화 등에 푹 빠져버린 것이다. 앙케틸-뒤페롱은 성경 이야기에 나오는 다른 민족들이 쓴 책이 궁금했다. 그래서 고대 페르시아어를 배웠다고 한다.

페르시아어에 능통하게 된 앙케틸-뒤페롱은 직접 동양에 가보고 싶어 안달이 났다. 하지만 1750년대는 원한다고 해서 마음대로 해외 여행을 다닐 수 있던 때가 아니었다. 그러던 중 아이디어가 떠올랐다. 당시 프랑스와 영국은 서로 인도를 차지하기 위해 치열한 전쟁을 벌이는 중이었다. 앙케틸-뒤페롱은 꾀를 내어 자기도 인도로 가서 조국을 위해 싸우겠다며 입대 신청을 하고 국외 여행 허락을 받아 배를 탔다. 그러나 인도에 도착하자마자 부대에서 나오기 위해 병역 비리를 저질렀다. 그는 조국에서 수만 리 떨어진 낯선 땅 인도의 정글을 가로질러 인도인들이 '지식의 샘'이라고 부르는 사원도시 퐁디셰리로 향했다.

당시 인도의 퐁디셰리에는 유명한 사원들이 많아 전 세계의 뛰어난 학자들이 모여들었다고 한다. 앙케틸-뒤페롱은 페르시아어에 능통했기 때문에, 이곳에서 페르시아의 6,000년 종교 전통을 구전으로 이어온 '마지'라는 특이한 사람들을 만나게 되었다.

앙케틸-뒤페롱은 이곳에 있는 마지에게 사사를 받으며, 마침내 그들의 경전인 '아베스타'를 익혀 프랑스어로 번역했다.

그 당시의 유럽인들은 이 '아베스타'가 얼마나 중요한 책인지 잘 알지 못했다. 하지만 그로부터 약 100년 후, 영국인 윌리엄 존스가 인도, 페르시아, 유럽인들이 모두 같은 조상에 뿌리를 둔 '아리안족'이라는 사실을 밝혀내자, 유럽인들은 그제야 '아베스타'가 자기들에게 얼마나 중요한 책인지 깨닫게 되었다. 고대 그리스, 로마 신화보다 훨씬 오래된, 어쩌면 유럽민족이 쓴 가장 오래 된 경전일지 모른다고 생각한 많은 학자들이 연구에 착수했다. 그 결과 '아베스타'에서 그리스, 로마 신화의 뿌리를 찾았다고 주장하는 학자들이 나타났다.

'아베스타'에 의하면 세상 만물은 모두 하늘에서 왔다. 하늘신은 빛나는 흰옷을 입고 사는데 일반인의 눈으로 보면 금세 눈이 멀 정도로 눈이 부시다. 해와 달은 하늘신의 눈이다. 하늘신은 해와 달을 통해 인간 세상을 다 보고 계신다. 하지만 세상은 태초부터 전쟁이 많았다. 하늘에도 세상의 빛을 빼앗고 어둠으로 뒤덮으려는 밤의 무리가 있다. 하늘신과 어둠의 무리는 영원히 전투 중이다. 하늘신이 후퇴하면 밤이 되고, 긴 막대기로 어둠의 무리를 세 번 때리면 낮이 찾아온다. 가끔씩 어둠의 무리가 하늘신의 눈을 가려 낮에도 밤처럼 구름이 끼고 폭풍우가 몰려오는데, 이럴 때 하늘신은 천둥으로 어둠의 무리를 쳐서 구름을 물리친다는 것이다.

'아베스타'가 말하는 하늘신은 두 가지 이름을 가지고 있다. 하나는 '모든 것을 볼 수 있고 알고 있는 자'를 뜻하는 페르시아어 '아후라 마즈다'인데, 여기서 일본 자동차 브랜드 이름인 '마즈다'가 나왔다.

또 하나는 '밝은 낮의 하늘'을 뜻하는 'diwas'인데, 이것은 여신처럼 노래를 잘하는 가수를 뜻하는 'diva디바'의 어원이다.

고대 그리스인들은 페르시아어인 'diwas'를 빠르게 발음해서 이것이 점차 'Deus' → 'Zeus'로 변해 그리스 신 중의 신의 이름이 '하느님'을 뜻하는 제우스가 되었다. 로마인들은 하늘이 모든 것의 시작이며 따라서 우리를 낳아준 아버지와 같다고 해서 '하늘'이라는 뜻인 'diwas'에 아버지를 뜻하는 'father'의 사촌 단어 'pater'를 합해서 'Diwas+Pater' → 'Deuspaeter' → 'Jupiter'로 점점 줄여 불러 '하느님 아버지'를 뜻하는 주피터를 신 중의 신으로 섬겼다. 또 영국인들의 조상은 'diwas'를 너무 세게 발음해서 'Tiwas'라고 했는데, 화요일이면 자기들이 섬기던 신 'Tiwas'에게 제사를 지낸다고 해서 그날을 'Tiwas−Daeg'로 부르다가 점차 발음이 변해서 'Tuesday'가 되었다.

우리도 '하느님 아버지'의 아들 단군이 고조선을 세우면서 처음으로 왕조와 법도가 생겼다고 배웠다. 중국에서도 첫 황제가 하늘에서 '천명'을 받아서 중국 천하를 다스린다고 했다. 또 일본인들이 섬기는 황제는 '텐노'인데 하늘에서 낸 황제, 즉 '천황'이라는 뜻이다.

사람이 동물과 다른 점은 사람은 두 발로 걷기 때문에 하늘을 쳐다볼 수 있다는 점이라고 한다. 우리는 동물과 함께 땅 위에서 살아왔지만, 두 눈만은 항상 높은 하늘과 먼 지평선을 바라보는, 꿈꾸는 동물이었다. 별과 달이 불변의 법칙에 맞춰 같은 시간에 뜨고 지는 것을 보면서 법과 질서를 만들었다. 별을 보고 자기 위치를 파악할 수 있어 나무로 만든 뗏목에 몸을 싣고 태평양을 건너 오스트레일리아와 뉴질랜드의 원주민이 되기도 했다. 조그마한 방에 앉아 우주의 지도를 그릴 줄 아는 용기, 미지의 것을 이해하고 내 이성으로 정복하려는 욕심이 바로 인간과 동물의 차이다.

언어는 그런 역사와 동반 성장해왔다. 우리가 생각 없이 사용하는 단어 하나하나에 하늘로 고개를 치켜든 인간의 자부심과 존엄성이 배어있으니, 그 의미만 제대로 알고 사용해도 인간의 자부심을 높일 수 있는 것이다.

여러분은 이 책과 함께 6,000년의 역사와 지구 전체를 가로질러 여기까지 도착했다. 이제부터는 무심코 지나쳤던 간판, 인터넷, 잡지, 책, 대화 속의 단어들이 당신 귓속을 간질이며 속삭일 것이다.

"비록 당신의 발은 흙을 밟고 있을지라도 머리를 들어 하늘을 보라! 별들의 정신을 물려받은 당신은 하늘을 보고 꿈꾸는 동물, 인간이니까!"

이야기
인문학